蘇同炳 著

手植楨楠已成蔭

——傅斯年與中研院史語所

臺灣學生書局印行

手植楨楠已成蔭
——傅斯年與中研院史語所

目次

一、一個偉大理想的實現

提到史語所的建所理想，就不可不提那一篇有名的「歷史語言研究所工作之旨趣」。此文刊於史語所集刊之第一本第一分，民國十七年十月在廣州出版。其作者雖由「歷史語言研究所籌備處」具名，實際上的執筆者則是傅斯年先生；因為此文在傅先生逝世之後被收入「傅孟真先生遺集」第四冊的「學術論文集」中，等於公開向世人承認，此文之作者即是傅斯年先生。「歷史語言研究所工作之旨趣」早已成為有名之作，讀過它的人太多；而且原文長逾六千字，也不便在此轉引。因此只打算在這裡引述一件罕為人知的有關文獻，藉以窺見傅斯年先生當年之所以要立志創辦史語所的動機，究竟為何？

史語所舊檔元字一〇九號「陳垣」卷內，存有傅斯年先生當年寫給陳垣先生的信稿一件。這是以兩張洋式信紙寫成的信函草稿，出自傅先生的親筆，因為是草稿，所以字跡潦草特甚。但如仔細辨認，亦不難看清其原來文字。由於這是一篇極重要的有關文獻，而且素來不曾見引於其他著述之中，所以應該將它整理出來，公諸世人之前。今轉錄信稿之原文於次：

援菴先生著席。十年景仰，瞻對無由，亮節清風，載馳遐想。久欲借寅恪先生之介奉陳衷曲，既不敢於率爾，尤以瑣事紛紜，不能坐定寫一端書，今日始上此箋，深慚稽遲。歉疚之意，想先生必能鑒原。斯年留旅歐洲之時，睹異國之典型，慚中土之搖落，並漢地之歷史言語材料，亦為西方旅行者竊之奪之，而漢學正統，有在巴黎之勢，是若可忍，孰不可忍？幸中國遺訓不絕，典型猶在，靜安先生馳譽海東於前，先生鷹揚河朔於後，二十年來，承先啟後，負荷此業，俾異國學者莫我敢輕，後生之輩得其承受，為幸何極！去年一月，斯年行旅京滬，與蔡元培先生談及，中央研究院宜設置歷史語言研究所之意。孑民先生久有此願，樂觀厥成，即託斯年籌備，自慚年少，學無根柢，不堪此任。然一事設置之始，事務居多，積學高賢，不願耗其精力於此。若能先効其筋力之勞，以成此設置，事務有序，學者惠來，然後捨其事務，更作學生，或亦賢者所諒，而無傷於孑民先生不棄之明。故冒昧不辭，勉作籌備。惟去年國家興兵，此所經費無著，夏間破虜收京之後，便思北上以謁先生之杖履，而逡巡不果。十一月中，此所之經費始定，即託寅恪、半農兩先生轉陳衷曲，冀不遐棄。日前奉到寅恪先生轉來先生致寅恪先生函，欣知惠諾，歡喜之情，不言可喻，孑民先生聞之，尤當感荷也。此所根基，均賴先生與寅恪、元任、半農、濟之諸先生成之。從此前征，必能超乾嘉之盛，奪歐士之席，國家且與有榮，豈特斯年等之大幸而已。斯年十九動身北上，二十二日可抵上海，月底必更北行。相見不遠，一切面罄。茲先略述綱略，或亦先生所樂聞也……。

此信稿紙祇二頁，書至二頁之尾，全信似尚未畢，但第三頁已不見於檔案中，很可能是因為年代久遠之故而遺失了。不過這並無多大關係，因為它已可使我們了解傅斯年先生對於成立史語所之思想淵源。原信雖因殘缺而不知其發信時間，仍可由信中所述事實而推知之。因為中央研究院院長蔡元培先生之接受傅斯年先生建議，同意在中研院增設歷史語言研究所一事，即在民國十七年之二、三月間。則蔡、傅二先生因此事而晤談之時間，必在十七年之一月。此信中既有「去年一月，斯年行旅京滬，與蔡元培先生談及」云云，則信中之所謂「去年」，必是民國十七年，作信時間則必是民國十八年也。史語所籌備處於民國十七年四月成立於廣州，同年建所完成，十八年五月遷設北平。在由粵遷平之前，傅先生曾為遷所之事往來京滬及北平等地，時間在十八年之春間。此信中有「月底必更北行」之說，當即是此信之寫作時間，衹不能確定其確實日期究在何日而已。

一封殘缺不完的信稿，仍為筆者所如此重視，其原因就是因為，它可以使我們了解傅斯年先生在留學歸國之後，何以要一再在國內發起，成立有關歷史、語言之學的研究機構？無論任何一種有關於學問事業的理想，必有其動機與因緣，這封信所能告訴我們的就是這一點！

在這一封信中，傅斯年先生明明白白地說出了他內心的感觸——中國歷史與中國語言，本來應該是由中國人自己來研究的學問。只因這些學問在最近數百年來停滯不進，以致反而有由外國學者越俎代庖之勢。傅先生在歐洲留學之時，目睹西方人在「漢學」研究上的偉大業績，使中國留學生自慚不如。「睹異國之典型，慚中土之搖落，並漢地之歷史語言材料，亦為西方旅行者竊之奪之，而漢學正統，有在巴黎之勢，是若可忍，孰不可忍？」為了要挽回這種學術研究上的頹勢，中國學者即應在此時急起直追，「俾異國學者莫我敢輕，後生之輩得其承受。」所以他在回國之後，就在他所任教的國立中山大學糾合三數同志，成立全國首創的「語言歷史研究所」，以便能團結力量，蔚成風氣。恰好蔡元培先生在此時奉命籌組中央研究院，傅斯年先生因又覺得，中央研究院所負的任務在推動全國的學術研究，倘能在中研院增設一個研究所，專門從事歷史學與語言學的研究，則以國家最高學術機構的地位來推動此項研究工作，必定更能發揮號召學者的力量。所以他向蔡先生提出建議，認為中央研究院既是全國最高的學術研究機構，便不能沒有研究歷史學與語言學的研究所，否則永難挽我國學術界在這兩方面所處的頹勢。蔡先生同意此建議，並即委託傅先生進行籌備，於是，傅斯年先生在留學歐洲期間所受的刺激與感觸，至此便有了一展抱負的機會。書生報國，最合適的方式就是盡其所學，以貢獻於國家、社會。傅先生後來的最大成就，就是能把他所一手創辦的歷史語言研究所辦得有聲有色，在國際學術界獲得崇高的讚譽，也為歷史學與語言學的研究工作奠定了深厚的基礎，可以說充分實現了他的理想與抱負。傅斯年先生的理想與抱負，正是中央研究院歷史語言研究所得以成立的原始動力所在。關於這一點，與傅斯年先生一同參與建所工作的李濟先生，了解得非常清楚。傅斯年先生逝世三週年時，史語所曾出一特刊為之紀念。這上面有李濟先生所撰一文，名曰「傅孟真先生領導的歷史語言研究所」，對於傅先生當年創建史語所所抱持的理想，亦甚多闡述，可以參看。

李濟先生所撰大文之開頭處，先引述傅先生寫在「歷史語言研究所工作之旨趣」中之一段，說：

在中國境內，語言學和歷史學的材料是最多的，歐洲人求之尚且難得，我們卻坐看他毀滅亡失。我們著實不滿這種狀態，著實不服氣的就是物質的原料以外，即使學問的原料也被歐洲人搬了去乃至偷了去。我們很想借幾個不陳的工具，處治些新獲見的材料，所以才有這歷史語言研究所之設置。

李先生從民國十七年十月份開始，就擔任史語所的專任研究員兼考古組主任；民國四十四年至六十一年，更擔任所長之職；直至民國六十七年病故為止，前後在史語所任職五十年之久。他不但是傅先生創建史語所時期的重要工作夥伴，對於史語所後來的發展，也有很大的影響。李先生說，傅先生寫在「歷史語言研究所工作之旨趣」中的這段話，不僅僅是傅先生一人之感觸而已，在中國當時的學術界，也普遍存有這種不滿意與不服氣的心理。傅先生能把握時會，乘中央研究院正在籌備成立之際，說服蔡元培先生在中央研究院設立歷史語言研究所，適時將學術界人士心中的這種心理導入正軌，於是乃使新成立的中央研究院歷史語言研究所得到了創建的動力，一開始就發展出了蓬蓬勃勃的偉大業績。李先生說，傅斯年先生是這一運動最理想的領導人。他喚醒了中國學者最高的民族意識，在很短時間之內，聚集了不少能運用現代學術工具的中年及少年的學者。於是，以科學方法及科學工具從事歷史學及語言學的研究，並且在幾十年之內做出了不凡的成績。李先生的話，對於幫助我們了解傅斯年先生的思想背景，有很大的參考價值，當然應予擇要轉引，以明究竟。今先抄錄其中一段如下：

歷史語言研究所成立以前，北方的學術界，以科學方法整理國故的呼聲已發出了十餘年，並曾得到快速的反應。北京大學的國學門，以及清華學校的研究院，均是在這一號召下先後成立的。兩機關的工作成績，都留有新鮮的及深刻的印象於那時的教育界。……同時，在北方進行的自然科學工作的發展，不但一步一步地推及到人類歷史的邊緣，並且深入歷史範圍以內了。地質調查所倡導的地質學與古生物學；協和醫學院進行的體質人類學，以及以北平為中心的外國學術團體所遣送的各種科學工作遠征隊，皆是堅強的組織，氣勢極盛，愈來愈猛。主持這些事業的，除地質調查所外，都是外國的學術團體。這些外國人，挾其豐富的物質配備以及純熟的科學技巧，不但把中國境內的自然科學資料一部分一部分搜集走了，連歷史的、考古的、美術的、以及一般人類學的資料，也引起了他們絕大的興趣。他們很堅決的跑到中國來，調查我們的語言，測量我們的身體，發掘我們的地下古物，研究我們的風俗習慣，這些學問原料，真是一天一天的被「歐洲人搬了去乃至偷了去」！要反對這種文化侵略，應該先從反對自己的愚蠢起；要了解自己的靈魂，應該先教育自己認識自己的歷史，懂得自己的語言。這些大道理，是五四運動以後，一部分學術界所深知的，卻是直等到國立中央研究院成立後，才得到有組織的表現。……

這一段話，清楚明白地說出了國立中央研究院成立之時所負擔的時代使命，乃是要我們中國人運用我們自己的智慧，來了解我們自己所有的東西，以阻遏外國學術界越俎代庖式的文化侵略行為。但因中央研究院的設置目的只在從事科學研究，歷史與語言純是人文學科的東西，如果只知沿用舊時的方法，「取倫理家的手段，作文章家的本事」，這樣的學問便無資格躋身科學研究之列。但是，十九世紀以後的歐洲，已經利用新式的科學工具及方法，發展成功了極為細密的實驗語言學與比較語言學，每一種不同民族的語言，都已在專門學者的精深研究之下，發展成了分工極細的專門之學，而且以後的發展正復方興未艾。中國語言的研究，如果亦能利用這些工具及方法，其前途亦復漫無涯際。語言所代表的就是思想，對語言演變的事實了解得愈清楚，就等於對思想演變的事實了解得愈清楚；在這種情形之下，語言研究就與思想研究乃至歷史研究分不了家。至於邊疆民族的語言，有很多是與漢語屬於同一語族的；能夠把邊疆民族的語言研究清楚，對於以比較語言學之法建設中國古代語言的構想，當然也會有極大的幫助。這是以近代科學方法及工具從事語言研究的眾多目標之一，正有待曾受新式訓練之語言學家積極努力。同樣的情形，也可適用於歷史學的研究方面。

歷代史家，只知以官文書的記載參以私家記述，寫成「紀傳志表」式的史書，文章雖美，敘述卻不免落入主觀，於史事記述之矛盾及同異之處，每多不加詳細考訂，不但常生錯誤，也每每使人無法察見其中所蘊藏的甚多歷史問題。如能充分利用各種直接史料，大之如地方志書，小之如私人日記，遠之如得自地下發掘的古物，近之如某些商業機構的貿易賬冊，以綜合排比或參互鈎稽之法詳加研究分析，發掘其中所包含的無數大小問題，一一以條分縷析之法舉證無遺，不但所用的方法最合於科學精神，所得到的結果最可信賴，也可使歷史學的研究得到一層深似一層的進步擴展，其前途之光明遠大，不問可知。在中國境內，歷史學的材料與語言學的材料一樣豐富，其缺點就是不知利用新式科學所研究出來的工具與方法，以致處處落人之後。傅先生在「歷史語言研究所工作之旨趣」一文中，列舉各種資料加以比對，以證明科學方法與不科學的方法之同異及其良窳，最後得出三點概括性的結論，乃是：

第一，凡是能直接研究材料的學問，便是進步的；只以間接方式研究從前人所已曾研究過的問題，或從前人所創造的系統，而不繁豐細富的參照所包含的事實，便是退步的。

第二，任何一種學問，凡能繼續不斷地擴張其研究材料的，便是進步的；反之，便是退步的。

第三，任何一種學問，凡能繼續不斷地改進其工具的，便是進步的；反之，便是退步的。

在「歷史語言研究所工作之旨趣」一文中，傅先生曾經很感慨地說：「在中國的語言學和歷史學，當年之有光榮的歷史，正因為能開拓的用材料；後來之衰歇，正因為題目固定了，材料不大擴充了，工具不添新的了。」唯其因為舊時中國的語言學與歷史學只不過在方法、工具、觀念等方面落後於西洋，則在這些方面都能得到革新之後，以中國境內歷史學語言學材料之富，以及中國人研究中國學問所能得到的便利，必不難在很短時間內獲致豐富成績，足以為中國人揚眉吐氣，傲視於歐美日本的學者之前。傅先生常說：「周雖舊邦，其命維新」，其意即此。此亦正是他要籲請中央研究院院長蔡元培先生應在院中增設歷史語言研究所的主要理由。揆之當時事實及史語所後來的發展情形，正復絲毫不爽。因此我們也很可以說，「歷史語言研究所工作之旨趣」一文中的話，正是傅斯年先生當年創建史語所時所抱持之理想，而且當時與他抱持相同理想的人，正復大有人在；如李濟先生及他所曾說到的那些學術界人士，即是。正因為傅斯年、李濟等一班學術界先進之士在當時都抱持此一相同的理念，經由傅斯年先生的登高一呼，一群有心人士都在他的倡導之下集合在一起，有組織地發揮出了他們的力量，於是乃有史語所後來的建樹。

史語所建所的醞釀，始於民國十七年一月間，傅斯年、蔡元培二先生間的那一次談話。及至蔡元培先生同意接受傅斯年先生的意見，並即委託傅先生在廣州中山大學進行史語所的籌建工作時，傅先生的這一番理想，便有了實現的機會。民國十七年四月，史語所籌備處在廣州成立。經過了三個月的籌備時間，籌備委員傅斯年、顧頡剛、楊振聲三先生具文呈報籌備完成，史語所的籌建工作至此告一段落。但在「歷史語言研究所工作之旨趣」一文中，傅斯年先生還說過這麼一些話：

這個歷史語言研究所本是大學院院長蔡先生委託在廣州的三人籌備的，現在正計劃和接洽應舉的事，已有些條隨著人的所在小小動手，卻還沒有把研究所的大體設定。稍過些時，北伐定功，破虜收京之後，這研究所的所在或者一部分在廣州一部分在北京，位置的方便供給我們許多工作進行的方便。我們最要注意的是求新材料，第一步想沿京漢路，安陽至易州，安陽殷墟以前盜出之物並非澈底發掘，易州邯鄲又是燕趙故都，這一帶又是衛邶故域。這些地方我們既頗知其富有，又容易達到的，現在已著手調查及布置，河南軍事少靜止，便結隊前去。第二步是洛陽一帶，將來一步一步的西去，到中央亞細亞各地，就脫了純中國材料之範圍了。為這一些工作及隨時搜集之方便，我們想在洛陽或西安敦煌或吐魯番疏勒，設幾個工作站，「有志者事竟成」！因為廣州的地理位置，我們將要設置的研究所要有一半在廣州，在廣州的四方是最富於語言學和人類學的材料的，漢語將來之大成全靠各種方言之研究，廣東省內及鄰省有很多種的方言，可以每種每種的細細研究，並製定表式，用語音學幫助，作比較的調查。至於人類學的材料，則漢族以外還有幾個小民族，漢族以內，有幾個不同的式和部居，這些最可寶貴的材料怕要漸漸以開化和交通的緣故而消滅，我們想趕緊著手採集。我們又希望數年以後能在廣州發達南洋學：南洋之富於地質生物的材料，是早已箸明的了。南洋之富於人類學材料，現在已漸漸為人公認。南洋學應該是中國人的學問，因為南洋在一切意義上是「漢廣」。總而言之，我們不是讀書的人，我們只是上窮碧落下黃泉，動手動腳找東西！

現因我們研究所之要求及同仁之祈向，想在兩年以內設立下列各組；各組之旨趣及計劃，以後分別刊印。

一，文籍考訂；
二，史料徵集；
三，考古；
四，人類及民物；
五，比較藝術；
以上歷史範圍；
六，漢語；
七，西南語；
八，中央亞細亞語；
九，語言學；
以上語言範圍。

…………

看了傅先生所說的這段話，我們很容易想像得出，傅先生心目中的中央研究院歷史語言研究所，其規模將是十分宏大的。它不但將在廣州或北平都有分支機構，其工作站並將遍設於洛陽、西安、敦煌、吐魯番、疏勒、甚至於遙遠的南洋群島。分組既多，工作地點又如此遼闊，其工作人員當然極多。至於工作項目，則舉凡歷史、語言、考古、人類等學，均在其研究探討之列，考古的範圍更將遍及全國各地，將來所能得到的研究成績也必然將是豐富龐大，足以震耀一世的。他的雄心壯志如此闊大恢弘，聽來十分令人神往。只可惜我國在北伐成功以後，隨即面臨一連串內亂外患，國家用兵不息，政治局勢迄難充分安定，而財政困難和經濟條件落後等等的客觀因素，又使學術研究的發展遭受多重限制與束縛。所以傅斯年先生當年雖然幻想著北伐成功以後可以帶來國泰民安的光明遠景，實際情況卻遠不能使人滿意。有很多次，為了政府財政困難及必須全力應付軍費開支之故，中央研究院的研究經費居然亦在裁減之列。職是之故，史語所並未在北伐成功之後得到適當的培養發展，只有在抗戰未發生之前的數年中，由於短時間的政治安定而有小規模的拓展。即使如此，史語所在此一時間內所締造的成績，也很可以在國際上爭得一席之地了。非常不幸地，日本人就在此時發動其全面的侵華戰爭，史語所頻年播遷，席不暇煖。加以戰時物價上漲，公教人員待遇低落，研究所的發展當然會因此而受到嚴重的挫折。及至抗戰勝利，復員還都，喘息甫定，而大規模的戡亂戰爭又復開始了。民國三十七年底大局逆轉，政府播遷來臺，史語所亦隨之而東遷臺灣。迄今三十餘年之中，尚侷促於一隅之地。傅斯年先生當年的雄心壯志，當然更沒有實現的機會了。不過，若就傅斯年先生生前辛勤領導史語所同仁努力發展研究工作的成績而言，史語所的學術地位，早已因研究成績之卓越不凡而普遍得到全世界學術界的肯定，傅先生當初要把「科學的東方學之正統」地位建立在中國的願望，總算已初步達成，與他當年的建所理想，相去並不太遠。傅先生地下有知，亦可以告慰矣。

二、建所廣州

民國十七年四月，傅斯年、顧頡剛、楊振聲三先生在廣州成立中央研究院歷史語言研究所籌備處，地點在該地的國立中山大學校內。其後籌備處結束，史語所正式成立，地點仍在中大，至十月二十日方遷至恤孤巷柏園新址。史語所之所以會在廣州建所，與傅斯年先生當時所擔任之職務大有關係；因為他那時正在廣州國立中山大學擔任教職，而新成立的國立中央研究院歷史語言研究所，又與他在中大所創辦的語言歷史研究所具有密切關係之故。

傅斯年先生，山東聊城人，出生於公元一八九六年（清光緒二十二年）之三月二十六日。民國八年夏間，畢業於國立北京大學文科，時年二十四歲。同年秋，考取山東省的公費留學，前往英國、德國等地。曾先後在英國倫敦大學、德國柏林大學哲學院等處研究實驗心理學、生理學、數學、哲學，故其學識甚為淵博。民國十五年冬間返國，即受聘為國立中山大學教授，兼國文、歷史兩科主任，又兼文科學長。根據那時候的大學學制，大學之內，分設文、理、法、商各科，相當於現在的文、理、法、商各學院，文科學長，即是現在的文學院院長，國文科和歷史科的主任，又即是現在國文、歷史二系的系主任。所以那時候的傅斯年先生，是以文學院的教授兼該院院長，再兼國文、歷史二系之主任，其見重於當時中大校長戴傳賢先生之程度，當可想見。傅先生在歐洲留學期間，「睹異國之典型，慚中土之搖落，並漢地之歷史言語材料，亦為西方旅行者竊之奪之，而漢學正統，有在巴黎之勢」，心中極為憤慨。回國以後，既受聘為中大教授兼文科學長及國文、歷史二科主任，就決心要在中山大學先辦起一所研究語言、歷史二學的研究所來，以便振興研究風氣，昌大此二項學問之研究。當時的中大校長戴傳賢與副校長朱家驊，都有很開明的思想，欣然接受傅先生的意見。於是，一個全國首創的語言歷史研究所，就在國立中山大學辦起來了，其時間甚且早於中央研究院的歷史語言研究所。

當時的廣州，是國民政府的所在地，也是革命軍的大本營。在北伐大業尚未竟其全功之前，設在廣州的國立中山大學，其地位儼如後來的國立中央大學，乃是在當時國民政府轄下地位最高的國立大學，其動向最受各方之重視。傅先生在這所國立大學中創辦首開全國風氣之先的語言歷史研究所，具見其高掌遠蹠，顧視不凡。祇因當時的中山大學僻在南方一隅，距離全國學術中心之地的平津京滬太遠，人材不易羅致，兼之經費及設備都不甚充足，欲謀大規模之發展，並不容易。恰在此時，國民政府決定籌設全國性的最高學術研究機構——國立中央研究院，並請當時的大學院院長蔡元培先生兼任中央研究院院長。蔡先生是北京大學的老校長，素以思想開明見稱於時。傅先生在中央研究院開始籌備之時，膺聘為心理學研究所的籌備委員，而當時在計劃籌設中的中研院各研究所，祇有理化實業研究所、社會科學研究所、心理學研究所、及觀象臺等三所一臺而已。傅先生認為，歷史學與語言學在我國已有久遠的歷史，近數百年來之所以日益衰微不振，只是由於觀念守舊而方法落伍。目今國際學術界正普遍利用科學研究所帶來的進步工具與科學方法從事此二學之研究，其成績斐然可觀。我國學人倘能善用歐美各國所創造的進步工具與科學方法，以全新的觀念從事新的研究，則以我國境內歷史、語言二科材料之富，必不難迎頭趕上，在短時間內完成面目一新的良好成績。所以他向蔡元培先生提出主張，以為中央研究院如以提倡科學研究為目的，必不可將歷史學及語言學擯諸科學研究的大門之外；因為此二門學科雖屬人文學之範疇，目前正需要以科學研究之方法及工具及時振興，否則將永遠落人之後，而中國的歷史與中國的語言，反倒要仰仗外國學人來研究了。蔡元培先生深以傅先生之說為然，同意在中央研究院增設歷史語言研究所，並即請傅斯年先生擔任此所之籌建工作。由於傅斯年先生已曾有創辦中山大學語言歷史研究所之經驗，覺得中央研究院的歷史語言研究所此時尚一無所有，不妨利用中山大學語言歷史研究所的既有基礎，就近籌備，一俟稍有頭緒，再予分開，似可輕而易舉。因此他向蔡元培先生提出的籌建辦法，就是先將此所附設於中山大學語言歷史研究所中，利用該所之現有人力先作史語所之研究工作，六個月之後如果具有成效，再將史語所擴大。如此不僅可使兩個研究所都得到發展的機會，實行起來，也比較容易著手。傅先生所提的此一辦法，照理應有書面紀錄可查，但現在已無法在史語所的舊存檔案中查到；是否業已失落：抑或移存在中央研究院總辦事處的檔案之中？不詳。目前所能看到的，乃是王懋勤先生在二十年前為本所編輯所史資料時，收錄在其中的抄件。由於這已是目前唯一能夠見到的資料，不可不加以轉引，以資參考。王懋勤先生所抄錄的原件內容如下：

(a)舍維持此機關不論，中央研究院固亦應設一研究語言學及歷史學之機關。按之中國情形，方之歐洲通例，固不待斯年申說者也。果先生有此意，則即以此研究所為中央所設置之一小部，使其目前仍在廣州。此自是計之大者，願先生早晚有以實現之也。

(b)若中央研究院感覺到人材之難得與難致，且目前之財力有限，則暫以此廣州之建置為發軔之試驗，六月之後有可觀者，然後由中央研究院為之擴大。如此，似乎目前開始容易，步次穩當，蓋即以廣州之已有者為憑藉，不特一面維持了一個較有意義的建置，且一面比較平地建設者為方便。此意與中央研究院承認此建置，名義上改屬中央，並稍加資助之一種辦法，亦稍有不同，謹舉所擬如下：

①中山大學之語言歷史研究所仍其舊，但以後漸漸使其與中大之關係為整個的；如自有一圖

書收藏，自作各種調查，不分散的與學校各部生關繫，等等。已出版之兩種週刊仍屬之。

②另設一屬於中央研究院之語言歷史研究所（或云籌備），就中大之研究所中擇若干人為研究員，凡在中大服務者均不支薪水，其單由此屬於中央之研究所聘請之人，不任中大教務者，自然由此研究所任之。（每有此件，必先經中央研究院許可。且目前尚無此等事，日後有之，亦不過專門人類言語學工作之幾個外國人也。）

③屬於中央之研究院，每月提出獎勵金千餘元至二千元之譜（就目前論），分給在此研究所之刊物上及中大之研究所兩種刊物上著論文者。此項獎勵金之分配，由中央研究院定之。在屬於中央之研究所所擬兩種刊物（逐月研究報告及叢書）未出版以前，因廣州紙幣虧折，致在中大研究所中工作之人不能維持其生活原狀，擬提出此數之一部或全部為臨時資助金，每人每月平均百元，給與上述在所實在工作之十餘人。一俟刊物出版，或中大教員紙幣問題解決，此臨時辦法即行停止，仍專作獎勵金。

④屬於中央之研究所，除上述之開支外，自建設一個圖書收藏。目前專以外國書為限，因此時中大之研究所所有之中國書，已足目前之用。買書時先由中央研究院審定，以免與中央圖書館及社會科學研究所有重複之弊。此外，所有特別決定去辦之集眾工作，如人類學調查、方言調查、發掘事件等，與因此而聘之專家不為中大教授者，由屬於中央之研究所出費。若因此集眾工作之費用，由兩個研究所分任之。至於一切日用之費，均由屬中大之研究所任之。

⑤因上列之費用，中央研究院之語言歷史研究所，暫定自一月份起每月五千元之經費，半年之後有效可睹，再擴充為萬元。其實目前所用必甚少，中大之困難或未若斯年此時所想之甚，且斯年此意亦非使中大抒其責任，故無非把多數的錢存起來。備後來買書及有大工作時

之費用耳。

⑥中大之研究所，亦由中大校長按期報告其事項於中央研究院，以免後日辦事及支費有重複之弊。

以上之意，未識先生以為如何？此外尚有兩事應陳者：

①如本項初級的試驗成功，希望政府能給與此研究所以材料上之便利，收復北京之後，古物及史料應供給研究。關於中部及西北亦然。

②如可設此研究所，似以直屬於中央研究院為宜。如屬之社會科學研究所，未必收相助之效。蓋語言學及歷史學自有其長期之歷史也。

傅斯年先生的這一項建議書，乃是中央研究院歷史語言研究所建所歷史上的一個重要文獻，不但可以由此看出史語所建所之初的實際狀況，也可以用來解釋史語所後來何以必須由廣州遷往北平的真正原因。然而，不但此一具有重要參考價值的建議書不見於史語所的現存檔案中，便是傅先生在較此稍後向蔡先生提出的建所籌備辦法，亦不見於史語所的現存檔案之中。只好仍舊根據王懋勤先生抄錄在「所史資料」中的文字，一字不易地轉引於後。王先生所編所史資料關於此項籌備辦法之原文如次。

「擬中央研究院語言歷史學研究所籌備辦法」

本年一月中，斯年在南京時，曾上陳借用在廣州之語言歷史學研究所已成就及將建設者，以成中央研究院之語言歷史學研究所各節，曾寫成工作綱略以見一概，並附上「廣州語言歷史學研究所之由來及現狀，附幾個提議」一說明書，俱承詳覽，兼荷贊成。既由子民先生囑照一切原定計劃如樣進行，勿以費用為慮，妨及工作；又由杏佛先生詳示費用所出，及許如所擬數目月份辦理。此間同仁於斯年返後，聞此佳音，欣慰無量。不特不以此地生活工作之艱難有所停輟，且更為聞風向往，舉凡昔所籌策，以為體大未敢開端者，亦一並作始，半年之內可期小成，一年之間基礎可立，必不負大學院之雅意也。所有辦法，此時同仁所想，與當時斯年所陳，大同小異。茲分述如次。

㈠上次斯年說明書中辦法各節，重行抄錄，以便此時參覽。（建議兩點已見前引，此處從略。）

㈡現在計劃之研究所在籌備期中之綱要，與前說明書不同者：

甲、此屬於中央之語言歷史學研究所與中山大學之關係，似不必如斯年前所陳者之密。蓋中國人之事件，每以人的關係為重而機關為輕，如中大有人的變動，則此中央的研究所之將來反感不便。案，此將來屬於中央之研究所所以擬與中大之研究所有若干關係者，本因下列數種事實。一、借用中大之語言歷史學研究所之設備。二、借用中大之房舍。三、省去若干重複之雜費。四、得兩處合作之便。目下計較，但使我等能居於此，則借用設備自無問題。至如借用房舍，在近數月中固未為不可，但將來編輯材料徵集圖書，非有一固定安置之處不可。若校中一有人的變遷，脫離反而不易，不如在外尋到一公房或賃一民舍為穩當。但雜費各項，在本年上半年中斷不至超過每月二百元之數。蓋事情一經如家事辦理，則撙節之數固不勝計也。再四思維，覺得實在犯不上以每月百餘元之房屋雜費之關係，與中大結不方便之緣，且使他科同事感不快也。至於得兩個設置合作之便，此日開始因屬二而一，將來亦全存乎其人。吾等既在中山大學，則合作之便固不成問題者也。因是我等擬使此研究所與中大之關係恰如此時進行方便之程度為止，不必在將來或分或合上有不便之影響也。

乙、前次所云一時津貼工作者之辦法，同仁不願受此以成例外。目前在此地研究所同仁所感生活上之痛苦，實遠過於斯年在南京時所想及。蓋十二月份薪水既以紙幣三四折，庫券幾成廢紙之故，至於付之流水，且每人均倒塌百餘至數百元之庫券。一月份薪至今無發期，即發亦不過五成現款而已。兼以中大薪俸一向本極低薄，故目前同仁之困難不可言狀。前者斯年提及，最初數月對合作者每人津貼若干之法，以濟此時之厄，荷承允許，感何可言。然同仁為善答雅意之故，決舍此法，但以工作之結果取報酬而已。茲粗擬工作酬獎辦法如下：

所有中央研究院語言歷史學研究所之出版物，屬於研究之報告，並非材料之徵集者，每文給予酬金約千字三元之譜。（其實原不能以字數論，惟此地姑擬此可以出入之準耳。）其一字之釋文，一簡之考證，自不可以字數定也。（以上辦法與清華、燕京諸學報一例。此日中國情形，如無報酬，一種學報甚難發達。）若所研究有特別功績者，格外加獎若干。其有特殊發見者，由大學院定之。

此種獎之數目，每次由斯年等擬定，送達大學院審定行之；或由大學院託一二人行之（如適之先生）；或組織一委員會。又因中大之研究所與此中央之研究所工作上既不可分，則此獎金之法，或宜兼及中大之研究所週刊等中，但酬金可不及耳。至於救濟此時中大研究所中工作同事之苦，即選獎已出之週刊第一集中數文，即勉強可維持生活矣。至於材料之收集，應以費力之多寡，整理之粗細，定獎與不獎，以及獎金之數目。

㈢設備之集中

無相當設備及不能繼續購置之研究所，不過是一啜飯所。故無論如何情形之中，所費之半必在購置上。然購置實在不易，為曲為偏，亦費不貲。此時姑以下列為範：

一、購目前研究急用之材料，不必備置。（編按：此語似有錯誤，不知是否抄錄之誤。因無原件可資核對，姑仍其舊。）

二、因中大之研究所所有之中國書已甚有可觀，目前儘足應用，姑不管我等何時去此，惟有在此一日且用一日。故於中國書籍，除隨時必用者外，不備置也。

三、因我等建設此研究所之目的，本想開闢幾條研究的新途徑，故不能不廣備西洋研究中國學問有大貢獻之著作及報告（特別注意其於方法有指示者。）如此，則購備之範圍已甚廣。報之舊者，搜集不易，書之缺者，需價奇昂，然不如此固不能借西洋作學問之途徑。故須月月求之，期於一年之後有可用之書藏耳。

㈣工作

工作大別為個人的及集眾的兩類。嚴確以論，此種分別本難。蓋據材料為研究之工作，於材料之搜尋及參考上，俱不能一人閉戶為之，不取於人也。然一人為搜求之集，或數人謀集合的分工，固有不同，今姑名此大別耳。個人工作，存乎其人之所好。如頡剛於古史材料及民間傳說之研究，今自當繼續。此時在中大研究所之工作者，大略為文字、方言、文籍校訂、民俗、人類學、比較藝術、諸科。今編列詳表，不日奉呈。至於合眾的工作，目下動手或將動手者，有下列數種：

甲、人類學調查。此事託史祿國率領些學生辦。已託其帶廈門的學生來，加上幾個此地者，暑假前調查廣州，暑假中或往廣西，或往海南島。（此係去年定之計劃）此君有時刊布其不大成熟之研究，然實是一個能用些工具，努力工作之人也。

乙、沿粵漢路沿西江古物之調查。（韶關一帶有甚多宋時佛教跡。）

丙、廣州回教及阿拉伯人遺址之調查。

——以上兩項本擬年假為之，經亂後改。

丁、民俗材料之徵集。此類材料，隨徵集，隨整理，擇要刊布。

戊、廣東通志之重修，體例擬與往者完全不同。目前各府縣志徵到者已不少，體例書四星期中約可成。

己、經籍纂詁之擴充。（此為將來編漢語文典一半之準備）編整此典，目前時機尚不成熟，因一切漢語中問題固未解決。然先將經籍纂詁擴充之，舉凡一切唐末以前書所有之訓解，俱列入成長編，亦後來研究者之便也。至於五代後材料，宜於方言研究中理之。

庚、方言調查。吾等已擬初步計劃，俟討論後寄上。動手工作必俟自英自法聘二人到後，訓練出幾個能利用實驗語音學工具之人，然後動手。所有聘人一切函件，續呈。

又有未動手者一——

辛、梵漢經論校讀。（此須俟數事）

㈤刊物

為屬於中央之語言歷史學研究所擬刊行下列數件：

一、中央研究院語言歷史學研究所集刊（目前大約每兩月一次）。第一期稿二星期中可齊，先以寄呈，然後付印。目錄今附。（略）

二、中央研究院語言歷史學研究所報告書。所有合眾工作之結果，或長篇，擬多由此刊行之。目前可集者：①廣州回教及阿拉伯遺跡。②孟姜女遺事一切材料及其分析。③史料集。④語言歷史學目錄學報。

㈥全部進行層次。

此時所擬各端，均係初期之試驗，宜名曰籌備期。至於五月，可一校成績如何，及將來可否循此發展。如無效可睹，自是我等負其責任。如試驗未失敗，即作為籌備已完，可云成立，另由中央研究院約集國內此數學之名家（或兼及外國人），組織一委員會，增其費，以策大量之進行。如暑中可以破虜收京，此研究所似乎於下半年宜置本部於北京，廣州各地設分所，並擬向洛陽、西安、敦煌各處發展也。若中央於全國古物有通盤之計劃，亦請參照，供給此研究所工作之方便。古物保存與此研究所實不能分，分則兼傷耳。

以上諸端，是否有當，敬候裁奪。

右上，孑民、杏佛先生。

顧頡剛、傅斯年謹擬二月二十八日

這一件由傅斯年、顧頡剛二人具名的史語所建所計劃書，內容頗為冗長，文字亦頗繁複，本來不宜於原文照錄。但是筆者基於下列兩項考慮，還是決定將它原文照錄，其理由如下：

一、這已經是一項失落了的重要文獻，不及時將之著錄於有關史書之中，將來必致湮沒無聞。

二、這一件計劃書的內容雖然冗長繁複，其中所透露的若干事實，對於我們瞭解史語所後來由粵遷平之真正內容，極有幫助，不可等閒視之。

凡是瞭解傅斯年為人的人都知道，傅斯年先生實在是最好的領導人物——有見解，有抱負，有擔當，隨時隨地能為他的部屬著想；惟其因為他隨時隨地都能照顧到部屬的生活與前途，所以他即使在工作上有十分嚴格的要求，他的部屬們也絕無怨言，因為他們會認為這是十分公平的要求，理應如此。史語所乃是一個學術機構，論理不適用一般機關的長官部屬關係。但因傅斯年先生乃是史語所的創辦之人，傅先生長期擔任所長的結果，很多資格較淺的研究員、副研究員、以至助理研究員等等，大都與他具有師生關係，在不知不覺中公認他為此一機構中的大家長，無形中具備了一般機關的長官部屬關係，只是並不十分明顯而已。由上引傅斯年先生呈送給蔡院長的兩項建議書及計劃書中，我們隱隱約約的可以看到，他在民國十七年擔任廣東中山大學文科學長兼中文、歷史兩科主任之時，對於他的教員同僚們，也具有這種「照顧」、「保護」的心態，其事實明顯地反映在他設法為中大研究所同仁爭取獎勵金及稿費的辦法上。廣州中大的語言歷史研究所同仁鬧窮，傅先生打算利用與中央研究院合辦研究所的辦法，使所中若干同仁兼做史語所的工作，藉以取得生活上的補助，其用意未可厚非。但如所表現的研究成績並不理想，恐不免在研究院方面引起責難。如此則就難免因「合作」而導致中大研究所與中央研究院其他同仁之間的誤會與摩擦，各種可能發生的問題就多了。本書在後面將引述傅斯年先生寫給林語堂先生的一封信，以證明史語所後來之由粵遷平，另有其真正原因，並非如見於官方報告書中的官樣文章所說。此信全文，後文另有引述，這裡且先轉引一段頗有意義的話，云：

> 先生提到和清先生事時，弟正在廣州，鬧著搬家改組等之麻煩。……彼時廣州局面已是塌臺，院中與弟之意見不一致，而廣州同仁鬧意見，故原來在粵一所之精神，雖折作二分而不止……

此外，史語所舊檔中尚有民國十八年七月時傅先生寫給離職助理員黃淬伯的一封信，其中也有段類似的話，說：

> 弟本在粵，頗知去年所中感情作用，弟個人認為此完全無謂，然事實如此。……

兩封信中都提到，史語所在廣州時期，同仁之間「鬧意見」及「感情作用」。史語所由粵遷平之後，原來在廣州而由中大「合作」借調的研究同仁，百分之九十都未去北平，顯示這些來自中大的「廣東派」與史語所建所以後正式延請的「外來派」之間，頗有意見及矛盾。這些意見與矛盾之由來，很可能即起源於工作能力的差異上，所預伏的因子即起因於傅先生當時所擬的「合作」辦法。這些問題，其牽涉範圍甚廣，其關係亦頗為複雜，須留至後文再詳加討論。這裡且先說傅先生的這兩項建議或計劃書與後來建所的關係。

由傅先生寫在上引兩項建議或計劃書中的內容看來，可以使我們得到如下各項概念：

一、史語所建所之初的規模輪廓，大致不出此二項建議或計劃書之範圍。

二、史語所在籌備時期，月支經費五千銀幣，正式建所後增至一萬，亦此時所商定。

三、自開始籌備至正式設所，均借用廣州中山大學的部分房屋，與廣州中山大學自辦的語言歷史研究所關係十分密切。亦正因為如此，假如中大自辦研究所之研究人員素質並不高明，即難免使史語所之成績及聲譽蒙受不利之影響。

關於上述之第三點，後文另有詳論；今先從第一、二兩點說起。

國立中央研究院成立於民國十七年。翌年，曾由院方編成「國立中央研究院十七年度總報告」一份，詳述一年來的工作成績及興革事項。史語所部分之第三章，說：「去年十月，籌備處既已結束，本所正式開始。因南中富於方言民族諸科材料，遂以一部設於廣州；又因史料在北平最富，故別將一部分設於北平。當時擬定次第設立八組，以事為單位，故組別較多。情形如下。……」見於此報告書中的史語所所屬八組，其名稱及研究工作範圍，略如下述：

甲、史料學組——設於北平，以陳寅恪先生為組主任，整理研究清代史若干問題。

乙、漢語組——設於廣州，以趙元任先生為組主任。此組之工作分為三部分。

一、方言調查——先從事兩廣境內之粵語及客語調查，明年再作北閩及贛南地區之語類調查，審其音素而記其音變，以便作進一步之研究分析。

二、各方言之單研究——方言系統與韻書及其他方言之關係，均為方言研究所應予研究之項目。必俟各個方言之研究均已得其條貫，然後可據以完成漢語系統之比較語言學。此工作現由研究員羅常培負責進行，目前所研究之方言為粵語。

三、韻書研究——研究員羅常培負責進行歷代韻說演變及韻書審音之研究工作，助理員黃淬伯進行一切經音義之反切研究。

丙、文籍考訂組

此組尚未辦。

丁、民間文藝組——設於北平，由研究員劉復為組主任。研究範圍包括歌謠、傳說、故事、俗曲、俗樂、諺語、謎語、歇後語、切口語、叫賣聲等，凡一般民眾以語言、文字、音樂等表示其思想、情緒之作品，一律加以蒐集研究。

戊、考古組——以研究員李濟為組主任，計劃於明年開始安陽發掘。

己、漢字組——根據特約研究員丁山所擬編輯計劃，由組內之研究員、編輯員、助理員等各人按分擔之經籍一種，抄輯其中之詞句及釋義，彙而總之，可成「經籍詞典」一書，其內容之富，過於清人阮元所編之「經籍纂詁」，實乃一切字書詞書之大成。由此工作，並可衍生對於字義、字形、成語、古方音、律呂制度、名物、版本等多方面之考訂工作。目前擬先進行唐以前文籍之編輯工作。

庚、人類學民物學組——設於廣州，暫時尚未聘定組主任，由研究員史祿國暫負調查研究之責。民物學方面，則正由特約研究員辛樹幟、特約編輯員容肇祖二人搜集材料中。

辛、敦煌材料研究——由研究員陳垣主持。擬先派編輯員余永梁赴巴黎搜集材料。此工作如能充分發展，必將大有造於中國之文史二學界。

前引傅斯年先生致蔡元培、楊銓二先生的第一件建議書中曾經提到，中山大學語言歷史研究所同仁此時所進行之工作，有文學、方言、文籍考訂、民俗、人類學、比較藝術等諸科；至於現已進行或準備進行之各項集體工作，則有：「甲、人類學調查。乙、沿粵漢鐵路及沿西江古物之調查。丙、廣州回教及阿拉伯人遺址之調查。丁、民俗材料之徵集。戊、廣東通志之重修。己、經籍纂詁之擴充。庚、方言之調查。辛、梵漢番經論校讀。」如將史語所建所初期所分設的八個工作組與之相比，當可發現，其中竟有漢語組、文籍考訂組、民間文藝組、漢字組、人類學民物學組等五組與中大語言歷史研究所的工作項目相同。所以我們很可以這樣推想：史語所所設的這五個工作組，很可能就是先由中大語言歷史研究所做過這類工作，然後再轉移到史語所中來的。這一推想，極富於事實根據。因為史語所現存的舊日檔案中，就有兩項資料可以為此一推想提供最明白的證據。

「中央研究院十七年度總報告」中的史語所部分，其材料源出於傅斯年先生親筆撰寫的底稿，只是在送達院方彙編之時，院方又另有修改，致彼此稍有繁簡詳略之異。而存於史語所中的傅先生報告稿原件，亦有兩份，一份寫於民國十七年之十一月，另一份係上一稿件之清抄本，而其上又有若干鈎勒刪改，核其內容，則因寫於十七年十一月之報告稿在時隔數月之後，所述情況已有變化，必須重新加以修正，方能符合當前事實。然則後一項報告稿當即是送達院方彙編「十七年總報告」史語所部分的資料，前一項報告稿又是後一項報告稿的更早底稿。比較此二項報告稿之文字異同，正可看出，在十七年十一月以後至十八年六月之前，史語所的若干工作部門，曾有何種樣的實際變化。如所分八個工作組中的「文籍考訂組」，其演變情形如何，就可以在這裡面看得十分清楚。今先將十七年十一月所撰報告書中的此一部分文字引述於後。

三、文籍考訂組——此組由顧頡剛先生主持之，顧先生於明年二月在中山大學辭職，專任此事，此組即於二月成立。茲撰錄顧先生所定本組工作大綱如下。㈠本組以考訂中國古代文籍，審定其真偽，校勘其異同，編次其目錄，輯錄其佚篇，使其各得一真實之歷史地位。又聯帶搜集古人之傳說，以輔助文籍之整理。並以考訂之結果，刊行古籍之標準本及索引圖譜等書，以供學者之應用為宗旨。㈡本組工作項目分為下列七類。⑴校勘古書。⑵輯錄佚書。⑶編製各種索引及統計表。⑷編製各種書目。⑸編製歷史地圖。⑹考訂專書或專篇。⑺分析糾纏不明之史實及傳說。㈢第一年度之集眾工作，擬為：⑴漢以前人名索引。⑵漢以前地名索引。⑶歷代名人生卒年表。⑷史記材料分析。⑸漢以前文籍考。⑹漢以前年代考。⑺故事流行地域考。七種。其中⑴至⑶一年內準可完工，⑷至⑺須延長至第二年。以後工作，隨年決定。㈣頡剛工作除加入上列數項集眾工作外，其個人特有之工作，第一年度擬為：⑴尚書之校勘。⑵堯典皋陶謨、禹貢著作時代之研究。第二年度擬為：⑴黃帝、堯、舜、湯、周公、孔子、老子等古史人物之故事研究。⑵孟姜女等民間之故事研究。第三年度擬為：⑴春秋及論語之校勘。⑵孔子及孔學、孔教，在歷史上之地位之研究。⑶六經著作問題之研究。以後工作，續月擬定。

由上文可知，顧頡剛先生主持史語所之文籍考訂組及所擬之文籍考訂組工作計劃，皆是顧先生尚未到所工作之前所預擬，其先決條件為顧先生在十八年二月向國立中山大學辭去教職，專任史語所之研究員兼該組主任。史語所舊檔元字第一〇七號卷，存有顧頡剛先生擬呈此組工作計劃及以後又復不能出任此組主任的一切文件，查核此卷所存顧先生與傅斯年先生之來往函件，便可知道，顧先生後來之不能出任此組主任，其原因由於他向中山大學請辭教職一事未能得到中大之同意，一方面因為中大之懇切挽留而難以恝然離去，二方面亦為了中大的語言歷史研究所此時只有顧先生一人在獨力支撐，如果顧先生亦一走了事，此研究所只有垮臺完畢。為了不願看見他親手培植的中大語史所中途夭折，他覺得他絕不能棄之不顧。因此他致函傅先生解釋他遲遲不能到所之原因，希望得到傅先生之諒解；而傅先生則表示，如果在中大辭職之事不能得到明確的解決辦法，史語所不能同意他以兼職身分來任此組之主任。最後，顧先生希望能不離開中大，要求傅先生將他改為兼任研究員，仍兼文籍考訂組之主任，傅先生則覆書表示院方反對再增加兼任研究員，如不能來就專任研究員之職，只能改聘為特約研究員，但不能兼組主任。於是，文籍考訂組因顧頡剛先生不能來就主任之職，又無法臨時改聘他人之故，而告胎死腹中。傅先生在民國十八年夏間向院方提供「十七年度總報告」中的史語所部分資料時，即將十七年十一月所撰報告稿之此一部分加以刪改，成為如下之形態，曰：

三、文籍考訂組——此組原約顧頡剛先生主持之。後因顧先生未辭中山大學之約，此組未辦。

及至中央研究院總辦事處的文書組根據史語所所提供之資料，纂入「中央研究院十七年度總報告」之時，這一段文字又被作頗多刪改，成為寥寥數字，曰：

三、文籍考訂組——此組尚未辦

如果只看中央研究院所編訂的「十七年度總報告」，無論如何不能從這寥寥數字中看出這裡面的變化經過，自更無從知悉，史語所成立之初，之所以要辦理此一「文籍考訂組」，與中山大學之間的關係又是如何了。說得簡單明白一點，史語所創辦時之所以決定辦理此組，是希望從中山大學拉過顧頡剛先生來主持，如今顧先生離不開中大，史語所的文籍考訂組當然辦不成了。史語所與中山大學之間的關係如此深切，顧頡剛先生之外，還可以看到第二個例子——計劃主編「經籍詞典」的中大教授丁山先生。

史語所成立初期所計劃設置的八個工作組，其第六組曰「漢字組」。此組之計劃工作，在將全部古籍中之文字及文辭彙編成為一部絕大之字典。在客觀條件未成熟以前，暫先編成「經義詞典」一書，其規模仍遠過於阮元之「經籍纂詁」，以供學術界之參考使用。原定計劃係由中大教授兼史語所研究員丁山先生提出，亦由丁先生負責主持，另由史語所配屬助理員、書記若干人襄助之。史語所由粵遷平後，八組縮編為三組，「漢字組」之「經籍詞典」編纂工作以後即未見提及，竟不知其辦理情形如何。但如由丁山先生致傅斯年先生各函中見之，則丁山先生所提的計劃，似乎有大而無當之嫌，其所以在後來之辦理無成，原因亦即在此。

史語所舊檔元字第六十號「丁山」卷，存有丁山先生致傅斯年先生之信函多件。其中之一件，信末之日期為「五月十六日」而無年份，以事實考之，當為民國十八年之五月十六日。今抄錄其內容如下：

孟真兄長：得手書，甚感！但恐弟學殖淺末，力又不專，負我兄之望耳。辭典事，自去年十二月十九日開始工作，在遷平前可告一小段落者，有：黃藹如抄爾雅及郭注，周易卦辭爻辭，周禮天官序官，譚舜卿君抄尚書，（尚差一本，現調李華海補抄。）李華海君抄詩經。（自今年二月二十五日起，大約可抄畢小雅以前。）三君工作，均極努力，惟譚君年齡較高，寫字較慢，成績故不如黃、李，然非不勤也。弟現欲從文字上解決古文尚書問題，請黃君代抄撮材料，不久亦可蕆事。總之，在遷平前，假使不如此暫作結束，弟意留一書記繼續下去，不知兄意以為然否？

積了五個月的經驗，知以我們三四人力量拚命幹下去，一部十三經注疏，也非三五年功夫所能整理完竣，辭典的成功也非待至千百年後，恐怕無望。因此，弟甚望在遷平以後，於可能範圍裡，稍加擴大。擴大的限度，至少要助理員一人，研究生三人，書記六人以上，其工作支配如下：

(1)助理員一人，率領書記整理先秦一切經籍正文。

(2)研究生一人，半日整理注疏，半日研究殷墟卜辭。

(3)研究生一人，半日整理注疏，半日研究古吉金文識。

(4)研究生一人，半日整理注疏，半日與書記一人整理秦漢以後一切石文，並以石文訂正史闕誤。

(5)書記六人，由弟及助理員指導做機械的工作。

如此，工作一年再看——如果確有成績，即繼續擴大；沒有成績可言，則或者縮小範圍，或者另籌辦法。計劃書中所言「二十年搜集材料」一條，務必做到。以後即從事整理。這班人的薪水，以每月計：

助理員至少八十元，多則百元。

研究生每人津貼四十元。

書記分臨時、固定二類：臨時者以所抄字數計，固定的由二十五元至四十元不等。

統計起來，每月薪水至少須四百元。工作費：

材料表每月約需二百元。

筆墨等費每月約需三十元。（工人工資在內）

這就是十八年度辭典組最低的預算。最高的預算，看本所的經濟狀況罷。假使有很好的機會使本組儘量的發展，那麼，招到二十位研究生百名書記，每月開支至五千元，也不嫌多。因為搜集材料，大部分是機械工作，多幾架機器，每天便可以多出點貨。一斧、一鑿、一鋸，每天也可以製出很多的物品。……

照丁山先生在此信中所說，他當年設計此一辭典編纂工作，是想窮三數人之力，以一、二十年的時間完成之。但即使只如清人阮元所編的「經籍纂詁」，亦非窮三數人之力，在一、二十年之內可以完成的工作，更何況他所構想的辭典規模猶勝於此！及至以三個書記的力量抄錄了五個月之久，這纔發現他的原擬計劃不切實際太甚，未免失之輕率。丁先生說：「積了五個月的經驗，知以我們三四人力量拚命幹下去，一部十三經注疏，也非三、五年功夫所能整理完竣，辭典的成功也非待至千百年後，恐怕無望。」不知道傅斯年先生當時看了，心中是何感想？中央研究院在全國上下寄予熱切期望之下艱難締造，擔負有振興學術、發展科學研究工作的大責重任，在開辦之初，自院長、總幹事、各所所長、以至各級研究人員，人人都應以臨深履薄、戒慎戒懼的心情懍懍從事，總要使每一塊錢都花在必要的地方，每一個人都能切實發揮其力量，方無負全國上下之付託。然而丁山先生所擬的字典編纂計劃卻是如此這般地大而無當，不但浪費五個月的時間和金錢，而且還不能在數十年中睹其成效。這不但不是當時的中央研究院所能等待，傅斯年先生在創辦之初，曾親自向蔡院長及楊總幹事許下「半年之內可期小成，一年之間基礎可立，必不負大學院之雅意」的諾言，如以丁山先生編纂「經籍詞典」之事為例，則傅斯年先生的諾言恐怕絕無法如期兌現。如果再以史祿國的人類學調查等事為例，其情形殆亦彷彿。在籌備所成立了半年之後，傅斯年先生發現他當時所處身的情況竟是如此，如何不使他有「完全塌臺」的感覺？由此可以想見，傅斯年先生借中山大學語言歷史研究所之既有基礎創辦史語所，雖然比較憑空設立一所來得容易著手，其實際結果恐怕是弊多利少，到最後迫得他非放棄這一點「合作」關係不可！關於這一點，後文尚有詳細論述，今且從略。

三、籌備處時期所進行的幾項工作

史語所在民國十七年設所，根據院方所訂定的經費預算，十七年七至十月份四個月中，每月額定經費銀幣五千元，十七年十一月以後至十八年六月止，每月額定經費銀幣一萬元。可見在建所之初的經費並不充裕，只有以後各月額定經費之半數而已。至於在建所以前的十七年四月至六月份，乃是「籌備處」時期，此一時期內所奉到的院撥經費，就更少了。由史語所舊檔所存籌備處時期經費收支報銷冊見之，十七年四月份曾奉中央研究院匯撥臨時費銀幣三千元，六月份再奉撥銀幣四千元，兩共合計銀幣七千元，籌備處時期所領到的院撥經費，只此而已。此項經費雖然為數不多，但早從籌備處時期開始以至史語所成立，傅斯年先生已經先後推展了四項調查計劃，其內容詳見於傅斯年先生手撰之「國立中央研究院歷史語言研究所報告書第一期」中。茲簡述其名稱及內容如下：

一、安陽調查——十七年七月份開始，委託通信員董作賓先生前往河南洛陽，調查新出土之北魏三體石經，於回程時，順便前往安陽，察看當地之甲骨出土情形，並先作小規模之試掘，藉以判斷以後是否尚有再在該地作較大規模發掘之可能。

二、雲南人類學知識初步調查——十七年七月，由研究員史祿國偕同助理員楊成志前往工作，於十月回粵。同行者尚有特約編輯員容肇祖，在當地購求民物學方面之有關書籍及文物。

三、泉州調查——十七年暑假時，籌備處委託中山大學預科教授黃仲琴，前往福建泉州，調查當地之中世紀文物遺留，以便決定以後是否可在該地繼續從事較大規模之研究調查。

四、川邊民物調查——十七年八月開始，由助理員黎光明前往四川省西北邊境之打箭爐及松潘等地，計劃遠至西康青海境內，調查該地區內之番夷、猓玀、及康藏人民之生活、風俗、語言、經濟等社會文化資料，以便作人類學方面之研究。

這四項研究調查中的第一項——安陽調查，因其所得結果與另三項調查大不相同，需要在另一章中詳為敘述；今先述第二至四項。

甲、雲南人類學知識初步調查

史語所舊檔元字一八七號卷中，存有「雲南種族及民俗調查報告書」一份，報告書的撰寫人，是史語所的特約編輯員容肇祖。此報告書之第二節，名曰「此次旅行的程途及所費的時日」，大致敘述調查人員的往返時間及經行路程，可以約略窺見此一調查工作的具體情況。今先予轉錄如下：

此次旅行，我在七月一日始決定。以取道安南故，七月三日在交涉署領得護照，七月十一日起程往港。十三日搭東京輪啟程，赴法屬安南的海防，十五日始至。上岸後即遇大風，鐵路衝斷，故在海防逗留一天。十七早，即搭車至河內。河內至老街之路，未能即時修復，待了十二日。至二十九日始能搭車至老街，三十一日始能達雲南昆明。八月四日，見雲南省政府主席龍雲，及交涉署長張維翰，商定路程。以土匪故，不能南至蒙自；以時間故，不能西至騰越。因定由東川，巧家，以至川邊調查。七日，赴張維翰之席，介見師長孟坤，及巧家縣長孟某，大關縣長楊某，約定十六日同行赴東川，藉資保護。屆十六日，得知孟師長定改遲至二十六日方起程。自計到東川巧家，往返已需一月餘，中間調查，不能不費時日，於中山大學預科功課

（中大原定九月十六日開課）未免妨礙太多。而孟師長到二十六日改期與否。尚不可知，始決定回粵。又因洪水衝斷車路，不能即返，到二十三日始得搭車回粵（住雲南僅二十三日）。以車路未完全修復之故，中間跋涉行路，至二十七日始到海防。適二十八日遇有馬爹路打一船開行往香港，遂搭是船。上船後，適遇大風，三十一日船始得開行。在海口停泊一天，四日始抵香港，五日抵廣州。共計此行費時兩月，而結果仍未能滿意。幸楊君成志無時間的限制，尚能待孟師長同至東川，以往巧家及川邊，或可少補缺憾耳。……

由傅斯年先生親撰之「歷史語言研究所報告書第一期」，第二章「籌備處時代之工作」，第二款「雲南人類學知識初步調查」之內容可知，此一調查工作，原是在民國十七年暑假時，由史語所籌備處與中山大學合派史祿國教授前往擔任的。史祿國出身舊俄貴族，在中山大學擔任民族學教授，史語所籌備處成立後，與中山大學合聘，兼任史語所的研究員之職。此次由傅斯年先生派往雲南，原是希望借助史祿國在人類學方面的豐富學識，訓練史語所的助理員楊成志，以便此後可由楊成志單獨擔任此項調查工作。所以在史祿國出發時，史語所籌備處同時派遣助理員楊成志隨同前往。更為了能同時在雲南搜集到民俗學方面的文物資料，所以也順便由特約編輯員容肇祖結伴同行。由傅斯年先生寫在「歷史語言研究所報告書第一期」之中內容，可知此三人之任務分配大致如此：

史祿國——「本年暑假前，研究所籌備處與中山大學協同，派史祿國教授赴雲南，調查彼處人類學工作大略情形，以便後來派數個訓練成就之助員，前往就地長期工作，並於便中在省中作人量工作，兼至滇東熟猓玀區域一行。」

楊成志——「助員楊成志隨史君往。」「第一任務為習猓玀語，然後以自己之經驗，尋其民物知識。」

容肇祖——「籌備處同時委託容肇祖先生同往，以便接洽彼處政府及地方人士，用作後來派助員前往之張本，兼事採求當地文籍。」

由史祿國、楊成志、容肇祖這三個人的職位及學識能力加以判斷，史祿國既是人類學專家，派往雲南去的任務又是專門為了作人類學知識的初步調查，則凡是深入猓玀區域研究其語言，瞭解其生活、風俗、民情等項專門知識的工作，理應由史祿國負其大部分責任，楊成志只能從旁協助，在工作中接受實作訓練而已。但如以上文所說的職務分配看，史祿國到雲南，僅作「調查彼處人類學工作」之「大略情形」而已，其深入猓玀居住之地區，研究其語言，及尋求猓玀族民的知識之責任，反而由全無訓練之助理員楊成志單獨負其責任，似未免有本末倒置，輕重失序之嫌。這其中的實在情形，若由容肇祖及中大教務主任陳宗南等人的私人信件中看來，即可知道，傅斯年先生之所以要在報告書中作如此之設辭，實在也是無可奈何的事。因為史祿國的雲南之行，實際上乃是全不負責任的一大荒唐事，在鬧了大笑話之後，為了顧及史語所的顏面，纔不得不在報告書中多方為之文飾。若能深入瞭解其內情，便可知道此事之真相並非如此。

史語所舊檔，元字一八六號「史祿國雲南調查事件」卷中，存有容肇祖寫給傅斯年、顧頡剛二先生陳述雲南之行有關事項的私人信各一封，對於史祿國到了雲南之後的種種作為，有頗詳細的敘述。這些信件中所透露的，纔是「雲南人類學知識初步調查」工作是成功還是失敗的實況報導。容肇祖寫給顧頡剛的信，發信日期是九月二十八日，當然是他從雲南回到廣州以後所寫的了。信中內容，除歷述往返程途及所耗時間外，也談到史祿國因孟坤師長行期改變而拒絕前往川邊從事猓玀調查的情形，說：

八月四日，得見雲南省政府主席龍雲及交涉署長張維翰兩先生，因定前進路程，先至東川，然後由東川入巧家縣以至川邊，調查特別猓玀的情形。八日，赴交涉署張維翰之宴，見師長孟坤、大關縣長楊某（巧家人）、巧家縣長孟紹堯，約與同行。孟師長訂期八月十六日（即舊曆七月初二日）起程。所以必待同行者，沿途藉資保護之故。到十五日，得悉孟師長決定改期。需至二十六日方可起程。史祿國即擬改往路南州調查，不赴東川。路南地較近，猓玀較少，而史祿國詞甚堅決，未許他人參加末議。十七日，經楊成志先生與張維翰談論，結果以往路南州，雲南省政府不能保護。楊據以告史祿國，史即決言：「無論何處，他不前往。」楊勸告多番，史祿國回答謂：「楊君，汝未有妻，當可以往。」肇祖以史祿國定往路南州時，曾略有爭辯。史祿國乃云：「汝欲往何處，汝可自由，不必同往。」因亦未敢勸告其行。楊君辯論多番，史祿國祇允給回程費用法幣三百元，由楊單獨前去，史祿國則逗留雲南府城，不進不退，肇祖確未識其用心。肇祖自以職任預科教授，期限有定，不便久留。預算前往東川及巧家，來往最少亦需一月零數日。無論調查事業非可走馬看花，一到即回；即一去可以即回，於預科功課，亦不能無曠，因此決即回粵。……

容肇祖在此信中所說，史祿國中途反汗，不願前往東川、巧家及川邊的猓玀區域去作人類學調查的原因，是因為恐懼心理。為了深恐他自己會被猓玀所殺害而累及妻孥，所以他後來打算作避重就輕之計，只到昆明附近的路南州稍作調查，以便對公事能作交待，至於此舉是否合宜，則並不在他的考慮之列。卻不料雲南省政府並不歡迎他這種敷衍塞責的作法，藉口不能負其安全保護之責，直率予以拒絕。這一來，史祿國乾脆連路南州也不肯去調查了，「逗留雲南府城，不進不退。」這其中的情形，在容肇祖寫給傅斯年先生的信中有更明白的記述。也抄錄一段如下：

史祿國夫婦，此次最為快活。大約一則為避暑計，一則為測量兒童，去時書籍汗牛，到河內時便將四大箱書寄下一俄人處。到雲南後，便擬到路南州一些近府城之處了事。後來與省公署主席等已定東川路程，期一遲延，便決計一步不去。到昆明後，便說已用自己的款。我和他較少接洽，而據楊成志的話，覺得他太不對了。楊君促他去東川，他說：「危險，我有太太，你沒有太太的。」這是什麼話？此次往東川，有孟坤師長，有巧家縣長，大關縣長，及雲南省政府的委員等，及商家及軍隊多人，危險的話，直無所指。他不去當然是不要緊的，因為外國人在中國調查，隔膜而費力，而且他的貴族脾氣，更是使楊君費的時間太多。聞史祿國要住到十二月方回，真闊的中大和中央研究院的供給。聞陳宗南先生汪敬熙先生到雲南時，見他夫婦和法國人一塊打 Pare 牌，賭博度日云。他夫婦在雲南的名譽太壞了，這是陳宗南先生向我說的。……

陳宗南在當時擔任中山大學的教務主任之職，汪敬熙則是中大的文科教授。史祿國到雲南後不做人類學調查工作，只在昆明安坐度日，此事後來曾由中山大學校長戴傳賢、副校長朱家驊下令調查，奉派調查此事的中大五教授，是沈鵬飛、陳宗南、汪敬熙、顧頡剛、辛樹幟。陳宗南與汪敬熙在史祿國逗留昆明期間曾到雲南，見聞較為真切，所以檔案中就有由他們二人署名的調查報告，說：

現准函開，茲得各方函告，史祿國教授，舉措乖方，以宗南曾在雲南勾留，對於史教授一切行動，自必知之甚悉，請詳細函陳，等由，准此。查該教授在滇，住洋酒店。曾聞東陸大學各教授面稱，史教授並未前往調查玀玀情形，祇在省城避暑。東陸大學請其講演，亦不出席，滇政府派兵護送，又不首途，僅在雲南省會調查各校而已，引起滇人惡感，未始無因。宗南到該酒店時，見其以撲克娛樂，未與接談。茲准前由，謹將見聞所及函復查照。

中山大學及史語所籌備處會同派遣中大人類學教授兼史語所研究員史祿國前往雲南作人類學調查，本來的目標是川滇邊區的猓玀族。史祿國到了雲南，畏難不往，只是安坐在昆明的洋酒店中，成天與外國朋友娛樂度日，只到昆明城中的幾所學校作了一些人體測量工作，便算交待了人類學調查的任務。他的這種作為，不但在雲南政界及學術界引起普遍的反感，對於中山大學及史語所籌備處的名譽，當然也有很大的損害。傅斯年先生在撰寫「歷史語言研究所報告書第一期」時，並未將真實情形據事直書，反而多方為之文飾，顯然亦是為了顧及史語所本身的名譽而不得不然。根據史語所籌備處結束後所作的經費報銷冊記載，史語所在籌備期間進行此一調查工作，共計預付調查費銀洋二千元。其中一千元付與容肇祖作調查費用及購置各種書籍文物之用，另一千元付與史祿國專作人類學調查工作之用。此外，尚由籌備處預借予史祿國十七年八月全月、及十七年九月的上半月薪共計三百元。（史祿國在史語所任兼任研究員，支研究員之半薪，每月銀洋二百元。）楊成志亦預借八、九兩月的津貼六十元。所以其全部支出之數是銀洋二千三百六十元。其後因史祿國拒絕前往猓玀區作實際調查工作，楊成志則不畏艱難，為之而不辭，於是由史祿國在所領得的經費內撥出一部分（法國貨幣三百元），讓楊成志單槍匹馬一個人到猓玀區域去作調查。根據楊成志後來所寫的調查經過概述，他於十七年九月一日從昆明出發，經嵩明、尋甸、會澤而至巧家。由此渡金沙江深入夷區之大、小涼山，在猓玀區域內旅行了很多地方，前後所費時間有將近兩年之久，因此不但深入接觸了猓玀族生活習俗的許多層面，也初步學會了猓玀的語言，歸來時還帶回很多在猓玀區搜集得到的經典、文書、及其他民俗品一百餘件，所耗全部調查費用約銀洋一千七百餘元。（楊成志說，這數目不過只抵得上史祿國在雲南住了三個月所花掉的費用。）由於這筆款項大部分出自中山大學語言歷史研究所的支援，所以他的調查成果亦歸於中山大學所得，史語所無權分享。不僅如此，由於楊成志在夷區生活了兩年之久，對於大涼山夷區猓玀民族的知識已成獨步當世，所以他後來並且得到了中山大學的資助，赴歐洲留學，專攻人類學，回國之後，就成了人類學的專家，也具備了教授身分。由此可見，猓玀區的人類學調查工作確實有其學術價值，傅斯年先生作此計劃的眼光十分正確，只因所託非人，終於只落得一個虎頭蛇尾的結局。史祿國是當時我國僅有的一個人類學家，雖是外籍，在無人可以擔任的情形之下，既然要作人類學調查，就非得借重他的才能與學識不可，卻不料他是這樣一個無責任心而耽於享樂的人！史祿國的這種不負責任行為，既玷辱了史語所的聲譽，也使傅斯先生的預定計劃落空。後面所說的兩種，情形亦頗彷彿。

乙、泉州調查

「泉州調查」的負責人，是中山大學的預科教授黃仲琴。他在史語所籌備處未居任何名義，史語所籌備處之決定作此調查，是由於他向史語所提出的建議。此一建議經籌備處接受，資助他到泉州去住了一個多月之後，提出一份名為「泉州調查第一次報告書」的書面報告，現尚存於史語所舊檔元字一六四號「泉州調查報告」卷中。元字一六五號卷中另有一份「泉州調查計劃書」，當即是黃仲琴先生在調查進行之前所提出的計劃原案。此計劃書說明他的計劃動機及工作內容如此：

泉州者，唐以後互市之中心，握交通之樞紐，為百物所輻輳。因經濟勢力之發展，至使市舶司有轉移國祚之力。其居民以異族雜居而日益混合。其宗教以財力豐裕而有極大之建築。且因民族複雜而宗教亦隨以複雜，摩尼教之遺蹟尚有可考者。其人物則有與歷史極有關係之蒲壽庚、李贄、鄭成功、洪承疇、施琅等，其第宅與子孫，猶有存者。其遺物則有元以前之阿拉伯文刻石等，實為研究歷史、宗教、人種諸學所必須稽考之地。日本人及西洋人均早已從事於此，然系統記載，所缺尚多，自家史蹟，不宜讓人。本所現擬派人前往調查，以便現存狀況整齊可識，參以舊籍（如諸蕃志），合以外人所研究，諒可得不少新知識，並可為後來系統的發掘泉漳一帶之張本也，特擬具計劃書及預算表如下：

一、調查地點——泉州市，即晉江縣，暨附近之南安、惠安二縣。

二、調查人數——專員一人，助理二人，拓匠二人，雜役一人。

三、調查項目——甲、宗教。乙、橋樑第宅等建築。丙、墳墓。丁、民族。戊、宗教。己、風俗及生計。庚、語言。辛、其他。

四、調查日期——自十七年七月一日至八月三十日止。

五、報告——調查終了，應照規定項目撰成專件報告本所。所得影片、拓片、及一切器物品件，均送本所收藏。其影片拓片及他物可得二份及二份以上者，並另置一份，送中山大學語言歷史研究所。

六、調查所得材料——由研究所分別交研究員及國內學者及外國人研究之。

七、協助及保護——由大學院函達福建省政府轉飭泉廈地方軍政長官，並轉知學界，隨時贊助，所在地駐軍隨時保護。並請中山大學同時函達泉廈軍政學界，為同樣之請託。

此計劃書後附有預算表，包括薪金及工資、設備費、旅費、食宿費、交際費等五項，合共銀洋八百八十四元。調查時實際所費若干？不詳。但若由黃仲琴所撰「泉州調查第一次報告」之序言中見之，則黃仲琴之前往泉州，乃係於七月二十日到達，在彼居住一月有餘，因泉州四郊土匪橫行，雖有駐軍保護，仍不敢離開市區太遠。加以天氣炎熱，拓工因病暑而不能工作，故只能在泉州及廈門二地稍作調查，「於原定調查之計劃，未能完全達到」。由此推測，則其實際所費，恐未達八百八十四元之預算數。至其實際調查成績，則傅斯年先生在他所寫的「歷史語言研究所報告書」第一期中對之頗多美譽，云：

今夏將屆暑假時，籌備處託黃仲琴往泉州試作初步之搜集材料。黃先生至泉城，四圍匪患極熾，不能多至四鄉，囑工在各處拓碑照像，及搜集書志品物一百餘件。現在研究所正據此次所得拓本及書志並外國人著述，編列成序，以便後來另派一隊人前往之準備。泉州在中世紀之地位，及其現在物品之多，固值得將來一大調查也。黃先生此次發現一種阿拉伯文石刻，以前未經人知者。已拓出，當託識阿拉伯文者訂之。

由檔案中所存之「泉州調查第一次報告」原件見之，全書以每張三百六十字之稿紙毛筆抄繕，共計六十四張，連標點空格合併計算，亦不過二萬二千餘字而已。閱其內容，則多抄寺廟碑記及文獻紀錄之外，所錄多屬傳聞異說之類，一鱗片爪，既非有系統之調查資料，亦未作有價值之研究分析。所以傅先生在報告書之末頁有毛筆批語一條，云：

存備下次調查參考，不付印。

斯年　十月三十日

史語所的泉州調查工作，止此一遭，後來並沒有舉行過「下次調查」。這當然可以有兩種解釋

——一是由於史語所的經費不寬裕，即使想作「下次調查」，亦因無此力量而不得不作為罷論。二是黃仲琴的第一次調查毫無價值，根本不值得再作第二次的調查。由黃仲琴所撰的調查報告看，內容簡陋，見聞空泛，既未發掘到任何有價值的研究題目，自無法令人相信再有第二次調查之必要。然則傅斯年先生寫在「歷史語言研究所報告書第一期」中的美言，不過是交待公事的文飾之辭，不足深信。而黃仲琴的泉州調查，其最後所得，亦與史祿國的「雲南人類學調查」工作相彷彿，乃是另一項使人沮喪的研究試探。說到這裡，籌備處時期所舉行的另一項研究調查——川邊人類學調查，就要更使人感到失望了。

丙、川邊人類學調查

傅斯年先生所撰「歷史語言研究所報告書第一期」，敘述「籌備處時代之工作」凡四項，第四項即「川邊人類學調查」，原報告所述內容如下：

> 籌備處決定，因助員黎光明係灌縣人，可由其往川邊，作人類學調查。黎君於八月底由上海西行，九月底至成都，當先至打箭爐，然後西行至最遠可能處，西北行至青海，調查對象為所謂番夷、猓玀各種人，及界上之純西藏人之生活狀態，及其他民俗學事實，並須略習其語言。其與漢族之文化的、經濟的等關係，尤須注意。此事黎君正在川西發軔，報告尚須時日。

見於史語所舊檔的「歷史語言研究所報告書第一期」，共有兩份，一份是傅斯年先生親筆撰寫的原稿，稿末所署撰寫時間，是民國十七年的十一月三十日。另一份是清稿，稿上復有許多塗改之處，其內容多與「中央研究院十七年度總報告」中的史語所資料內容相符，可知其塗改之處，正是修正第一期報告中不合現況的資料內容，以提供院方編撰十七年度總報告之用的。「十七年度總報告」的資料時間截至民國十八年之六月為止，然則清稿的修改時間，亦不致早於此時太多。然而，比對這兩份報告中的「川邊人類學調查」部分，發現其彼此間的差異竟然極小，這就太奇怪了。

比較史語所舊存檔案中兩份「歷史語言研究所報告書第一期」有關「川邊人類學調查」部分的記述同異，發現其刪改處只有兩字，即前引報告書底稿所作之「可由其往川邊，作人類學調查」之「人類」二字，在清稿上已被改為「民物」。如此一改，黎光明被派往川邊調查的任務，就由「人類學調查」變為「民物學調查」，格調降低，要求水準當然也就不同，至於傅斯年先生為什麼要把黎光明原先所擔任的「人類學調查」任務降低為「民物學調查」的低一層次工作，其中原因，看後文的敘述自可了然。

黎光明是廣州中山大學歷史系民國十七年的應屆畢業生，在校時因學業成績優良，被傅斯年先生認為是可造之才，所以從民國十七年二月份起，就被傅先生找來，為未來的歷史語言研究所預作各種籌備工作方面的雜項事務。十七年四月，史語所籌備處在中山大學正式成立，黎光明被派充為助理員，成為此一機構的正式成員之一。到了十七年九月史語所建所，就由傅先生以「秘書代行所長」的名義給以「任書」，其後即以此一身分前往四川，作「川邊人類學調查」的工作。黎光明由廣州出發赴滬轉川的啟行時間，在十七年之八月底。史語所舊檔迄尚保存黎光明此行所作之筆記資料及歷次寄回之信件，甚為完整。黎光明的筆記，除逐日詳記其行程及所見所聞情形外，並附有照片多幀。只可惜其記述方式純是遊記體的，既缺條理分明的研究分析，所記亦屬皮相，實際上並不具備學術研究的參考價值，至於他從出發以後所寄回之歷次信件，史語所將它們按時間先後整齊地粘貼成冊，用毛邊紙裝訂成為一帙，翻檢極便，其中並附有傅先生發致黎光明的覆函抄件。由這些來往信件中可以看到，黎光明對於史語所所交付給他的任務，並未準確及認真地執行。復因彼此對此項調查任務之觀點並不一致，黎光明所造成的執行誤差，遂為傅斯年先生帶來極大的困擾。

由黎光明所擬呈的「川康調查計劃大綱」，其原件現尚存於史語所舊檔，元字一一五號的「黎光明」卷內。由此計劃書之內容看，其調查規模及著眼點均極有可取之處。尤其是他在此計劃書之結末處說到，一俟調查工作完畢，即可向所方提出下列各種成果：(1)四川狀況報告書一冊，(2)猓玀生活報告書一冊，(3)川邊特別區域現況報告書一冊，(4)調查日記一冊，(5)川康歌謠故事集一、二冊（注重在未經登載過者），(6)照片五百種以上，(7)收買川省各縣志書及川版書籍，(8)收買川康番漢風俗物品。如黎光明此行歸來，果能將上述調查成果送交史語所，不但能為史語所的人類學民俗學組及民間文藝組提供大量調查素材，對於四川資料之搜集，尤多貢獻。楊成志深入大小涼山夷區調查猓玀生活資料，最後成為這方面的專家，黎光明果能以楊成志的工作精神進行此一調查，其成績當然亦大有可觀。由此奠定史語所的學術聲譽，厥功尤偉。為了便於作前後比較起見，在沒有敘述黎光明的實際工作成績之前，應該先將他的計劃書內容擇要抄錄於後，俾有了解。

川康調查計劃大綱

助理員黎光明擬

中華民國十七年夏，奉大學院歷史語言研究所籌備處傅斯年先生之命，入四川和川邊特別區域作調查，今擬具計劃大綱如左：

(一)所經之道路

由重慶起岸陸行，逕往成都，沿途即開始作調查之報告書。此路為每次川戰所必爭之地，其民生憔悴之概況，固亦可有一記載之價值也。到成都後，即籌備入山調查蠻夷之一切必須物品，約經兩週，即起身西行，經郫縣、灌縣而入山地，復經汶川、理番、茂州、松潘而達青海邊界。沿途皆猓玀聚居，路甚險惡，自松潘轉入平武，平素渺無人行，俗呼之曰草地。其住居之人，名曰生番，人數既少，又與漢人少所交易，然吾人為達調查目的起見，此或正為意味濃厚處也。平武已與甘肅交界，即插入其境而再轉往棧道，復沿大川北路，經昭化、劍閣、梓潼、閬中、綿陽、廣漢各縣而回成都。此第一期之路線計劃也。迨在成都將所得之成績整理完畢，及準備第二期之應用什物後，約經兩週之久，即沿岷江而經彭山、眉山、青神、樂至各縣，轉入峨嵋山中，復沿青衣江而經夾江、洪雅、以至雅安，再轉由滎經、清溪、而至瀘定，入於川邊特別區域之境界。再至康定，即可調查出川邊之一切概況。如能西行，自以再深入其境為妙，至於歸程，則擬設法入於大小金川，查考該地番夷之情形，再經懋功而回成都。此歸路之險惡情形，更較松潘為甚。此第二期之路線計劃也。自康定而歸，計時已入冬季。即擬在成都將所獲之成績公佈於眾，以引起社會人士之注意，並求一著名之報紙為吾人鼓吹。或即可利用寒假期間，製備各種表格，分發學校，而可收得代為調查之效。四川各種社會狀況和風俗習慣，此必已得其大概。此第三期之調查計劃也。當初蒞川境，對於沿途所經，不便多作訪問。惟在出省之時，對於川省政局，即可作詳細記載，對於財政、鹽務、幣制、及軍事、政治等皆各作相當之調查，以見出川省歷年治亂之原因和救濟之要點。此第四期之調查計劃也。

㈡調查之事蹟

於番夷猓玀之輩，當調查其種屬、區域、風俗、性情、服飾、居處、職業、語言、及經濟、商務等情形，並查考其在歷史上之變遷及與現在政局之影響，對於其土地之應如何墾殖，其人眾之應如何開化，亦應特別注意。至於川邊一地，近年直接係多土番作亂，間接實為英人所主使，凡茲有關國際之事蹟，尤應特別留意。對於川省社會之情形，應詳加考查其變遷及趨向，以為將來治川者之借鏡。尤其要者，則對於民情風俗、社會文化、歌謠諺語等，皆將製為表格以徵求之或購買之，以備參考。

㈢所需之時日

在重慶約有五日稽留，到成都約需半月行程。籌備半月後動身，沿途細作調查，自難趕速程期。有時為求明晰情節起見，還需與番夷猓玀共處。故再回成都，自非兩月之後不可，其往峨嵋康定之第二期調查，所需時日，至少亦需兩月。第三期視過陰曆年節後之情形為定，待進行第四期之調查，計時已在十八年之四月中。故就全體時間論，須有七個月至九個月之期間，始能達到此次調查之圓滿目的。

㈣調查之人員

王元輝——四川人，大學生，曾任師部宣傳科長。

黎光明——四川人，史語所助理員。

傭工二人——一長期隨伴，一臨時僱作嚮導。

㈤應備之物品（略）

㈥擬備之成績（略）

此計劃書自然是黎光明初步提出之構想，未必能為史語所完全接受。所以史語所後來核定之計劃內容，與此稍有出入，其詳情可由史語所呈報中央研究院之計劃書中見之。亦為抄錄如後：

黎光明君赴川邊調查民俗等事計劃大略及預算概要

一、調查區域——四川西部，自成都以西，北至甘肅交界，西至打箭爐以西。如更有時間，或南至峨嵋以南，北經劍閣，大部屬於川康兩省交界區域。

二、調查對象——番夷玀玀各種人，及界上之純西藏人之生活狀態，及其他民俗學事實。其與漢族之文化的經濟的等關係，尤須注意。（此行但為初步之調查，以為下次有計劃的科學施行隊之準備。）

三、調查人員及時限——黎光明君為主任，王元輝君助之。因需要得用工人。自重慶西行起，至終結，為期六個月。

四、用費預算——黎君薪水照舊支領，不在此預算中。黎君自廣州至重慶，川資來回各一百五十元，不在此預算中。此舉之預算共支費一千五百元，內分：甲、王君六個月薪水，每月五十元，共三百元。乙、僱工及用品之有消耗性者，共二百元。丙、以一千元為調查用費之本身。

以上一千五百元，即請會計主任撥出，獨立一賬，由上海分期直寄成都。

…………

比較史語所呈院之調查計劃及經費預算，可知傅斯年先生所不贊成的調查內容，僅是黎光明所提出的有關四川內部的政治、社會、經濟、民情、風俗之類，亦即黎光明原擬計劃中的「第四期」調查計劃，以免與當時極富敏感之四川政局發生關係，其餘一至三期各項調查計劃，則無不同意。由於調查計劃的內容少了一期，所以其完成期限亦核定為半年，此與黎光明所自定的完成期限本來並沒有太大的出入，經費方面，銀幣一千五百元在當時亦不是一筆小數目。因為史語所在籌備期間（十七年四至六月）所領到的全部經費，僅只銀幣七千元而已。自十七年七月史語所由籌備處變為正式的研究所，此年七至十月份的額定經費，每月亦只銀幣五千元。在每月經費區區五千元之內，一下子撥出一千五百元來給予黎光明作川邊調查的經費之用，在當時不能不認為是「大手筆」了。所以然之故，無非因為傅斯年先生身受蔡元培先生託付之重，急切希望能在史語所建立之初，即為此所奠定根基。故而對於凡是可能達到某種成績的研究計劃，都願在能力範圍內大力支持。如前述之雲南人類學知識調查計劃，泉州調查計劃，另外的安陽調查計劃，以及這裡所述及的川邊人類學調查計劃等，均是。只可惜傅斯年先生所託付的，大多不是名實相符的才能之士，史祿國延誤於前，黎光明僨事於後，傅斯年先生的辛勤耕耘，便有一半計劃未能達到預期目標，說起來實在可憾之至。史祿國之事，已見前述。黎光明如何僨事，則可以從檔案資料中一一見之。

黎光明由上海啟程前往重慶，是十七年八月底的事。中間在南京及宜昌均稍有躭擱，到重慶已是九月之初。由於當時的四川治安不靖，為了深恐黎光明身上攜帶現款太多或將遭致意外，所以中央研究院給付黎光明的調查經費，並非在上海支付現金，而係以郵匯方式寄交成都商務印書館收，俟黎光明到達成都後，憑證件向該館領取。詎料成都的商務印書館恰在此時急需現款周轉，竟將收到之匯款暫時挪用。黎光明到成都後往該館洽詢數次，該館均以空言搪塞。以致黎光明為了等待經費匯到，就在成都空等了將近一個月。為了催款，黎光明在等待期間，一再以函電催促上海的中央研究院會計處，和在廣州的史語所。及至前款收到，則又以不敷應用等等理由請求增加原定經費。所以傅斯年先生當初核定的調查工作費雖然只有銀幣一千五百元，由於黎光明之一催再催，匯達成都的款項便有二千元之數。另外更由黎光明自行覓人擔保，再向成都商務印書館借支六百元，總計二千六百元。調查經費由原定預算之一千五百元增為二千六百元，據黎光明在民國十八年一月二十一日由成都發寄傅斯年先生之信中所說，是由於下述三種原因：

(1) 是我們的範圍加大，擬先行調查松潘以北青海一帶之地。

(2) 時遇年終，寒冷特甚，即是禦寒所需之皮衣一項，亦需增加許多支出。

(3) 將來所到之地，據說需費甚多，不能不多作準備。

黎光明在此信中所說之「範圍加大」，可以有兩種意義。一是指調查工作的範圍加大，二是指他所率領的工作人員範圍加大。傅斯年先生所核定的黎光明川邊調查工作計劃，其人員一項，固定人員祇黎光明及王元輝二人，傭工及嚮導視情形臨時增添；但此項用費連消耗品用費在內，亦不過只有二百元之額度而已。然而，在民國十八年一月十八日黎光明寫給傅先生的信中，便可看到，他所率領的「調查團」人數，實在多出此數甚多。抄一段原信中的文字如次：

孟真吾師：十二日寄來之No. 1信，想已接到。我們即於該日起身，同行者除六名腳夫外，共是七人。又除我同王元輝君擔任調查任務及辦理交涉，係受吾師之委任者外，其餘五人所負的任務，現就向吾師報告之——

(1)安德榮——這是懋功廳所屬勝因寺之大喇嘛的漢譯名，能通番文番語，在我們這個團體中，擔任的是翻譯之職。

(2)謝秉璋——他是成都師範大學的學生，擔任書寫的任務。

(3)馬又常——他是前高等師範附屬中學的學生，擔任庶務的職任。

(4)毛蟲——這是甘肅拉布朗寺附近居住之蠻娃娃的譯名，因為我們要到他們那裡去作調查，故挾以自重般的把他帶在一路而行。

(5)黎耀華——這是我的姪兒，可當作勤務之用。

另外的六名力夫，共揹負了五百多斤的行李和禮物。因為松潘以上的草地，多不用現金，故我們的生活費用，購用為禮物以代替之。

黎光明「川邊調查」的限定完成時間只有六個月，經費預算一千五百銀元。他在十七年的九月上旬到達重慶，以此時間為起算開始之時，到了十八年的三月上旬，此計劃應已結束。但他遲至十八年的一月十二日方由成都啟程，距離三月上旬的終結之期只不過只有兩個月的時間了；看他那種從容不迫地紓徐其行的光景，顯然無法在三月上旬完成其預期計劃。更使人著急的是，原定計劃只規定由黎光明、王元輝二人負責調查工作，再加腳夫二人，不但行動方便，所費亦不至太多。而如今所開列的名單，則工作人員已有七人之多，外加揹夫六人，一行浩蕩，所需要的全部工作經費將會高達幾何？所以，傅斯年先生最初只以黎光明的緩不及事為急，至此則深懼其如此放手大幹，研究院恐無法善其後。於是不得不急速以函電交馳的方式緊急與之聯絡，希望能及時糾正他的這種錯誤偏差。看傅先生此時寫給黎光明的信，可以知道他對於黎光明這種脫韁野馬式的調查工作，實在已感到焦躁急慮，手足無措了。抄錄他在此時寫給黎光明的一封覆信，藉以見其一斑。

靜修吾兄：一月二十一日信收為感。兄此事辦得真不妙，弄到我於辭職上增加了不少分量，為之慨然。兄自八月去南京之後，中間只有兩信來，一在漢口，一在成都，除談款外，無一字之報告。十二月中，吾等急死，以為兄在路上有不測，心中日夜焦念，及接電始心安。兄自在上海與弟分別之後，進行報告無一字寄來，上月加款借款等電，乃如雪片。弟個人不足論，中央研究院之設史言所，猶之一科，幹事長、會計主任，皆上司也，弟且不能自由處置，況兄如此隨便乎？有數端不得不提明者：

(1)兄之原計，本非大規模，（原注：大規模者，所無此準備，兄無此經驗及工具。）乃以個人之堅苦旅行，換得親切之知識也。故翻譯尚不需，遑論隨員？今來函並非兄自寫，豈非書記而亦帶之乎？多費不特無濟於事，且反害事也。此因弟歷歷向兄言，而兄亦以為然者也。

(2)應作切實的工作，應盡捨其政治的興味。

(3)凡事須量入為出，不可量出為入。原定預算，千元而已，今兌往者已二千，而仍借之不已。

前預算經院核准，今如此不照預算辦，院方焉得不責弟乎？

請兄注意者數事：

(1)少用人，多自己耐苦。

(2)多買物品（原注：文字者尤要），少零費。

(3)少發生政治的興味。

(4)學習一種夷語，記其文法上之大略。

(5)報告須不斷。

(6)留心觀察，少群居侈談政治大事。

(7)少亂走，所得知識須系統的。

(8)多照像。

(9)千萬不要在成都一帶交際。

事情弄到現在，已經甚糟，乞兄勉為其難，以為彌補。有兩事奉告：(1)院方以兄無一字報告，而加款催款之電，如雪片之來，莫明其妙，上週痛責弟一公事：其中固不止此一端，然此亦其一事也。弟只得辭職。次日上呈，辭中央研究院歷史語言研究所代理所長，尚未批下，下文不知如何。(2)兄前定預算千元，加五百是院准的，又加五百是弟借薪。至於又借六百，弟因須交代，無薪可借，無田宅車馬可賣，無術奉償，方命之至，為歉。最後奉請一事：兄自抵成都後數日之經過，乞寄一詳細報告。成都商務誤款，究是如何一事？乞詳實報告，附注月日，俾院方知責任之所在，而與上海總館理論。（原注：上海總館來索六百元，與院會計處吵，此弟受申斥之由也。）吾等相處二年，弟對人總竭盡自己之誠，此兄之所知也。即如兄事，弟固願成兄之志，無中生有，實為造就吾兄，非為事業。蓋兄未預備充分，兄之所知也。今弟之處境鬧到如此困難田地，望兄一為自己，二為弟之面子（原注：對院方），(1)努力，(2)堅實，(3)省費，以便以困難換得成績，不以亂來促弟投河也。不勝叩頭待命之至。……

原信因係存於檔案中的抄件，僅作存底之用，故信末無署名，亦無日期，但在抄件之首有字一行，曰：「二月十六日致黎光明兄函」，可知此信之寄發時間是在民國十八年之二月十八日，受信人即黎光明，「靜修」乃其表字。此信之所以值得重視，是因為它一方面說明了黎光明「川邊調查」工作之執行偏差，為傅斯年先生帶來之困擾，嚴重至何種程度；另一方面則又十分明白地反映出來，當民國十八年二、三月間之時，身任史語所所長之職的傅斯年先生，因諸事不順遂所面臨的精神壓力，又嚴重到若何程度。傅先生是黎光明的業師，平素對之器重有加，在這封信中居然出現如此嚴厲的責難口吻，當然是因為他此時正因黎光明之事備受各方責難，在怨恚之餘，至於不暇修辭，就直接了當地把他此時的心中感受傾瀉無餘，不復顧及師生之間所應保持的尊嚴與禮貌。這固然可以看出傅先生之心直口快，胸無城府，但若非黎光明之作為令他失望至極，當亦不至於氣憤至此。加上史祿國的雲南調查早已成為各方指摘之口實，黃仲琴的泉州調查又全無實際價值可言，傅先生在籌備處時期所進行的四項調查工作，倒有三項是醜媳婦見不得公婆的糗事！在這種情形之下，若不是董作賓先生在安陽調查工作上有了突破性的成績，傅先生此時的處境，恐怕真的會如他寫給黎光明信中所說的情形，必須既辭職又跳河，以謝罪於中央研究院的了。

黎光明的川邊調查，所以會發展到如此尷尬的地步，其原因當不出二點。一是黎光明雖然是四川灌縣人，對於由灌縣往西北經松潘入「草地」作人類學民物學調查的工作，顯然沒有充分了解。他以為只要公家肯給錢，雇一個熟悉當地情形之人陪他一起去走一轉，即可得到所需要的資料。並不曾想到「草地」乃是人跡罕至的化外蠻荒之地，不但氣候高寒，旅行困難，而且因番族的生活習慣處處與漢人不同之故，既需攜帶各種禮物餽贐，以交換旅行時的生活用品，尤需有翻譯及嚮導陪同，否則無從深入其地。但如此則人手必增，費用必多，絕非一二人之輕裝旅行可比。二是黎光明甫自學校畢業，對於政府機構辦理公家事務的觀念太模糊。他並不十分清楚，預算一經核定，再要辦理追加，並不是容易之事。何況當時的中研院及史語所均值草創之初，經費十分支絀。傅所長能在蔡院長的大力支持之下，一次籌撥銀幣一千五百元讓他去作川邊調查，以研究院及史語所當時的經濟情況來說，已經是一項大手筆，再要增加，十分困難，何況他所要求增加的理由在當時看起來都祇是因黎光明之漫無計劃而引起之浪費？再則黎光明以灌縣人而受命為川邊調查，也很容易引起他人的懷疑，以為這很可能是傅斯年先生藉此作為調劑，好讓他拿公家的旅費回家省親。也正因為黎光明的川邊之行容易引起人的這種懷疑，一旦他不遵初約，大張旗鼓地僱嚮導、帶隨從、翻譯、庶務、書記、勤務人等色色俱全，浩浩蕩蕩地結隊上路時，人們實在無法不懷疑他的這種作法，究竟是在作調查工作，還是「衣錦還鄉」？在此謠該紛紜之時，傅斯年先生除了斷然決定停止此一調查工作之外，幾乎再沒有其他更好的辦法。黎光明後來由汶川前往理番時續有信來，傅先生遂於三月十六日作一信覆之，命其即日停止原定計劃，束裝東歸。信中並有這麼一段話，說：

> 兄原云附商人之隊而行，兄No. 2號信云十多人若干擔，這樣辦法，只等於謝靈運之張蓋游山耳。

這段話，可以看作是傅斯年先生對黎光明川邊之行的觀感，但亦很可能即是當時中央研究院以至史語所同仁對黎的實際觀感。其中的寓意當然十分明白——黎光明的這種作法，實在太幼稚也太荒唐了。黎光明之輕率妄為，當然應該由黎光明自負其責任。但傅斯年先生為其業師兼為其直屬主官，即使在當時確因鞭長莫及之故而無法及時行使其監督糾正之責任，無論如何，總難辭知人不明及輕信失察之咎。復以當時四川境內戰亂頻仍，郵遞緩慢，黎光明一行在川北道上紆徐而行，無論是電報或快郵，皆無法適時送達黎光明之手中。於是，傅斯先生所受的責難，亦因此而更深了。他在給黎光明信中常多口不擇言之文辭，正可充分看出他心中之苦惱。好不容易，在十八年的五月初，黎光明終於完全弄清楚整個事件所起之變化，趕緊遣散從人，束裝東歸，傅斯年先生亦已因此而受累不淺。所好的是，董作賓先生在安陽方面的試探發掘，竟得到了意想不到的異常收穫，這纔使他在「失之東隅」之餘，得到了「收之桑榆」的補償。如其不然，傅斯年先生因史祿國、黎光明、黃仲琴等人之事所坍的臺與所失的面子，恐怕還真有無法挽回之苦哩！史語所在甫經成立之初即連連遭此挫折，如非有安陽調查的佳績給予適時適地的支持，此一機構的後來命運究將如何？實在難說。由此可見，安陽調查與此後的安陽發掘，對史語所的生死存亡，關係實在太大了。這其間的關係，非深入探討，無從發見，所以下文就應接談「安陽調查」之事。

丁、安陽調查

史語所在成立初期所推展的四項調查工作，如以傅斯年先生寫在「歷史語言研究所報告書第一期」中的排列順序看，「安陽調查」是第一項，然後方依次敘述「雲南人類學知識初步調查」、「泉州調查」、及「川邊人類學調查」。筆者今追述此四事，將此四項調查工作的排列順序加以更動，即以「雲南人類學知識初步調查」、「泉州調查」、「川邊人類學調查」等三項居於「安陽調查」之前，而以「安陽調查」列於四項之最後。如此安排，無非基於文字敘述之便利，並非對此四項調查工作妄存軒輊，幸請勿生誤會。

關於史語所在籌備期間就著手從事的「安陽調查」工作，「歷史語言研究所報告書第一期」中對此曾有頗詳盡之介紹，今轉錄於後：

民國十一年秋，洛陽城東三十里故城之南，出土魏正始三體石經殘碑大小兩石，驚動一時。於以知河陽岸崩沉溺之說，為不可盡信，而洛陽古都，實有可以發見大批石經之望。數年中，國內學術界未續探此事究竟。本所籌備處成立時，即託本所通信員（現為編輯員）董作賓先生一往勘察之。董先生只能至白馬寺，其東南渡河處，土匪未清，不能前往。比核所聞，十一年三體石經出土之故事，及所在地，與一向所傳小異。此事既以匪患折回，後當再來一往，果上次出土處為太學故址，並非後人所移之處，則發掘可望有得矣。又，安陽縣之殷故墟，於三十年前開始出土所謂龜甲文字者。此種材料，至海寧王國維先生手中，成就極重大之發明。但古學知識不僅在於文字，無文字之器物固是學者研究之要件，而地下情形之知識，尤為近代考古學所最要求者。其但憑取得文字以作發掘者，所得者一，所損者千矣。安陽龜甲文字任其自然出土，及古董商人之搗毀，今時流傳人間者，不知能當毀壞者幾分之一？雖有王君創作以慰人間，然此仍是至可傷之事。最近尚聞陸續出土不已，本所籌備處擬一察其究竟，即託董君於去洛陽後往安陽一行。董君於八月至彼，知羅振玉於自稱彼派人採掘洹陽寶藏為之一空之後，實尚陸續出土，即今春尚有多人在小村（即出土地）左近大肆打探，又翻出甚多，為其地美國教士明義士買得，如不由政府收其殘地，別探文字以外之知識，恐不久損失更大矣。董君調查之結果送至籌備處時，籌備處已結束，即由研究所委託董先生於十月前往，先作小試之發掘，以決後來可大舉否？此試驗約延長四十日，先測四圍地圖，後來所探處甚多，自洹河岸至小村之南，約一里餘。所得結果，大致如下：㈠村外之地，多已掘盡，殘片常見，而大層絕無。村中空地，今春亦為人所掘，但村南尚有取獲。以後工作，當收買村居，必有大獲。㈡此次共得有文字者七百餘片，無文字之骨甚多，錯亂安置，並無次序。其出版多處，乃水流之渦，並非原置骨處。不知羅振玉「大獲」時，地下情形如何。當時不知注意及此，損失大矣。㈢出龜骨之地域，南北二里，東西里半，斷非當年儲藏所如此之大，零亂參差，乃水流沖散之故。不知當時儲藏所是否即羅振玉氏毀壞之區？如統計其出土形勢，或得當年水流之向，更可向四方求當年地下形勢矣。㈣非文字品所得不少，待整理後方能報告。得人骨一具，其時代尚待考耳。新得有字之品中，已發見數個以前未見過之字，待整理後再報告。㈤發見大批無字骨之處，有未鋸者，若當年材料場然。其旁則已為前人掘者所毀。然此處或可指示當年地層也。約而言之，龜甲文字雖大致未必可再多得，而其他知識此地必含甚多材料。如將小村收買一部，而工作之在地點之四方探之，容得到殷墟之大體。李濟先生決定明年一月赴安陽勘察情形，便即動手。此次初步試探之結果，指示吾人向何處工作，及地下實尚含有無限知識，不在文字也。

董作賓先生是河南南陽縣人，國立北京大學文科國學門研究，民國十六年以前，曾經擔任廣州中山大學預科的國文教授，至十六年冬，始因母病風痺而辭職歸里，家居奉母。在中央研究院歷史語言研究所尚無籌設之議前，中山大學已有語言歷史研究所之設置，為了探討尋求各種研究工作之可行性，當時的傅斯年先生，即曾以文科學長的身分與董先生保持密切聯繫，委託董先生就近調查可供研究的資料。及史語所籌備處成立，傅先生以籌備處常委負其大部分責任，又請董先生擔任史語所的通信員，繼續從事前此為中山大學所做的調查工作，當然此時的工作也是兼為史語所而做了。在此期間內，傅先生曾一度向院長蔡元培先生建議，聘請董先生為史語所的兼任研究員，月致津貼一百元，「俾抒衣食之累，而專研究之功」，但未為蔡先生所接受。大概亦就是由於這一事情的觸發，傅先生因此想到，大可利用董先生居鄉無事之便，請求研究院酌量給予川貲補助，就近從事洛陽及安陽兩地的考古工作試探調查，以便董先生的調查工作可以有較為具體的目標。傅先生的此一請求，得到總幹事楊銓先生的同意，於是乃有了前述「安陽調查」工作的肇端。若追溯此事之源起，則所謂「安陽調查」也者，其實應該稱之為「河南調查」，方纔更合乎事實。

史語所委託董作賓先生前往洛陽及安陽二地，調查探索可能從事的研究工作，足以說明一件事實——即是：甫經成立的史語所籌備處及實際負責的傅斯年先生，此時尚未能掌握史語所的工作重心，不知道究竟應該採用什麼樣的方式，方能使史語所得到最好的發展。所以，只要是值得一試的研究計劃或調查工作，傅先生都願意一試。史語所在籌備期間所進行的四項調查工作，想必都是在這種情形之下經由有關人士提出，而由傅先生同意實施的。其結果則是，四個調查計劃之中竟有三個觸礁，只有委託董作賓先生在河南方面進行的調查工作，得到了開花結果的圓滿成績。至於說到花在這一調查工作方面的經費，則又是數目最少的一部分。

董作賓先生不負史語所籌備處之委託，在調查工作上得到良好的成績，有兩項原因。一是他對所負擔的工作有高度的責任心，二是他所負擔的這一項調查工作恰好與他的研究目標有關，故而增加了他對工作的興趣與熱忱。他在接得傅先生的來信之後，不俟川貲匯到，即自南陽來到開封，一方面等待上海來的匯款，一方面可以就近利用等待的時間，跑圖書館搜集有關係的參考資料，以求了解狀況。傅斯年先生向院方請求的川貲補助本來只有二百元之數，但是總幹事楊銓先生所核准的卻是五百元。大概他認為二百元之數未免太少，既然要人家做事，總得付出足夠的費用，然後方能要求好的工作效果。楊銓先生的此一舉措，確實有其鼓舞工作情緒之效。因為這一年正值豫西一帶遭遇旱災，鄉村農民的生活困苦不堪，董先生賦閒家居，當然也深受生活方面的壓力，猝獲五百銀元之鉅款補助，無論在那一方面都是有極大之幫助的。因此之故，此時的董作賓先生不但工作興致極高，所寫的各項報告亦極其詳盡清楚。加以他在安陽調查方面得到了非常具體完美的成績，於是使得傅斯年先生的安陽調查工作獲得了確定的工作指標，以後的工作，就可以循此方向，繼續做下去了。

在洛陽出土的魏正始三體石經殘碑，因為當地土匪猖獗之故而無法前往作實地調查，其情形已見前引「歷史語言研究所報告第一期」中之敘述，可不復贅。至於安陽方面的調查所見，據前引文字亦可知道，董作賓先生寄回史語所的調查報告，其答案是肯定的。於是傅斯年先生續匯經費，請董先生即在當地作一小規模的試探發掘，以便視試探結果決定此後之工作。董先生的試掘工作於十七年十月十三日在安陽小屯村外開始，至十月三十日結束，共工作十八天，其報告詳見史語所的專刊第一種──「安陽發掘報告」之第一冊，頁三至頁三十六。除此之外，史語所舊檔元字二十三號卷中，尚存有董作賓先生在此時間內寄回的前後各次信件，所述亦極詳盡。在這些敘述極詳的信件中，也有一件是傅先生寫給董先生的覆信抄件，最能看出傅先生當時的態度。抄錄其最有趣味也最具重要性的一段如後：

彥堂我兄：連得兩書一電，快愉無極。我們研究所弄到現在，只有我兄此一成績。雖兄自謙太甚，且所得自不能如始願之多，但即如兄第二信所言，得一骨骼，得一骨場，此實寶貝，若所得僅一徑尺有字大龜，乃未必是新知識也，此兄已可自解矣。我等此次工作目的，求文字其次，求得地下知識其上也。蓋文字固極可貴，然文字未必包新知識，因羅氏等所得已為不少。然如得太乙故都之大略，合以不完之器，固是大業。即得其掩埋之一隅，亦不為枉。既非尋物，則骨片所得幾何，次層校量而已。弟覺入地兩丈，是否較淺？蓋自帝乙之後，黃水淤積此地者，不知幾何次矣。故上層雖有「死土」，也許即是沖積層，如非岩石化者，不能斷言其下無人跡也。骨之無字者，似宜一併收之，以便檢定其究是何骨。此不特當時文化甚有關係者也。……

中央研究院史語所從民國十七年四月一日開始籌備，算到此年十月底，已經整整過去了七個月。七個月之間所花掉的經費，已經有銀元三萬之多，然而卻不曾看見一點具體成績。「雲南人類學知識初步調查」、「泉州調查第一期」、以及「川邊人類學調查」等等，計劃非不完美，花費亦復不少，在人們心目中所造成的印象，卻徒然只是無意義的盲目浪費，這在傅斯年先生身上所造成的精神壓力，該有多大？如果此研究所都是照這樣辦下去，除了停辦之外，事實上殊無法對院長及總幹事有所交代。幸好在這關鍵性的重要時刻裡。忽然傳來了此一佳訊，怎不令傅先生為之「快愉無極」？因為此事等於向中央研究院的有關方面提出一項有力證明，證明史語所的歷史研究工作正復大有可為，從此不難在考古發掘方面獲致輝煌的成績！「我們研究所弄到現在，只有我兄此一成績」。寥寥數言，等於說出了傅斯年先生心中多時積壓的抑鬱，從此之後，當可不必再坐困愁城了！然而這實在只是傅斯年先生的想法，若單從董作賓先生寫給傅先生的那些信中看，董作賓先生一定難以了解，傅先生怎麼可能會有如此樂觀的判斷呢？

史語所舊檔元字第二十三號卷「董作賓先生函件」之「乙第五號」，發信時間十七年十月二十四日，地點在安陽之小屯村，乃董先生在小屯作試探發掘時所寫之第三函。此函中歷述發掘以來十三天之工作情形外，曾有如下之感慨，云：

觀以上情形，弟甚覺現在工作之無謂，不但每日獲得之失望，使精神大受打擊，且勞民傷財，亦大不值得。擬看此後三五日情形如何，倘成績尚好，足償半月來損失，則繼續下去，或做滿一月；若仍無大宗發現，則盡此三五日之力，將所有機會求遍，再無大獲，只有先行停工，以免多耗時日與金錢。蓋除卻現存之幾個希望外，實為毫無把握，村北地即先例也。……兄縱能在經濟方面儘量供給，弟亦不敢妄肆揮豁。試想發掘已三十六坑，而得甲骨文字者不過六七處，且有僅出三數片者，有為發掘數四之殘坑者，有把握者不及全工五分之一，豈敢大膽做去？

由此可知，董先生在安陽小屯從事初步試掘之最大目的，完全與羅振玉在安陽發掘之目的一樣，旨在尋求埋藏於地下之甲骨文字而已。由於小屯地方在三十年中備受尋寶者及古董商人之大肆搜掘，地下淺層所埋甲骨，已被搜掘殆盡，董先生只在小屯作十八天之短時間發掘，當然不可能有大宗收穫。由於費錢多而成功少。董先生自覺此舉實無重大意義，所以他在同年十月二十七日寫給傅先生的信中，便勸傅先生勿再堅持繼續發掘，不妨趁此結束，以便下臺。「倘再作去，非有時間與經濟之絕大犧牲不可，且又有成與否，尚在不可知之數，弟意勸兄不必負其責也。」由這些話中，不難看出傅、董二先生在安陽試掘一事上之觀點，實有極大的距離。因為董先生明明在上面這些信中說明了安陽發掘是無意義而不值得再做之事，而傅斯年先生在寫給董先生的覆信中，卻鄭重其事地說明，董先生的發掘所得，乃史語所之重大收穫。雙方之觀點歧異如此，豈不是明明白白地向人說明了，傅先生的觀點，並非由董先生而來的麼？

說到這裡，不妨引述李濟先生及傅斯年先生所曾說過的話，以說明傅、董二人觀點歧異之由來。李濟撰「傅孟真先生領導的歷史語言研究所」一文，中云：

殷墟發掘在考古學的重要，有三點特別值得申述。第一，科學的發掘，證明了甲骨文的真實性。這一點的重要，常為一般對於甲骨文字有興趣的人們所不注意，但實富於邏輯的意義。因為，在殷墟發掘以前，甲骨文的真實性是假定的，就是沒有章太炎派的致疑，科學的歷史家也不能把它當著頭等的材料看待。有了歷史語言研究所的發掘，這批材料的真實性才證明了。由此，甲骨文的史料價值程度也大加提高，此後就是最善疑古的史學家，也不敢抹殺這批材料。章炳麟晚年偷讀甲骨文，是他自己的門人傳出來的。第二，甲骨文雖是真實的文字，但傳世的甲骨文卻是真假難分。在殷墟發掘以前，最有經驗的收藏家也是常常受騙的；有了發掘的材料，才得到辨別真偽的標準。第三，與甲骨文同時，無文字的器物出土後，不但充實了史學家對於殷商文化知識的內容，同時也為先史學及古器物學建立了一個堅強的據點，由此可以把那富豐的但是散漫的史前遺存，排出一個有時間先後的秩序與行列。

李濟先生的說法，亦就是傅先生在前面所曾說過的：「我等此次工作目的，求文字其次，求得地下知識其上也。」這就是考古學家與古物學家之目的不同所在——古物學家之目的在尋求地下之古物，考古學家之目的則在因地下發掘之知識而了解當時社會文化之種種狀態。小屯乃殷墟之故址，此是已經為大家所確知之事實。在小屯從事考古發掘，除了可以證實甲骨文字的可靠性之外，更能進一步了解殷商文化之實際狀況，這纔是最可寶貴的地下知識。董先生在安陽試掘，曾先後開掘三十六坑，但每坑的深度均不逾二丈。在董先生以為所開已深，在傅先生則以為所掘尚淺。因為古代殷商帝都之遺址，很可能因黃河之多次氾濫而被掩埋在更深的黃土層下，非加深發掘無從觸及其最重要的部分。在董先生以為費十八天開掘之功僅能得到少數甲骨，乃是勞民傷財的無意義之事；在傅先生則以為發掘二丈而仍未見到殷墟遺址，證明以後倘再繼續深掘，必定可有更大之收穫。其結果則是——董先生認為無希望之事，傅先生認為希望正濃；董先生以為開掘並無價值，傅先生則以為價值極大。何以他們二人的觀點相差如此之遠？無非亦是考古學家與古物學家立場不同之差異而已。

前引傅斯年先生致董作賓先生書（民國十七年十一月三日），祇述其前半段而未及其他。在此信之後半段，尚有極重要之事，需在此揭出。茲再引述於後：

兄須休息，勿太勞。既已結束，盼兄在安陽小待，弟接兄報告，當即電復。李濟之先生今日過此，曾住一週，即行北上。他聞兄工作，甚喜，當過安陽小留，盼與商之。他是中國此時於近代考古學惟一有訓練之人也。……

從民國十八年到民國二十六年，史語所在安陽先後舉行了十五次重大的發掘，由此所得到的成績，震驚了全世界，此項發掘工作的主要負責人，即是李濟先生。李先生是美國哈佛大學的考古人類學博士，回國後曾先後在南開大學、清華研究院等處任教，此時恰巧來到廣州與傅斯年先生晤面，又因傅先生及楊銓先生等人的安排而進入史語所擔任考古組主任，從此使史語所的安陽發掘工作得到最適當的領導人，從而獲致輝煌的成就，其中的關係，實在非常奇妙，不可不詳為敘述，以明其中究竟。

李濟先生進入史語所工作的淵源，最早可以從民國十七年之夏間說起，其時史語所之「安陽調查」固尚無端倪可見也。史語所檔案元字第二十五號卷中，收有民國十七年十一月七日傅先生致楊銓先生一函，可以說明此點。此信亦為檔案存底用之抄件，然無損其重要性，抄錄如次：

杏佛我兄左右。李濟之先生過此，留此住了幾天，談得既非常暢快，且把和我們研究所的關係及工作商量好一個公式。先是，今夏弟在上海時與兄及仲揆兄商研究院考古一組之辦法及所在，仲揆兄贊成設置在歷史語言研究所中之議，曾發一電致濟之云：Central Research Institute offers you fellowship. Charge Archaeological Department. Salary $400 Mex Monthly Discuss Connection Bishop Return immediately. 此電兩拍，遂有院支費抑所支費一段笑話，此兄記憶也。濟之現得 Bishop 年費美金萬餘元，合大洋二萬元光景，計劃在汾河流域工作。如此條件，只需要一份英文報告，既不要物，又無其他件，此甚值得者。則中央研究院擔負其名義之責任，以便等政府之工作，可以目前財力之資助，成一甚大之事業，自各方看去，均至妥者也。弟與他商定具體辦法數端。㈠他擔任中央研究院歷史語言研究所考古組主任。㈡因他得美金貳千元年薪，等於四千，與我等上次所 offered 差八百，作為整數，每年贈津貼千元。（如此則所得即中央研究院所得，說來理直氣壯矣。一笑。）㈢他汾河及他處工作均用中央研究院名義。㈣他得用史語所助理員一人或多。㈤他如需要其他助手時，史語所量力及需要助之。㈥他負訓練史語所考古學研究生之任。㈦他目前還感不到工作費用之助，然有此需要時，史語所量力助之。如忽然發見大工作之端，需用多費從速發掘者，史語所助之。這樣辦下去，考古學一組必可大發達，歸光於中央研究院也。Bishop 關係實已無條件之資助，亦佳事也。兄當以為然，望與仲揆商後呈子民先生奪復，至感。

「仲揆」即李四光，國內著名之地質學家，時任中央研究院地質研究所所長。由此信可知，中央研究院應有考古工作之單位，早在民國十七年之夏間，即已為總幹事楊銓先生等人所公認，只是對此單位究應附設在那一個研究所中的問題，尚有待討論決定而已。其後經楊、李、傅三位先生商量之後，決定應設在史語所中，並考慮延請李濟先生出任主任之職，擬予月薪四百元，去電徵求其同意，但並無後文。其後李濟先生得到美國學術單位 Bishop 之資助，年支美金一萬餘元，聽憑李濟先生自擇研究工作，於是李先生乃有汾河流域考古發掘的計劃。適在此時他到了廣州，與傅斯年先生晤面，傅先生告訴他安陽發掘所得的初步成績甚為滿意，如繼續從事大規模之發掘，或者可以有很好的成績，希望他能夠考慮來為史語所主持此一工作。李濟先生答應了傅先生的要求，並表示應先往安陽作一實地觀察，以了解在當地有無大規模發掘的價值。於是就有了此後的安陽之行。史語所檔案元字二十五號卷中，尚收有李先生往安陽勘察之後所寫給蔡元培、楊銓、傅斯年三先生之信，可以知道他當時所看到的情形，與董作賓先生所看到的情形有何差別。今摘敘二信之主要部分於後。

一、李濟致傅斯年函

孟真兄：前在上海，曾上一函，計達左右。自歸北平後小駐兩週，即往河南，與董晏（彥）堂接洽，經過情形，詳在呈蔡先生函中，茲謄錄附呈……晏堂此次挖掘，雖較羅振玉略高一籌，而對於地層一無記載，除甲骨文外，概視為副品。其所謂副品者，有唐磁、有漢陶、有商周銅石器、有沖積期之牛角、有三門紀之蚌殼、觀之令人眼忙。雖證地中所藏之富，然其不容易整理則可逆料也。晏堂人極和氣，願合作，斯誠一幸事。……

二、李濟致蔡元培、楊銓二先生函（致傅函中之抄件）

子民、杏佛兩先生：董孝先任書已收到轉交。濟自抵北平後，即約孝先往開封一行，與董晏堂接洽。適逢晏堂歸南陽，為老太太作壽，濟聞之即趕赴開封，電約晏堂，相會於彰德。會商四日，諸事均已就緒，請將前後情形為兩先生逐條詳陳之。㈠甲骨文原址雖疊經摧殘，尚未全毀，據地面情形觀之，極有續作之價值。此次董君挖掘，仍襲古董商陳法，就地掘坑，直貫而下，惟檢有字甲骨保留，其餘皆視為副品。雖繪地圖，亦太簡略。且地層紊亂，一無紀載。故就全體論之，雖略得甲骨文（約四百片），並無科學價值。惟晏堂人極細心，且亦虛心，略加訓練，可成一能手，並極願與濟合作，斯誠一幸事。㈡甲骨文原址，現為小屯村，離鐵路只二里左右，在鐵道西。附近鄰村據各處調查，出商周銅器甚夥，且有帶彩陶片及石器與繩印、瓦片等，地中所藏，殆不止一代文獻而已。濟之計劃，擬以小屯為中心，幅射四出，盡三五年之力，作一番澈底工作。如此，不但可靠之三代史料可以重現人間，且可藉此訓練少數後進，使中國科學的考古，可以循序發展。㈢……

董作賓先生在安陽作小規模的試掘，在十八天中共挖掘了三十六個坑，因為無法尋到大量的甲骨而深感灰心失望，認為小屯已無繼續發掘的價值；但傅斯年、李濟二先生則均不作此想。李先生是曾受專門訓練的考古學家，他以考古學的眼光衡量安陽發掘的前途尚大有可為，自是理所必至之事；但傅先生並非考古專家而居然亦能看到這一點，這關係就太重要了。李濟先生在追悼傅先生的文章中曾特別提到這一點，其言甚為重要，應予轉引，云：

科學的東方學正統在中國能否建設起來，最後的經驗自然是在工作的本身。好的工作計劃，固然大有益於工作的進行，但並不保證工作的成功。計劃只能劃定工作的範圍，科學的方面卻另有其他的問題，有些是工作的範圍無涉的。譬如以「研究的材料」這一觀點論，說來似乎簡單易了，略加追求，就有許多麻煩。什麼才能算著研究材料？是不容易下一界說的。一塊化石，一部佛經，一次日食，在有科學訓練的人看來，都可以算著研究的材料，沒有科學訓練的卻只把它們當著藥吃，當著咒唸，當著神求。更困難的是，同是有科學訓練的科學家，因為著重點的不同或問題的不同，對於材料的觀念可能輕重異趣。看得深的，可以在短時期解決若干基本問題；看不出輕重緩急分別的，也許一輩子只能解決次要的問題，到不了基本問題的邊緣。這一分別，於科學訓練的關係較少，大半起源於個別的智慧。一個聰敏的領導人，在很短的時間，就可以抓住一大批重要材料，解決若干基本問題。這一點，傅所長是作得十分精彩的，他的兩句膾炙人口的標語是：「上窮碧落下黃泉，動手動腳找東西。」這兩句標語，初看是漫無限制的，不知由何處開步，由何處著手。不過在很短的時間，他就為第一組找到了內閣大庫的檔案，指定了漢簡與敦煌材料的範圍，為第三組劃定了安陽與洛陽的調查。二十年來的工作，充分證實了作這些決定的遠見。

李先生的話說得長了一點，初看時幾乎是在講理論。但如我們以傅先生處理安陽發掘之事為例，對李先生的話就非常容易懂了。傅先生認為安陽發掘值得做，正是他善於判斷情勢、把握材料的具體證明。雖然他並無考古的專門知識，可是他卻具有這方面的天賦聰明，一下子就能接觸到問題的重心。李先生稱譽傅先生為「聰敏的領導人」，在安陽發掘一事上顯示得尤其清楚。也因為傅先生有此睿智明確的決定，史語所早期徬徨不定的情勢因此而得到穩定，以後的發展更是一日千里，其關鍵全在此一念之間，不可不注意！

四、遷平

國立中央研究院歷史語言研究所籌設之初，原係借國立中山大學語言歷史研究所之原有基礎，故其設所地點自然即在廣州中山大學內。其後因籌備處結束。史語所正式成立，人員設備繼續增加，在中山大學所借房屋無法容納，方在廣州恤孤巷租用三層樓的「柏園」房屋，為史語所的新址，其遷設時間則在民國十七年的十月二十二日。關於史語所設所廣州的理由，傅斯年先生在他手撰的「歷史語言研究所報告書第一期」中有極詳盡之說明，曰：

歷史語言研究所既為中央研究院之一部，宜設南京，更無疑義。然目下南京房宇絕不敷用，待建築而後居之，曠日經年，至為不便。且在南京建築必為永久之計，故必慎之又慎，地點圖式，均須詳求。在南京無室可用之時，即援地質、理化諸所例，暫設南京以外。上海於本所工作至為不便，居其地者，每感生活太不寧靜，既少材料，空氣又不甚宜，故不便設彼。南中富於方言民族諸科材料，如將一部分設置廣州，便於接近材料，而學人史料猶集北平，別將一部設北平，進行上甚感便利。一年二年之後，中央研究院建築成功，即將所之本身移入南京，於廣州、北平留工作站或設分所，如是雖遷就目前形勢，然亦求其便利進行。此去年十月決定先在廣州設立本所之理由。至於消極方面之理由，則以當時北伐軍雖已破虜收京，然遼東未奉幟號，群盜猶據榆灤，北平教育界情形尤為紊亂，不如先設廣州之穩當也。

據此云云，則史語所在建所之初，雖因客觀情勢之需要而不得不暫設廣州，同時仍需在北平設立分所，一俟南京本院之永久性建築物完成，史語所隨同院本部遷設南京，廣州與北平二地之工作站或分所，必定仍然保留，以資因應各方面的研究工作需要。但曾幾何時，史語所忽然由廣州遷至北平，與設在北平的分所合併為一，既非遷往南京，亦未在廣州保留一個工作單位，與傅先生前文所說顯不一致。其中道理為何？殊費猜測。

史語所何以必需由穗遷平，根據目前所能看到的資料，共有三種不同的理由，可知其內情殊不簡單。傅先生的「歷史語言研究所報告書」第四章「遷移」，專述此事，可視為官方文書中的說法，亦即三種理由中之第一種。今先引述如下：

> 本所之設於廣州，其意義已如上章所述。然北平廣州固皆為適當之地，而南京固將為本所最後之所在，不因已在廣州創始，此事實遂為同仁忽略也。自史料組工作必在北平之後，所有所中約聘各君，每每原在北平，南遷為難，原擬在北平設置之分所，竟有超過廣州本所分量之事。於是史語所之應否遷居北平，遂為所中院中同仁所共同研究之問題。後全體一致主遷北平，其理由如下：㈠歷史語言研究所之發達，須比較的接近材料。在語言學上，廣州北平各有其優勢，歷史學則此日發達，恐只有在北平為最便也。㈡歷史語言研究所之發達，須有圖書館之資助。此時本所無力自辦一個適用之圖書館，且即令有此財力，亦須經常（長）久之時間。故亦以遷平為便。㈢研究之業，必在學者聚集，環境閒適之所。故就此一點論，亦以設於北平為便。於是院長決定本所遷平之議，其辦法如此：除因工作之地方性，不可離粵者，仍留廣州外，一體移往北平，以三年為限，後來應否留平或移京，待後來再議。於是斯年於三月末去粵，中間在京滬停留月餘，五月中至平。本所中物件，即於五、六兩月在粵裝箱，在平接收。

> 又承外交部王部長借給北海靜心齋為本所在平所址，遂於六月五日移入，布置一切，現在大體就緒。此一遷移，費時費力至大，然因屬於事務方面，不涉及研究之本體，不詳報告。本所同仁，原以所址在廣州之故，頗散居各處就近工作，茲以遷京（平）之故，一致集中。於是共同集議，趁此時機作根本之改組，俾經費用之至省，工作行之有效，既為未雨綢繆之計，並作事半功倍之謀。遂決定下列方針：㈠所外工作，一致取消。史祿國君在粵之件，以至舊有材料整理工作完成為止，成後或亦遷北平。㈡凡在二年以內未能期有成效之工作，先停止之。㈢將以事業為單位之組取消，更合為較大之組。目下先設三組。甲、第一組，史學各方面以及文籍考訂等屬之。乙、第二組，語言學各方面以及民間文藝等屬之。丙、第三組，考古學、人類學、民物學等屬之。並推定陳寅恪、趙元任、李濟三先生分為第一、第二、第三組主任。㈣以後發展側重專任。

史語所在廣州正式設所之時，所下原分設八個工作組，遷平後縮併為三組，改以學術分類，其大致情形，在傅斯年先生的上述報告中已可略見其梗概。但這一段文字敘述史語所由穗遷平之經過確甚清晰，所持理由，則殊為牽強，且與前一章所述史語所何以必需暫設廣州之理由互相抵觸。因史語所自離穗遷平之後，並未在廣州設立工作站或分所，此後亦從未見有此項計劃或構想出現在史語所之一切文件之中。在未能澄清此中之矛盾牴牾之前，傅先生的說法雖然光明正大，對之仍須持若干保留懷疑之態度。此外，史語所在未遷平之時，在廣州本已進行若干工作計劃，如丁山先生所主持之辭典編纂計劃，即是其中之一。此時忽以「凡在二年以內未能期有成效之工作，先停止之」之理由，悉予停罷，以致有若干人直接受其不利影響，丁山之外，尚有林語堂先生所主持之福建方言調查計劃，至於顧頡剛先生之不能以兼任研究員身分擔任文籍考訂組主任，亦顯然與此項決定中之第四項——「以後發展側重專任」有關。史語所遷平改組直接受到最大影響者，都是與中山大學有關之人，丁山、顧頡剛之外，尚有史祿國、（此人因未隨史語所遷平之故，其後即未由史語所續聘為研究員。）黃仲琴。（在廣州開「在所人員會議」時，兩次均有其名，遷平後即消失不見。）如果將這一事實與別項資料合併起來看，便不免使人覺得，傅先生寫在上面的這些理由，所透露的，其實不過只是事實真相之一小部分而已。

上文曾說，史語所由穗遷平，根據目前所能看到的資料，共有三種理由。傅先生寫在「歷史語言研究所報告書第一期」中的遷平理由，是第一種說法。第二種可能的理由為何？可以先看引述在後面的幾封有關信件。

史語所舊檔，元字二四八及元字二五五號有關經費的案卷中，存有民國十七、八年總幹事楊銓及院長蔡元培二先生寫給傅斯年先生的信函多件，其中的數件，其內容雖然多以經費問題為主，但卻與史語所的遷移問題有直接、間接的關係，需要加以引述，藉以了解其中所透露的消息。先引述楊銓先生各函。

一、無年月日致傅斯年先生函

孟真兄大鑒。頃自京歸，得讀函電。此數星期，忙本院組織法、預算、及總辦事處，頭昏眼花，元任兄當能言之，十月之五萬元，已單獨領到。大學院之經費（八、九月三成及十月七成），均尚未得，故歷史語言之款竟催無可催。至十一月份起，新預算十萬，已辦到預借，如再能正式通過，則大功告成矣。現在一面催大學院之五千元，一面候十一月之新增預算，總期使兄等不感困難。惟現在存款極少，各所經費，皆界限森嚴，不肯移借。務乞暫從節省，必有苦盡甘來之一日。至各處兼任研究員（尤以與學校合請者），尤望設法逐漸減少，以免與人爭成績。北平將來恐須設分所，不難成績（編按：此為原文，恐有筆誤），將無所稽考矣。所中進行情況，已告蔡院長，並請其代催款項矣。匆復，即頌研安。弟銓再拜。

——此信雖未註明發信時間，但由信中所述內容推測，其時間必在民國十七年之十、十一月間，因其與大學院改組為教育部前後，研究院所處之地位及遭遇情形，均相吻合也。且史語所即在十七年底設立北平分所，至十八年史語所遷平後始合併為一。

二、無年份十一月二十日致傅斯年先生函

孟真兄：連得三書，均已呈蔡先生。大學院十月份款，蔡先生允向夢麟先生力催。十一月尚未到期。恐未必能早領，惟研究院之每月十萬元，已得行政院許可，在預算未通過前，從十一月起，先預借。故本月或可不更乞靈於大學院也。兄囑匯款，已先電匯壹仟元。今晚同蔡先生赴京，希望索得十月份之五千元，即可匯上。至辛樹幟君之款，已得蔡先生同意，先從廣西調查費內匯上壹仟元，其餘千元，俟院中經費稍寬再匯上。歷史語言研究所得兄等以全力進行，必可有大成，弟等自當竭力籌款。惟同時能盼兄十分留意，以免中途經費發生困難時影響工作。任叔永兄等下月初四有廣西之行，弟亦躍躍欲來，但不知能得數日之自由否耳。匆復，即頌研安。弟銓再拜，十一月二十日。元任兄等均此。

——此信雖無年份，但亦必為十七年。因其時大學院名義尚未撤銷，研究院之經費尚需透過大學院之關係支領，至十八年即無此情形也。

三、無年份一月二十一日致傅斯年先生函

孟真兄：數函及電均悉，職員錄已收到，余君事至京即辦。清檔案實因無錢，故祗可分期，已電寅恪與李商，尚未得復。京滬兩地皆在圈地，謀永久之建築，而各方又索補助，實窮於應付。尊所存款最少，尚無立錐之地，稍有動搖，便將無地可容，故為兄等異常焦急，非吝嗇也。弟近咯血復發，而竟不能一日休息。院中所長、組主任、及專任研究員，應專任不兼外職一事，亦尚未能辦到。最近雪艇、鯁生且欲拉仲揆任武漢大學校長，弟實感消極萬分，故向蔡院長正式辭職。雖極蒙慰留，然問題皆未解決，苟人財常此散漫，不照合理切實之計劃進行，惟有遁跡山水，曳尾泥中，不敢復談提倡研究矣。辛樹幟先生之賬目，審查結果寄上，乞為詳詢。報告中所列均係事實，如無正當解決，研究院實無以對廣西省政府也。至儀器等物，尤望索回。本院最近補助千元，亦請索詳細報告。以上各事未解決前，本院不再補助，並將以此賬轉廣西省政府及中大，請其注意。兄知辛君，望善勸之。明日赴京，餘續告。即頌研安。弟銓再拜。一月二十一日。元任兄回粵否？

——此信當係十八年一月所寫，因所敘辛樹幟廣西調查一事與上函相接。至此信之最重要部分，則在第一頁信紙旁所加註之附言，以不能與信中文字連接之故。無法接敘於上，另為抄錄如下：

語史所最好從速設法遷京或滬、平，以期不與中大之語史所相混。至要。並盼復。

對於楊銓先生第三信中所加的「盼復」附言，不知道傅先生的復信內容為何？因無資料可查，不敢妄加臆測。不過，由於這一段話恰好與談論辛樹幟之事同在一信之中，而辛樹幟又恰好正是廣州中山大學的生物系教授兼史語所特約研究員，楊先生勸請傅先生勿與中山大學語言歷史研究所相混的警告，是否即因辛樹幟之身分而發？大可供人推敲。辛樹幟與廣西省政府之間的糾葛，史語所舊檔中無案可查，不知其詳情如何。但如由上二函所述內容猜想，大概是辛樹幟以某項調查考察為名，向中央研究院申請補助費二千元前往廣西。在廣西期間，向廣西省政府需索多端，離去時並不償還所費款項，故遭廣西省政府扣留其儀器作抵，而此項儀器則又係中央研究院之物。楊先生函請傅先生勸告辛樹幟從速料理清楚，以免損及中研院之名譽，其後事如何固不可知，辛樹幟其人之行為有欠檢點，當可斷言。由此一事，很容易使人聯想起有關中山大學人員之種種作為，當然也是很合乎事實的發展。

本書第三章，「籌備處時代所進行的幾項工作」，歷述史祿國的雲南人類學知識調查，黃仲琴的泉州調查，都是虛糜公帑的無益浪費，其經過情形已可在上文覆按。史祿國是中山大學的人類學教授，其後由史語所與中大合聘，在史語所的名義是研究員。黃仲琴是中大的預科教授，史語所成立後，尚以某種名義經常參加在廣州本所的「在所人員會議」，可知其亦為史語所固定成員之一；如果是中大教授兼史語所的「特約研究員」或「兼任編輯員」，則其情形頗與辛樹幟相似。類此事例，如在民國十八年度的中央研究院職員錄加以查檢，還可以發見商承祚與容肇祖二人——前者係中大教授兼史語所之特約研究員，後者係中大預科教授兼史語所特約編輯員。中山大學的教授，在史語所中佔有如此眾多的職位，對史語所的貢獻卻又是負面的多於正面的，這種事實，怎不使中央研究院的最高負責人為之觸目驚心？聰明人最怕與庸人共事，所謂「勝則爭功，敗則諉過」。我們雖然不能說，凡是由中山大學到史語所來的教授都屬於此一類型，但既有史祿國、黃仲琴、辛樹幟、丁山這樣的事例在，便不能不使人感到此一恐懼。楊銓先生要求傅先生從速與中山大學分清界限，儘可能不與中山大學的語言歷史研究所相混，最好的辦法就是遷離廣州。這在蔡元培先生此一期間內所寫的一封信中，亦可以看出此一趨向。史語所舊檔所藏蔡元培先生致傅先生一函云：

孟真吾兄大鑒。承寄示歷史語言研究所各種刊物，想見勇猛精進，良堪忻慰。惟研究所已遷出中大，而刊物中卻見有中山大學字樣，或是發稿時尚未脫離中大也。同仁均以研究院有散漫之狀，前途頗為危險，現擬集中京滬兩處。希望史語研究所即遷首都，其重要關係，已詳於杏佛先生函中，想兄必能採納。都中現正預備設一小規模之自然歷史陳列所，凡廣西科學考察團所搜集之動、植、礦物標本及民族學器物，皆將陳列於此，西北科學考察團所得，及美國人蒙古探險隊之所留與所贈之化石，亦將附陳，想亦兄所樂聞。專此，並祝著安。弟元培敬啟。一月三十日。

此信當然亦是民國十八年所寫，但信中所說「其重要關係，已詳於杏佛先生函中」，此楊銓先生之函所說為何？卻因未見原信而不知其詳。不過，我們由前引楊銓先生第三信之附言中亦已可知道，中央研究院實在非常希望史語所遷離廣州，其原因不僅由於同仁間的「散漫之狀」，更因為希望由此而切斷史語所與廣州中山大學間的關係，以免史語所辛勤建立起來的一點成績，有被人誤認為中大語史所的成績之危險。這種比較深一層的內幕隱情。雖然能較為正確明白地澄清史語所由穗遷平的真正理由，但如由後面所引的資料看來，當時在廣州、北平二地的史語所同仁，正復尚有其他種種的「理由」迫得史語所非由穗遷平不可哩！由於此亦是十分重要的當時事實，不便抹煞，所以亦應該據實陳述，庶昭信實。

史語所舊存檔案中的元字第七十六號「林和清卷」，乃是民國十八年四月傅斯年先生同意林語堂先生之要求，以其兄林和清為史語所助理員，常川隨同林語堂先生在廈門從事福建方言調查工作，月薪一百二十元之專案。由於林和清先生之薪僅支二月，即因所中經費支絀之故而未能繼續，林語堂先生遂致函漢語組主任趙元任先生，向趙先生提出責問。趙先生將原信轉給了傅先生，傅先生乃寫信向林語堂先生說明此中原委。信中除解釋此舉之理由外，並一再引咎自責，以為此錯誤純粹係因傅先生自己之措置失當而起，只好自承錯誤，請求林語堂先生之原諒。此信對於史語所遷平前後之情況，有極坦白詳盡之述說，不但可以使我們更深一層了解此時之狀況，對於前文所已敘述的種種事實，也可收參互發明之效。對於如此重要的一封信函，豈可疏忽其中之內容，故予以抄錄於後。

語堂先生：六月中一信，以此事之糟，完全在弟，心虛的很，時時想寫信而未寫。昨天見先生給元任先生的信，覺得或者元任被我累了，尤其不安，現在寫此一封告罪的信。

此事之糟，完全與元任無涉，完全由於我辦事之不濟。蓋一心想為這個研究所盡量請進三大人物（杏佛所謂竭澤而漁），而缺少辦法及經費的預算，故滿是好意，反而惹得別人不便，自己不得下臺，今日之事其一也。

先生提到和清先生事時，弟正在廣州，鬧著搬家、改組等等麻煩，彼時全未慮到搬家後之再有搬家後之辦法（編按：此處似有筆誤），先生來信，歡喜之極，馬上答應。但彼時廣州局面已是塌臺，院中與弟之意見不一致，而廣州同仁鬧意見，故原來在粵一所之精神，雖折作二分而不止，而原請下之人物固皆在也。到平後不啻重組織一所，兩所共一費，焉得不生困難？費尚在其次，辦法之變更尤大。在粵時，弟未有若何經驗，何後何先，全無充分之認識。到平後，大家以為如此少錢，如此名義，如此時局，如不切實收縮一下，簡直不得下臺，故決定：

一、全所完全集中在北平。

二、停止所外一切工作。

三、專辦幾件事，凡在至少一年之內不可以刊布之工作，皆停止。

（其他尚有組織上之改更）

如此然後可以三年五載以後，自己站得住。若經費一時斷絕，就此壽終，亦有以自解也。弟個人完全承認這辦法之為是，弟以前之辦法是無遠慮的。照道理說，一面固應從人之善，既知「昨非」，應照「今是」而走；一面自己原來辦的，應負其責任，則自己已覺其誤，理必辭職。無奈送給寅恪，他笑笑；送給元任，他說：「那麼我還是回清華吧！」送給濟之，他用豬八戒的話：「散伙吧！」若送給頡剛呢，則必有一部分人登時散伙。故一面努力搬家時之事務，一面願與蔡先生一商之。適蔡先生在北戴河，弟以易人為請。蔡先生謂：「中央研究院對國家及社會負一種責任，如有一部分未得成就便換人，實在不妥」，云云，大有令我「戴罪圖功」之意。如此局面，真正難辦。弟雖明知前舉之決定為對，然在弟任內更動自己以前之行事，實在太不濟了。這個研究所，是弟自己多事鼓吹起來的，而蔡先生又一向對此研究所如此好意，如不商妥一辦法便偷走，也太不成話。在此兩難之中，故自己變動了自己的約定，而心中不寧，不必說也。唉！此事之糟，皆由弟本應待至北平定一全盤計劃，將此組織好後（編按：此語中似亦有脫漏），再與先生作最後之決定。乃冒失於前，更改於後，熱心發達此所，而無前後之計劃，一至於此！

上述之決定，完全實行，來信云並未停止一切所外工作，想是傳說者誤。雖廣州分所亦取消，莘田、丁山、皆北來，史祿國則所中想把他一部分改出去，故暫留他在粵，如改不出（改到中山大學一部），則請其將材料整理完結為止，否則亦即北上。此刻在所址外者，只可說安陽發掘（現在暑假停止），然在田間工作之款，全由Greer Art Gallery出。廣州分所之取消，非特全非弟始料所及，且把弟近來工作計劃全翻，然亦只得取事件以合原理也。

然此項決定，並非同仁有意給弟以難題，尤其絕不是對人，乃全是感於這個研究所辦的不得下臺之苦，以為不如此則前途還是茫茫耳。……

原信尚有下文，但因只係討論林和清之安置問題，與史語所當時所面臨之種種問題無涉，故從略。又，檔案中的此事亦係存底用之抄件，信末未署發信時間。但因林和清之聘為史語所助理員，乃十八年四月間之事，傅先生信中又有安陽發掘現當暑假期間停止工作之說，則此信之寄發時間，必在十八年之七、八月間。此時，史語所由穗遷平之事業已全部完成，廣州部分亦已結束，在此時再來檢討史語所設粵期間之利弊得失，已可有比較持平而客觀之態度。所以，傅先生透露在此信中的種種內情，就特別具有其參考價值。

總括傅先生寫在此信中的話，有下述各項要點：

一、承認他在創辦此所之初，因為缺乏經驗之故，完全不知道事情之輕重緩急，孰先孰後，以致不僅院中對他不諒解，廣州同仁，也大鬧意見，最後弄得「廣州局面已是塌臺」，非搬不可。

二、額定經費不足，而計劃規模太大，為了適應情勢，亦非及時收縮不可。

三、經過在平同仁商量之後所決定的縮編計劃，用意雖好，但卻無異否定了傅先生在廣州所作下的一切決定，痛苦之極。只因大家的動機全在為史語所拓展出一條有希望的出路，即使內心痛苦，亦只好全盤接受。

由這些地方可使我們發現，傅先生在未離廣州之前與既到北平之後，對史語所的遷移及改組計劃，態度上有極大的轉變。也許他當初的意見，只是為了在廣州「辦不下去」之故而覺得必須「易地為良」。但一到了北平之後，受到北平同仁的批評極多，再三考慮之下，覺得如不能在此時採取斷然措施，將史語所澈底整頓一番，此所之將來前途，實在可慮。既然當時之情形確屬如此，那麼，筆者在前文所說，史語所設所廣州之初，由於與中山大學語言所的關係太深而受累太重的種種推測，便有很多屬於事實。史語所在廣州時期的成績太糟，院長和總幹事一再以「散漫」、「危險」，及勿與中大語史所相混的含蓄之言相勸，希望史語所另換一個新的環境，其用意可謂深長。北平方面的同仁基於利害切身的立場提出針砭藥石之言，可謂愛之深而責之切，其發言就不可能如院長總幹事之溫和含蓄。必定是在這種坦白公開的檢討場合中，傅先生深切了解到舊有狀況無法維持亦不能維持，這纔決定全盤接受北平同仁的意見，將史語所澈底整頓一番，以期改弦易轍，從頭來起。傅斯年先生在上信中與林語堂先生談到林和清問題之發生原因，曾說：

> 此事之糟，皆由弟本應待至北平定一全盤計劃，將此組織好後，再與先生作最後之決定。乃冒失於前，更改於後，熱心發達此所而無前後之計劃，一至於此！

這一段話最足以證明，傅先生在未離廣州之前，並未想到史語所已有改組整頓之必要，他的此一決定，完全是在到了北平之後，被北平同仁的痛切陳詞所感動，所說服，然後纔不得不如此決定的。史語所在北平方面的同仁，對傅斯年先生有如此巨大的影響力，足證他們不同於一般凡庸之流。而史語所自從遷平改組以後，其研究成績與學術聲望，從此蒸蒸日上，一日千里，更足以證明此舉實為史語所轉弱為強的關鍵所在，其重要性無可倫比。傅先生改組史語所的決定，既是因此而起，這幾位「北平同仁」的貢獻，便不容抹煞。雖然傅斯年先生的上一信件中並未說出這些「同仁」的姓名，但如照史語所後來的發展情形看，這些具有重要影響力的「北平同仁」，很可能便與他自己信中所說的「三大人物」有關。由於此「三大人物」對史語所的後來發展有甚大的影響，所以必需在下面專立一章加以敘述。

五、所謂「三大人物」

甲、陳寅恪

「三大人物」之名，若非出自傅斯年先生親口所說，乍聽之下，確實使人難以相信。但若以民國十八年以後的史語所情形而言，則史語所之有「三大人物」，倒也是很有事實根據的。

史語所自由穗遷平之後，即將所中組織大加緊縮，原來之八個工作組縮編為三個學術組，分別代表歷史學、語言學、與考古學。這三個組的主任是陳寅恪先生、趙元任先生、與李濟先生，他們恰巧又是當時國內這三門學問中的頂尖人物。如果他們三人即是傅斯年先生所說的「三大人物」，以其聲望及學問為衡量標準，都很恰當。

更巧不過的是，自民國十八年六月史語所遷平改組，並以陳寅恪、趙元任、李濟三先生為一、二、三組之主任後，這三組主任的職務，就差不多一直沒有更動過。惟一的例外，是因為大陸撤守，史語所撤退來臺，陳寅恪先生未能隨所遷臺，組主任的職務虛懸無人，一直拖到民國四十四年八月，纔由院方決定改聘專任研究員陳槃先生代理第一組主任之職。陳槃先生以「代理」名義，究竟是代理陳寅恪先生還是代理第一組主任？這也是一個含混不清的疑問。由於陳槃先生「代理」第一組主任職務一「代」就「代」了二十多年，以陳槃先生的道德、學問、與聲望，當然不是因為他不夠資格「真除」為第一組主任之故。然則陳槃先生所「代理」的似乎也只是陳寅恪先生的「主任」職務而已，史語所對陳寅恪先生感念之深，由此不難見其一斑。

與陳寅恪先生的情形頗相類似的，是趙元任先生。

趙元任先生在史語所成立之初就膺聘為「漢語組」主任，為當時的八個工作組之一。改組後被聘為第二組主任。一直到民國六十二年八月，此一職務纔改由專任研究員丁邦新先生接替。事實上則趙先生在民國二十七年三月史語所遷抵雲南昆明不久，就請假赴美講學，從此未再回所繼任第二組主任之職。然而史語所的職員名錄上，「第二組主任」永遠仍是由趙元任先生掛名，只在備註欄加註「出國講學」四字，以示此一職務永遠為趙元任先生而保留。這也是一個非常特殊的現象，恰可與陳寅恪先生的情形相映生輝。

較上述情形更進一步的，還有陳寅恪先生以「兼任」研究員身分而出任第一組主任之問題。

本書第二章曾約略提及，史語所在廣州建所時，計劃設立八個工作組。列名第三之「文藉考訂組」原計劃由中山大學教授顧頡剛先生擔任。後因顧先生未依原來約定辭去中山大學教授職務，傅斯年先生又不允改聘顧先生為兼任研究員，於是顧先生無法以「特約研究員」名義兼任文藉考訂組主任之職，此組遂在未及成立之前即告胎死腹中。在傅斯年先生與顧頡剛先生為此事而往復磋商的信函中，傅先生的信中有一段話，頗為重要，應該在此提出一說。傅先生說：

> 院對於各所，不是包辦了出去的，乃是一件一件循名責實的，故實在情形必須報院。兄之辭職或遙領，必須由子民先生及杏佛知之。不然，杏佛今已數來信，謂須與中大分的清，須減少兼任，不特不加兼任而已。若又見一曲折辦法，誰尸其責乎？

顧頡剛是史語所籌備期的三位籌備委員之一，他因向中山大學辭職未成，而希望史語所給予兼任研究員名義，以便繼續辦理他的「文籍考訂組」，結果被拒絕。雖然說這與他的中大教授身分頗有關係，但既是涉及原則性的問題，便不得因人而異——顧頡剛先生不得以兼任研究員兼文籍考訂組主任，陳寅恪先生又為何可以以兼任研究員的身分兼第一組之主任，而且一兼就是三、四十年？這其間豈不是明顯地有厚此薄彼之嫌疑麼？

史語所檔案中現尚存有民十八、十九、二十一、二十二、二十三、二十四、二十九、三十、三十一、三十二等年的中央研究員職員錄十冊。翻開這些職員錄來看，只有民國十八年的那一份職員錄上，史語所的第一組主任，是由「兼任研究員」陳寅恪「兼任」，其餘各年的職員錄上，陳寅恪先生的職務均為「專任研究員兼第一組主任」。如果此項職員錄所記內容確無錯誤，那麼，陳寅恪先生以「兼任研究員」兼第一組主任之問題便不致存在。其中真正的事實究竟如何？不用翻檢別項資料，看下面這篇小傳，便可知曉其中實情了。傳記文學出版社出版的傳記文學叢刊之四十五「談陳寅恪」，第九十二頁有陳哲三所撰之「陳寅恪小傳」，云：

先生江西省修水縣人，生於清光緒十六年（西元一八九〇年）。祖父為前清湖南巡撫陳寶箴，受知於曾國藩，以主持湖南維新，戊戌年被革職。父親陳三立，字伯嚴，又號散原，詩名震於當代，有散原精舍詩行世，為清末四大公子之一，與瀏陽譚嗣同、陶葆廉、吳保初齊名，亦為戊戌維新黨人。先生為散原先生次子。大兄衡恪（師曾），詩書畫三絕，惜早物故。辛亥革命起，散原老人因世代仕滿，攜家眷暫避日本，先生時年二十一，就讀於日本中學。國內秩序恢復，散原先生返國，先生則遊學歐美，足跡遍於二大洲。先卒業於美國哈佛大學，繼又研究於柏林大學研究院及巴黎大學。因先生讀書不在取得文憑或學位，知某大學有可以學習者，則往學焉，學成則又他往，故未嘗得一張文憑。民國四年，曾一度返國，任雲南蔡鍔之秘書，參加討袁之役，松坡死後又出國遊學。民國十五年，由梁啟超之推薦，任清華國學研究院導師。又任清華大學中文系、歷史系合聘教授，並任中央研究院史語所研究員兼第一組主任。民國二十五年，英國劍橋大學聘先生為漢文教授，先生以病目未應聘，劍大請他晚一年去。抗戰軍興，華北淪陷，隻身赴昆明，任教於雲南聯大。此時，目疾外又罹心臟病。劍橋大學盼先生赴港，一面治病，一面執教，遂執教於香港大學。此時，英國牛津大學又敦聘先生為漢學首席教授，因歐戰爆發而不果其行。太平洋戰事發生，香港淪陷，政府派人接到後方，任教於廣西大學，並於中研院工作。後應成都燕京大學之聘，於民國三十二年春到成都，次年即以雙目完全失明而輟講。民國三十四年，赴英倫就醫，無起色，次年返國，辭去牛津虛懸之首席教授職，又回清華，並任燕大研究院兼任導師。大陸變色，先生未能及時脫身，從此陷入鐵幕，與自由世界隔絕。自去年十一月間始知先生已與世長辭。

這一篇小傳文字雖然簡潔，但對於他在民國十五年至民國三十七年大陸變色以前的一切經歷，交待頗為清楚。由這項敘述中可以知道，陳寅恪先生在史語所成立之初，雖膺聘為研究員兼第一組主任，其本身之清華大學教授職務仍然保留，直到抗戰軍興，華北淪陷，先生方「隻身」由平赴滇，並任教於西南聯大。在此以前，則史語所早就於民國二十二年即由北平遷至南京了，陳先生如在史語所擔任專職，何致在抗戰發生時仍留居於北平？其後，陳先生由西南聯大轉往香港大學執教，史語所亦已由昆明遷至四川李莊，既未長久與聯大同在一地，而且陳先生後來亦已不在昆明了。到了太平洋戰爭爆發，香港淪陷，政府有關部門設法將陳先生救出香港，陳先生所任教之處，先是廣西大學，後是設於成都之燕京大學，亦不與史語所同在一地。及至抗戰結束，史語所由四川李莊遷回南京，陳先生亦由成都回至北平清華大學教書，彼此仍是南北睽違，史語所的第一組主任之職，始終只能「兼任」

而已。如果以這樣的解釋仍然不免有疏漏之嫌，則不妨從舊檔案中去尋找有關係的資料，以支持此一說法。

史語所舊檔中存有民國十九年某月陳寅恪先生致傅斯年先生一函，信中曾經說到他照舊擔任史語所第一組主任之「虛名」，殊有不妥之事。可以知道他雖以清大教授兼史語所第一組主任之職，於史語所之事，其實並無太多時間兼管。原信內容，頗多今人所不知之內情，應予抄錄如下：

> 頃與中舒先生電話中略談（旁有小注四字：「因未見著」），弟意此次檔案整理至此地步，微徐公之力，不能如是，若任其他去，不獨人才可惜，而替人亦難覓。第一組主任弟僅掛虛名，諸事悉託其辦理，故弟個人對其有特別感謝之必要。現在第一組之不甚平安，皆弟常不到院，百事放□，致有精神上之影響。忽思一法，弟下年仍然照舊擔任第一組主任之虛名，仍作今年所作之事。（原注：「其實無所事事」。）但不必領中央研究院之薪水，向清華要全薪。若慮鐘點加多，則清華下年有研究院，亦掛一虛鐘點以湊數，而弟身體上物質上皆不受損。且一年以來，為清華預備功課，幾全費去時間精力，故全薪由清華出，亦似公允。所以向清華賣力者，因上課不充分預備，必當堂出醜。人之恆情，只顧其近處，非厚於清華而薄於史語所也。鄙意惟弟不領史語所之薪，則第一組精神可改變，而不致有渙散畸形之現狀。當與楊金甫兄言之，諒無不好商量也。餘俟面罄。孟真兄。弟寅恪。十五日。
>
> 又，旁注小字：「此函不是拆臺主義，乞勿誤會。又撰敦煌目錄序成，當鈔上呈教。」

此函祇有日期而無年月，何以知其為十九年之事？則可由兩點知之。⑴民國十九年五月，浙大文學院院長劉大白欲聘徐中舒先生至浙大任教，徐先生已同意，後因傅斯年先生之堅決挽留而作罷。此函中曾述及徐中舒先生將離所他去，可知即為此事，其時間即在民國十九年。⑵明清檔案之整理工作，至十九年始稍有成績，其主持人即為徐中舒先生。此函中亦提及此事，可見即是當年之事。陳先生在此函中說，為了避免影響第一組工作人員的情緒與工作效率，他打算在清華領「全薪」而不再支領在中研院的「兼薪」。根據檔案資料的記載，他當時是以「合聘」名義由史語所及清華各出半薪，即在清華及史語所各月支薪二百元，如改在清華支全薪，則是不再在史語所領其合聘之半薪了。但此信中雖有此議提出，在當時似未成為事實。因為在史語所由平遷京之時，陳寅恪先生並未隨所南遷，此一兼薪問題仍在雙方討論中也。這只要看下面所錄之二信，便可知其梗概。

史語所舊檔元字第四號卷中，存有民國二十二年三月十日傅斯年先生所寫的親筆函稿一件，全文如下：

寅恪吾兄賜鑒：弟此次到滬，與蔡先生及杏佛兄談及研究所南遷事，兩先生同意下列辦法。㈠研究院懇切希望兄能同研究所南遷。㈡如兄以工作為重，此時暫不南遷，同仁亦不便勉強，以妨兄之學事。何時南行，兄均可自行決定。㈢無論兄此時南遷或待將來南遷時，研究院對兄之薪俸等，適用弟之待遇。此數現在如兄遷移，可追加預算以支出之，否則編下年預算時當列入。一切希察照為荷。專頌著安。弟斯年敬上。二十二年三月十日。

傅斯年先生的所長「待遇」，民國十九年時的月薪是五百元整，民國二十二年時當然只會增加不會減少，因為有考績加薪之故。史語所南遷，自院長總幹事以至所長，人人都希望陳寅恪先生能一同南遷，甚至願意出比清華多得多的薪水，但是陳先生還是決定留平，於是史語所只好繼續支付他的「半薪」，此可於下述信函中見之。原信亦見於元字四號卷中，附於傅先生前函之後，但信末未署年月，函云：

> 孟真兄：前函奉到後又晤彥老，弟意仍擬如前函所云辦理。因弟一時既貪得清華休假之權利，勢不能南行，又遙領乾薪，此則宋人玉局武夷祠祿之故事，雖有古人雅例，但決不可行之於今日，故期期以為不可也。……弟寅恪。十七日。

從民國二十二年史語所南遷直到抗戰發生，史語所西遷昆明及四川李莊，史語所的第一組主任之職，始終由陳寅恪先生「遙領」，這不但有中研院的歷年職員名錄可查，在陳寅恪先生的下述信函中，亦有明白的敘述。此信亦見於元字第四號卷中，信末祇署月日而無年份，但卻有傅斯年先生親筆批註的一行小字，注於原函首頁之右側，曰：「二十五年四月八日」，可知其確實時間在民二十五年之四月。函云：

> 孟真兄左右：手示敬悉。所以稽遲未即奉覆者，以尚未決計南行與否故也。今決計不南行，特陳其理由如下。清華今年無春假，若南行，必請假兩禮拜。在他人一回來即可上課，弟則非休息及預備功課數日，不能上課。統合計之，非將至三禮拜不可也。初意學生或將有罷課之舉，則免得多請數日之假，豈知竟不然。但此一點猶不甚關重要，別有一點，則弟存於心中，尚未告人者。即前年弟發見，清華理工學院之教員，全年無請假一點鐘者，而文法學院則大不然。彼時弟即覺得，此雖小事，無怪乎學生及社會對於文法學印象之劣。故弟去學年全年未請假一點鐘，今年至今，亦尚未請一點鐘假。其實多上一點鐘與少上一點鐘毫無關係，不過為當時心中默自誓約，非有特別緣故，則必不請假，故常有帶病而上課之時也。（旁注小字：「不敢公

然言之，以示矯激，且開罪他人。此次初以告公也。」）弟覺此次南行，亦尚有請假之理由。然若請至逾二星期之久，則太多矣，此所以躊躕久之然後決定也。院中所寄來之川資貳百元，容後交銀行或郵局匯還。又弟史語所第一組主任名義，斷不可再遙領，致內疚神明。請即於此次本所開會時代辭照準，改為通信研究員，不兼任何報酬，一俟遇有機會，再入所擔任職務。因史語所既正式南遷，必無以北平僑人遙領主任之理。此點關係全部綱紀精神，否則弟亦不拘拘於此也。所欲言者尚多，特先約略奉復，即希鑒諒，並代候諸公，至深感幸，敬叩撰安。弟寅恪頓。四月八日。

由上引諸往來函件中可以知道，陳寅恪先生擔任史語所的「專任研究員兼第一組主任」，事實上祇有史語所設在北平的那一段時間內比較名符其實，其餘時間，就一概都是掛名式的「遙領」了，而且即以史語所在平時間而論，陳先生的「專任」職務亦只得一半，因為還有另一半是清華大學的合聘教授身分。「專任研究員」的義務是常川駐留在本研究所內從事研究工作的專業，以陳寅恪先生在史學方面的造詣及精進不已的研究精神，雖不常駐，何害於他的研究成績？中央研究院自院長、總幹事、以至史語所的傅所長都十分瞭解這一點，因而並不對陳寅恪先生作太多的要求，當然無可厚非，問題就在陳寅恪先生自己所曾說到的「綱紀」精神，確實不無影響。

在史語所設在北平期間，陳寅恪先生雖不能常川在所從事研究工作，對於提交學術論文及出席所務會議等有關專任研究員兼第一組主任業務職掌之履行，則並無影響，對於指導本組助理員、研究生等從事研究工作，自更優為之。故而在此一時期內的陳寅恪先生，即使因住居於清華園之故而並不常在史語所，於史語所之工作實無妨礙。問題是在史語所南遷之後，陳先生與史語所既不同在一地，一切工作，當不能如在平時期之順利。說到這裡，似乎可以引述勞榦先生的一段話來作為證明。傳記文學出版社印行之「談陳寅恪」一書，有勞先生所撰「憶陳寅恪先生」，中云：

等到我到中央研究院史語所做研究工作，陳先生是第一組主任。不過陳先生只擔任一個名義，並不管實際上的事，一切事務都由傅孟真先生親自處理。遇到學術上的問題，以及升遷的問題，方去特別找陳先生，請陳先生發表意見。這件事在史語所當然是一個很少被談到的事。……

勞榦先生是在民國二十一年九月進史語所當研究生的，二十三年升為助理員。從此一步步的升遷，直到最後膺任史語所的專任研究員，又被選為第二屆的院士，確實是史語所的「元老」級人物，從他口中說出的掌故軼聞，當然不錯。勞先生進史語所當研究生時，史語所正在北平。那時候陳寅恪先生還與史語所同在一起，勞先生所見情形已是如此；其後史語所南遷，陳先生與史語所不同在一地，彼此間的連繫當然會更疏遠的。不過，由於傅斯年先生對陳先生的「第一組主任」職務始終十分尊重之故，縱使一切雜務瑣事可以由他代為處理，遇到需要請陳先生表示意見的事，絕對還是要專函請他發表意見，決不越權行事。筆者曾經在舊檔案中看到過陳寅恪先生的一張明信片，最足以說明這一點。明信片上蓋有清楚明白的郵戳，其日期是民國二十六年之七月五日，寄發地點為北平清華園之西院三十六號清華大學宿舍。上面所寫如此：

孟真兄左右。快函並從吾兄函，均讀悉。吳君既經孟、姚兩公之稱許，自然可用，且可助讓之辦理□塘諸事，甚好，甚好。至清華今歲畢業生有出洋之希望，又無專攻本國史者，故竟未得愜意之人，此事勢造成，不足為異也。會當於他系中求之。然非本行則又未必有史學基本訓練矣。明實錄得姚、王二君校勘，當可速出版。吳春晗隨熊慶來赴雲南，多為薪俸（三百）及名義（教授）關係，在清華則請假一年，明史停講。大約此一行經濟可稍寬裕，藉能結婚故也。匆復，順頌撰祉。弟寅。七月五日。

上面所說之「孟、姚兩公」，「姚」似即信中所說之姚從吾，「孟」則不知何人；所推薦之「吳君」，亦不知其為誰何。「讓之」乃余遜之別字，史語所助理員。「姚、王」指姚家積及王崇武，此時均以助理員名義擔任明實錄之校勘工作。此信雖語焉不詳，依稀仍可知為商量進用吳某為史語所作研究工作之事。有此事實證明，足見直到民國二十六抗戰發生之前夕，凡是有關一組人員進用及與一組工作有關之事，傅先生無不馳函徵詢陳先生之意見，並不因路遠而自行專決處理。此時距史語所之南遷，已有四年。由信中所流露之情感可以看出，傅斯年先生既始終視陳先生為史語所的第一組主任，事事殷勤請教，陳寅恪先生亦當仁不讓，處處以第一組之事自任，從不推諉規避。從前有人批評傅先生，說他之能識人才及知人善任，是其最大的長處；觀此則更可知，傅先生對於識人用人的手段運用，更有其不可及之處，所以無怪乎陳寅恪先生願意為史語所貢獻他的一切力量了。他不具論，只以陳先生對史語所前途的擘劃設計而言，他所貢獻的力量就是十分巨大的。

史語所於民國十七年四月方在廣州開始籌備，到這年下半年方具有雛形。但就在這年九月間，傅斯年先生就向院長蔡元培先生提出請求，希望由院方籌款二萬元，以便購買此時屬於私人所有的「內閣大庫殘餘檔案」十二萬斤。傅先生提出此一請求，以及蔡院長同意給予支持，所以史語所終能在民國十八年春間買到這一批為數龐大的寶貴史料，在當時可以說是一項「大手筆」。許多人將此事歸功於傅斯年先生，以為若非傅先生有此識見及魄力，不可能在經濟條件十分困窘的當時，敢於作此「揮霍」，一下子付出兩萬大洋去買回這一大批被人視為「爛字紙」的破爛檔案。事實上則傅先生之所以能知悉這批檔案的重要性及力主加以購買，完全得力於陳寅恪先生在幕後的策劃安排，傅先生不過是在貫徹陳寅恪先生之行事主張而已。關於這一層，史語所舊存檔案中的有關信件中都有跡象可尋，只是現在的一般讀者都不曉得其中的內情了。為了表白陳先生對史語所的貢獻，這一層關係，不可不加以澄清。

傅斯年先生於十七年九月致函蔡院長要求購買檔案，其親筆所書的信函原件，現尚存於檔案中，內容如下：

子民先生左右：適之先生電云，即送孟祿電，至今尚未送到，明晨往取也。午間與適之先生及陳寅恪兄餐，談及七千袋明清檔案事。此七千蔴袋檔案，本是馬鄰翼時代由歷史博物館賣出，北大所得，乃一甚小部分，其大部分即此七千袋。李盛鐸以萬八千元自羅振玉手中買回，月出三十元租一房以儲之，其中無盡寶藏。蓋明清歷史，私家記載究竟見聞有限，官書則歷朝改換，全靠不住，政治實情，全在此檔案中也。且明末清初，言多忌諱，官書不信，私人揣測失實，而神、光諸宗時代禦虜清政，明史均闕。此後明史改修，清史編纂，此為第一種有價值之材料。羅振玉稍整理了兩冊，刊於東方學會，即為日本法國學者所深羨，其價值重大可想也。去年冬，滿鐵公司將此件訂好買約，以馬叔平諸先生之大鬧而未出境，現仍在京。李盛鐸切欲急賣，且租房漏雨，蔴袋受影響，如不再買來保存，恐歸損失。今春叔平先生函斯年設法，斯年遂與季、騮二公商之，云買，而付不出款，遂又有燕京買去之議。昨日適之寅恪兩先生談，堅謂此事如任其失落，實文化學術上之大損失，明史清史，恐因而擱筆，且亦國家甚不榮譽之事也。擬請先生設法以大學院名義買下，送贈中央研究院，為一種之 Donation，然後中央研究院責成歷史語言研究所整理之。如此則：㈠此一段文物，不致失散，於國有榮。㈡明清歷史得而整理。㈢歷史語言研究所有此一得，聲光頓起，必可吸引學者來合作，及整加社會上（原注：「外國亦然」）對之之觀念，此實非一浪費不急之事也。先生雖辭去大學院，然大學院結束事務，尚由杏佛先生負責，容可布置出此款項，以成此大善事。望先生與杏佛先生切實商之，此舉關係至深且鉅也。至費用因李盛鐸索原價一萬八千元，加以房租，共在二萬以內，至多如此。叔平先生前云可減，容可辦到耳。專此，敬頌道安。學生斯年謹呈。九月十一日，杏佛先生同此。

此信中所說到的「季騮二公」，指中山大學正副校長戴傳賢（季陶）及朱家驊（騮先），「叔平」，則是當時的清華研究院講師馬衡。馬衡後來入故宮博物院任文獻館館長，易培基辭故宮博物院院長後，即由馬衡接長，但他之進入清華研究院任講師，則是出於陳寅恪先生之介紹，事在王國維投水自殺，及梁啟超辭職赴津之後，語出藍文徵先生所撰「清華大學國學研究院始末。」❶馬衡及陳寅恪先生久居北平，對於這一批檔案輾轉由內閣大庫流至歷史博物館，以及由歷史博物館以「廢字紙」名義賣與同懋增紙廠作為造紙原料，然後再由羅振玉買回後轉賣與李盛鐸的那一段歷史，瞭解得極為清楚，對於其中有何寶貴資料，亦因羅振玉之刊印史料叢刊而知之極稔。馬衡在民國十七年春間函請傅斯年先生設法購買，是因為傅先生當時正在中山大學辦理語言歷史研究所，馬先生以為傅先生或能籌出此款購買檔案，孰知當時的中山大學經費極為支絀，雖經傅先生與戴、朱二正副校長商量欲買，卻因款無所出而不能不作為罷論。其後史語所在廣州創辦。陳寅恪先生被聘為史料組主任，以陳先生與馬先生的交情，以及他自己在歷史學方面的知識，他當然很快地就瞭解到這批檔案的價值，經由他

❶ 傳記文學出版社出版，「談陳寅恪」頁一四一。

的一力主張，然後傅先生纔會想出了這一個籌款的辦法——請求蔡院長與楊銓先生商量，以大學院名義出二萬元買下這批檔案，然後贈送中央研究院責成史語所負責整理。經過如此一番轉手，史語所雖然籌不出這兩萬元，亦一樣能得到這批檔案，於史語所研究工作之開展，實大有裨益。前引李濟先生所撰「傅孟真先生領導的歷史語言研究所」，中間亦曾有一段話說到這批檔案，引述如下：

> 一個聰敏的領導人，在很短的時間，就可以抓住一大批重要材料，解決若干基本問題。這一點，傅所長是作得十分精彩的。最初創辦的時期，他以全力鼓吹並獎勵在所的工作人員擴張研究的材料，他的兩句膾炙人口的標語是：「上窮碧落下黃泉，動手動腳找東西。」這兩句標語，初看是漫無限制的，不知由何處開步，從何處著手。不過在很短的時間，他就為第一組找到內閣大庫的檔案，指定了漢簡與敦煌材料的範圍，為第三組劃定了安陽與洛陽的調查。二十餘年來的工作，充分證實了作這些決定的遠見。

李濟先生將找到內閣大庫檔案為第一組擴張大批研究材料歸功於傅先生的領導有方，這話當然不錯；不過若以研究工作最重視原始材料的情形而言，陳寅恪先生或較傅斯年先生為尤甚。試看陳寅恪先生所寫的研究論文，大多都是以新材料校正舊傳說之錯誤，或以新觀點研究舊材料中之正確含義，從而得出新的研究結論，不但語語精湛，而且字字有其來歷，不由得人不衷心佩服他的功力精深及學識淵博。然而他的功力與博識，卻又無一不是從精讀、深讀、及廣搜各種材料而來，其中並無不傳之秘。史語所舊存檔案中有一封陳寅恪先生寫給傅斯年先生的信，最足以舉例說明他所用的研究方法。引述一段重要處如下：

頃于君道泉來云，在德人處見有持賣蒙文書一部，及乾隆時續藏之一冊。此書今所知者，只庫倫一部，然此書在北京印行，今絕不見蹤跡，誠世界之瓌寶也。但賣此類書人只願意賣與外人，最怕中國人知。現無從得知何人持有此書，大約是蒙古王公府中僕人盜賣。弟託人暗中打聽，如杏佛年內不肯撥款，李木齋（編按：即李盛鐸）又不肯讓步，則移此款之一小小部分（原注：至多數千），亦可購得此奇書。蓋現在佛經之研究，為比較校刊學：以藏文校梵文，而藏文有誤。更進一步以蒙文校之，又核以中文，或稍參以小亞細亞出土之零篇斷簡，始成為完全方法。弟前擬以蒙文佛所行讚校藏文本，而久不能得，雖託俄人往蒙古庫倫代鈔，迄不能致。今遇此機會，但中國人必不能與外人競財力，又不能強力奪之，恐終無成也。……

史語所研究內閣大庫檔案最有成績的故研究員李光濤先生生前曾說：「當初我聽見傅先生說過，『歷史語言之研究，第一步工作應搜集材料。而第一等之原料為最要。將來有所發表，即無大發明，亦不致鬧笑話。因此種原料他人所未見，我能整理發表，即是對於學術界之貢獻，決不致貽誤他人。』以後惟有遵奉先生的遺言遺意，努力於整理檔案的工作，以紀念先生於不朽。」❷李光濤先生所引述的這一段話，在他雖然以為本是傅斯年先生所說，在檔案資料中卻另有其出處可尋，原來卻是陳寅恪先生的高論。然則傅斯年先生的意見是否又源出於陳寅恪先生，正復大有商榷之餘地。檔案資料中所見的陳寅恪先生此一高論，乃是留存於案卷中的陳先生致蔡、楊、傅三先生之函件存底，原信甚長，共分三段，第一段談檔案價格已由馬叔平與李盛鐸議定為二萬元，但須於年內付款，李盛鐸並提出要求，將來在檔案中如檢得宋版書殘葉，應仍歸李所有。由此可證此信之寄發時間不致遲至民國

---

❷ 史語所編印，「傅所長紀念特刊」頁二五。

十八年，因其時檔案業已由史語所買定之故。第二段談及檔案既無其他問題，史語所北平分所之房屋即應及早指撥定案，以便及早遷入。由此更可證明此函乃民國十七年所寫。至於第三段，則是請求中研院撥款購買新在寧夏發現之西夏古籍。在這一段文字中，就有李光濤先生大文中所曾出現的話。引述如下：

蓋歷史語言之研究，第一步工作在搜求材料，而第一等之原料為最要。將來有所發表，即無大發明。亦不致鬧笑話。因此種原料他人所未見，我能整理發表，即一種貢獻於學術界之功績。決不致貽誤他人，如妄發毫無根據之空論之類也。

寅恪先生此信的信末，署日期為「十二月二十七日」，當是民國十七年之十二月十七日。此時史語所尚未付款購回檔案，李光濤先生亦尚未進入史語所從事檔案整理研究之工作，他所引述的傅斯年先生之言，當然在時間上要晚得多。但因其內容竟與陳寅恪先生此信中所述者無大差異，當可使人相信，傅先生的此一信念，實際上乃得之於陳寅恪先生。然則傅斯年先生之所以要大力爭取此一批檔案，且在後來終於證明乃是最有研究價值的大宗史料，對史語所之此後發展，發生了極大的影響，亦當歸功於陳寅恪先生的策劃調度了。只此一端，即可知陳寅恪先生在史語所發展過程中的貢獻為何如，其他細枝末節，可以無須贅述矣。

乙、趙元任

提起趙元任先生，誰都知道他是中國語言學方面的權威學者，在國際間也大大有名。不過，史語所另外還有一位語言學方面的權威學者李方桂先生，他在中國語言學方面所享有的聲譽殊不遜於趙先生，如果趙先生有資格列為史語所的「三大人物」之一，李先生似乎亦很夠分量。但這畢竟只是近二、三十年來的情況，若追溯到民國十八、九年史語所初成立的時候，情況殊不一樣。

在民國十七年史語所開始在廣州籌備起來的時候，趙元任先生即被傅所長斯年先生延聘為「漢語組」的主任；在此以前，則他與陳寅恪先生一樣，也是清華國學研究院的導師之一，與王國維、梁啟超、陳寅恪同被稱為「四大教授」❸，深受當時國內學術界人士之尊禮。民國十八年春，史語所改組遷平，八個工作組合併成為三個學術組，趙元任先生仍舊是語言組（第二組）的主任。這名義一直維持到民國六十二年，詳情已見前述。史語所舊檔中存有民國十八年及二十年的第二組預算表稿件，上面開列有工作人員的每月薪給數。在民國十八年時，趙元任先生的月薪是每月四百元，另二位研究員羅常培、李方桂先生各為每月二百四十元。到了民國二十年，趙元任先生的薪給增為每月五百元，羅、李二先生、亦各增為三百四十元。以當時情形來說，能享受十八年時之四百元及二十年時之五百元高薪者，史語所全所不過只有四人而已——傅斯年、陳寅恪、趙元任、及李濟。傅先生是專任研究員兼所長，陳、趙、李三先生則各以研究員分兼一、二、三組之主任。論地位、論年資、論薪俸，當年的李方桂先生都要比趙元任先生略遜一籌。所以，若要屈指計數當時史語所之「三大人物」，陳、李二先生之外的另一位，當然非趙先生莫屬。

關於趙元任先生在國際學術界所享的盛譽，在有關趙先生的傳記資料中還不容易找到其具體記載，只好暫時抄一段香港大學教授程靖宇先生寫在「儒林清話」中的有關文字略作介紹。程先生說：

❸ 傳記文學雜誌第七卷四期，趙楊步偉女士撰「四年的清華園」上篇，引張仲述劉壽民之言。

這位最大的語言學家的博士學位不是語言學，而是自然科學中之物理學博士（哈佛）。可是當他發覺他的耳朵有非常人的「天才」時，才開始專攻語言學，成為二十世紀我國在國際上負有第一等聲譽的大學者。我們可以誇一句海口，日本學術界是從不讓人的，但有幾位二十世紀的中國享譽世界的大角色，卻是日本所絕對沒有的；如趙元任先生這樣的天才，林語堂這樣的英文寫作本領，如胡適之先生這樣的成為二十世紀的斷代國際公認的思想家，如日本人承認的「支那二寶」之一的周作人，都是日本至今無法產生的角兒。趙先生的天才和力學之驚人，堪稱曠世無二，簡直可以說是一個千年難遇或者可遇而不可求的怪傑。他是江蘇常州武進人。江南出才子，本來不算一回事，不過像這樣的才子，實在太少有了。

他的一對耳朵，在音樂方面的辨音能力，早經過最新儀器的實驗，國際上公認他是一共不到五對耳朵之一對。近代學語言的方法，早已不是「靠說話學說話」了，而是「學說話靠聽話」了。趙先生之成為世界少見的語言學，和音樂界早已公認的中國最好的和聲學家，大概就因為他有對超乎尋常的耳朵，能聽出極細微的方言分別，能辨出用儀器才能測出的「音的偏差」。……

趙先生在語言學方面的造詣，在清華國學研究院成立之時便已名聞遐邇。若非如此，他如何能以物理學博士的資格到清華去擔任「語言學」方面的「導師」呢？他之進入中研院史語所，一個原因是清華的國學研究院在那時已瀕於停閉，另一個原因是他與中研院的總幹事楊銓私交甚篤，而楊先生深知他在語言學方面的造詣，在中研院甫經開始籌備之時，就有意加以延聘，希望他擔任計劃籌設中的史語所語言組主任之職。❹所以當傅斯年先生受命開始籌設史語所時，趙先生就到上海去和傅先生會晤，討論有關史語所成立的問題。趙先生主張史語所應設在人文薈萃的北平，傅先生亦表贊同；不過因為傅先生當時在中山大學擔任文科學長及系主任之職，暫時離不開廣州，就請趙先生先到北平去籌設他的漢語組，其餘問題，留在以後再說。❺於是，儘管傅先生所籌辦的史語所暫時設在廣州，漢語組的地點，卻在北平城內的江擦胡同，其後再遷至洋溢胡同。江擦胡同位在北平東城，史語所租用的只是一座四合院的平房，地點並不寬敞。洋溢胡同的房子則是向鹽務署所租用的前後兩棟樓房，中間由一所庭院分隔開來，前一棟樓房供語言組辦公之用，後一棟由趙先生自租作為住家之用，房屋面積遠較江擦胡同之四合院平房為寬敞。趙元任先生主持史語所的語言組，曾經擬定兩個遠大的長程計劃——語言研究及語音實驗。關於前一方面，他打算動員語言組的全部人力，在幾年之內，將全國境內的漢語方言及非漢語語言都作一番詳細調查，並將調查紀錄整理印行，以為語言研究的參考憑藉。關於後一方面，他計劃建造一座規模宏大的語音實驗室，打算把調查得到的語言資料，都用儀器灌製成為永久性的音檔，以便隨時可以供給研究及聽寫整理之用。由於這兩項目標都需要龐大的經費、人力，以及長時期的工作，所以他所擬定的工作計劃亦是按年進行的，以便能配合史語所的經費及人力狀況，逐步付之實現。語言組由江擦胡同搬至洋溢胡同，亦無非因為江擦胡同的房子不夠寬大，無法安裝所需要的儀器設備之故。卻想不到這事情在後來會成為被人攻擊的目標，實在很出於趙先生意料之外。

史語所由廣州遷至北平，設所址於北海的靜心齋。這地方本是清宮中的一處小別館，雖有亭園花

❹ 前引楊步偉撰「四年的清華園」下篇，傳記文學五卷一期，頁一六。

❺ 趙楊步偉撰：「元任和中央研究院的關係」，傳記文學九卷一期，頁三一。

木之勝，構築亦甚精雅，然而房屋甚小，除了三間客廳頗為寬敞，可供考古組陳設安陽發掘所得古物，進行其研究工作外，其餘群房三十餘間，均面積狹小，只能充作小辦公室及住房之用，對於明清檔案整理、語言組儀器安置、及圖書室書籍陳列等項需要，均無法解決。故而史語所後來不得不再向北平市政府商借蠶壇房屋三十餘間，以供圖書室及第一組研究工作人員之需要，對於趙元任先生所購置之語言實驗儀器多種，因無地安裝之故，暫時只好仍舊以洋溢胡同之房屋為放置之所，同時亦為語言組同仁的工作之地。事有湊巧，民國二十一年一月間，清華大學的留美學生監督處主任梅貽琦先生被任命為清大校長，必須離美返國，接任校長之職，所遺留美學生監督處主任一職，教育部無法覓得適當人選，只好商請清華出身的趙元任先生暫時代理，任期以一年半為限。趙先生礙於情面，勉強答應，並在商得蔡院長、傅所長之同意後，暫向中研院請假一年半，往美國就任清華留美學生監督之職。而恰好就在這段時間內，日本帝國主義者積極展開對華侵略，一二八淞滬之戰，歷時數月，我軍在上海浴血抗戰，損失甚重，國民政府亦因時局危急而西遷洛陽。在戰爭危機籠罩全國之時，國民政府為應付時局危機，下令緊縮全國各機關的經費支出。中央研究院乃是政府機關之一，當然亦面臨了這一經費支絀的嚴重衝擊。為了多方節省經費以共渡危局，總幹事楊杏佛先生提出了多項意見，除了裁員減薪及合併若干部門的編組以外，趙元任先生在洋溢胡同的房屋，也成了目標之一。楊先生希望史語所將語言組租用的洋溢胡同房屋退租，一同搬入北海靜心齋辦公，以便節省房租。此議為傅斯年先生所堅決反對，理由是語言組裝設在洋溢胡同房屋中的各種儀器費用甚貴，一經搬動，必有損失，房屋退租所省下來的費用，抵不上儀器搬動的損失，不如不搬。但傅先生的意見在院務會議席上廣受其他各所處負責人的譏諷揶揄，說洋溢胡同的房子並不是不能搬，而是傅斯年先生對趙元任太太心存畏懼，不敢搬。這當然使傅先生十分難堪，但在眾口一辭的情況之下，傅先生獨木難支大廈之傾，院務會議作成決定，語言組必須從洋溢胡同遷回北海靜心齋，洋溢胡同房子退租的問題，由總幹事楊杏佛先生致函趙元任先生解釋，「孟真先生不用怕」！這句話中固然也有玩笑的成分在內，但傅斯年先生確實很怕趙元任先生會因此一問題而同他攤牌——提出辭職，不幹。果然，消息一經傳到美國，趙元任先生的電報就來了。電文甚為簡單，但意義卻極明顯，曰：

將我薪水付二組房租，如遷移，即辭職。

趙元任先生請假赴美期間，史語所所務會議曾作成三項決定：㈠呈請院長准予趙先生請假一年半。㈡趙先生聲明假滿即回所任職，應致感謝之意。㈢趙先生請假期間，因仍擔任一部分研究工作，史語所月致津貼一百元。趙元任先生在上述電文內提出「將我薪水付二組房租」，即指此每月一百元之津貼而言。洋溢胡同的房租並不需要每月一百元，果照此法，傅斯年先生即無困難。問題是傅先生認為決無以趙先生薪水支付二組房屋租金之理，所以問題並不能因此而解決，反而是「如遷移，即辭職」的那兩句話，對傅先生的威脅太大。為了希望轉圜，傅先生再以電報請示楊總幹事，又發動了全所的研究員、編輯員向楊先生寫聯名信，要求楊先生鄭重考慮。這件事到了最後，雖然還是因蔡院長及楊總幹事的堅決不肯同意而作罷，洋溢胡同的房子終於退了租，第二組也終於搬回了北海靜心齋，但由傅斯年先生對趙元任先生的支持態度可以看出，傅先生實在深怕因此而使趙先生拂袖而去，所以他要竭盡一切努力支持趙先生的意見，雖干犯眾怒而不辭。史語所檔案中存有傅先生為此事而對趙先生委婉解釋，希望趙先生勿因此而與中研院決裂的一封信，不但敘事極詳，字裡行間所流露出來的無可奈何態度及希望趙先生曲予諒解之心情，尤其明白如見。以傅斯年先生正直剛強的性格，似乎很少見他寫過這樣委婉謙恭的信函。所以這實在是史語所成立以來的一項重要文獻紀錄，可以使我們充分了解，當年的史語所所長傅斯年先生，為了要把這個研究所辦好，是如何的以恭謹謙卑態度對待那些名氣大而學問好的「大師」級人物。亦惟其因為如此，纔可以使人分外的看得清楚，趙元任先生之為「三大人物」之一，確屬名下無虛。傅先生的原函，摘敘其部分如下：

（上略）在四月及五月初，杏佛兄數來信，言須絕對力求撙節，彼時情形真是不得了。（原注：「看附表」。附表所列，二十年七至十月份經費領得百分之一百，十一、十二兩月為零，二十一年一月份百分之十，二至四月份百分之三十，五六月份百分之五十。）五月初來電囑擘黃先生與弟同往，弟等沿途悲觀，以為必是又緊縮。我一向悲觀，此次擘黃又大大助我如此。到滬之當日，先與杏佛兄通一電話，他便來到旅館裡，先普遍的談緊縮，旋謂弟云，他為史語所想得數策，必與史語所大有益。問何事？則㈠史語社會兩所合併，稱曰人文研究所。㈡組名取消。㈢二組遷入靜心齋。弟自然著急，說死說活，然後合併說杏佛謂再談，取消組之一說，本為社會所而起，待弟說明本所之組只是事務上之組織，不涉用費，則亦不急。只是二組遷移事，杏佛意在必行，且謂如此事做不到，社會組亦不要還京了。旋到亞爾培路晤蔡先生，蔡先生力言組之取消。弟又說，社會所之組，與史語所者不同。後杏佛入，共談組之存廢事，而決定廢組以社會所為限。到晚上，杏佛宴我們於梁園。（原注：「日期為五月十二、三左右。」）子競、寬甫、穀侯、擘黃、厚甫、左之等皆在，藕舫大約也在，巽甫不在，余先生不在，然全數十二、三人，有的弟記不清楚了。座中又提出二組移家事。弟力言其不可，理由接二連三，說得滔滔不絕，而有人笑曰：「到是怕趙太太是真。」接著有人說：「把研究所辦在家裡，到也真愜意，高興做做，不高興不做。」（原注：「此非杏佛語，勿誤會。」）弟於是大辯二組不是趙家。後來因杏佛始終堅持非搬不可，且謂搬是大有益於研究所，他負責，豈不妙呢？弟乃謂，此事無論如何決不能在元任不在時為之。「去年你許元任請假，今年乘其不在而搬之。」此語惹得杏佛甚怒，弟接著嗒然不語者久之。旋云：此事如這樣辦，不合一貫之方策。此時蔡先生也生了氣。（原注：「蔡先生的氣真少，而此恰是一次。」）謂此時既非緊縮不可，史語所不能自成例外，此外更非所計。此一席便如此結局，席上揶揄者，旁笑者，辯論者，乃至指摘者，皆有之，幫弟說話者無一人也。

次日遇巽甫，問他昨晚何以不到？他說，事前不知道，但後聽說胖子受窘，深以不得親見其妙為憾。我說，此事切不可開玩笑。又次日（原注：「五月十五日。」）晚上，又是大家一聚於梁園，座上人更多，又談到「有怕朋友的太太者」，接連又是二組搬家事。弟云，此事切不可吃飯再談了。杏佛云：「會上談。」我說：「會上更不可以說。」他說：「反正這事由我負完全責任。我寫信給元任去，他一定能諒解，你不必過慮。」我最後還是苦求千萬不要決定搬。次日晨決定下午開會，弟懷著鬼胎，而苦於與杏佛無商量的機會，便於人群中問他，他說：「照我們昨天說的。」弟以為昨天弟說不提出，想是照這了，頗放心焉。下午開會，場中坐位如次圖。（編按：圖從略。）到中間，杏佛出去接電話，弟便過去瞧瞧他桌上的議事單，則二組事儼然在焉。弟著急要死，適杏佛返，弟請他不要提。他說：「這幾天所談的，不論那一事，都要今日決定。」弟又爭執。此時群謂弟何以在開會時辦私交涉？請弟坐下。不得已坐下。議到此事，杏佛說明曰：「地質組之移京，與社會組之移京，與語言組之移北海，事同一律，應依樣辦理，由我負其全責，孟真先生不要怕！（原注：「哄堂大笑。」）……擔保元任先生必諒解，孟真先生過於憂慮！（原注：「哄堂大笑。」……）云云。弟便立起，說明不可移之理由：一、靜心齋房子太少。二、房子有合同，不能退。三、物件移時損壞。四、移後所省無幾。等等。於是好幾位起來駁我，杏佛先生又每條加以分解。有人云：房子少是相對的，史語所新得蠶壇，足供兩個研究所用。而損失之說，巽甫云：「給我旅費，我到北京給你們搬。」子競說：「搬時抱著，坐在洋車上，電瓶便壞不了了。」而省不了許多一說，尤遭非難，謂有錢的所尚須照例撙節，何況史語所。弟萬分狼狽，運動坐得近者幫忙。而仲揆謂：「坐下罷！」擘黃云：「算了罷！」巽甫云：「有杏佛，你不要怕了。」最後弟謂保留若干點，請以得兄同意為決定，請酌量延後，皆無人理之。而此事決議案即由杏佛口說，寬甫記下。此會情形，儼然弟是國聯席上之日本也！

弟之懊喪可知。上船返京時，巽甫來送擘黃及我，他看來我還是不搬。我說：「你何以不幫我？」回途與擘黃沿途悲觀，蓋此事弟知下不來臺，而擘黃因改二專任為兼任，亦覺不了也。弟行時，杏佛一再說，立即寫信給你，他負全責，不關弟事，等等。弟當時想一法，是回來拖延著，待兄回信，巽甫猜得不錯。弟回平後，一到家，濟之便來談。弟剛把這事經過說了大概，濟之深覺難題，而研究所送來一電，折開一看，原來是兄來之電，謂搬便辭職！大家覺著Catevetun，而弟此時心中自有傷心處，蓋在京為此一奮鬥，一回來便接此一電，實不勝其懊喪耳！趕著召集一會，同仁以為此事如直接抗院命，必成正面衝突，不如延宕些時，待兄回杏佛信。決議大家簽了一書，其意即求杏佛與兄先得一辦法。旋院中催實行之公事到，而杏佛之回信亦至，看來更無可以延宕之理……

上文中所說的「會」，指民國二十一年五月十六日在上海中研院舉行之院務會議；出席者除院長、總幹事、及各所所長外，餘則總辦事處之會計主任、文書主任等。這些所長、主任在信中均稱其別字，如不加以解釋，將不知其為何人。今據民國二十一年之中央研究院職員錄，為之補充說明如下：

毅侯——中研院會計主任王敬禮

寬甫——出版品交換處主任兼庶務主任徐韋曼
巽甫——物理研究所所長丁燮林
子競——工程研究所所長周仁
仲揆——地質研究所所長李四光
左之——地質研究所專任研究員葉良輔
厚甫——地質研究所特約研究員徐淵摩
藕舫——氣象研究所所長竺可楨
擘黃——心理研究所所長唐鉞
余先生——天文研究所所長余青松

丙、李濟

李濟先生在近代中國學術界有「中國考古學之父」之稱❻，中研院院士許倬雲先生則尊之為中國考古學上的「開山」大師❼。他之能夠得到此一榮譽，顯然是由於他主持殷墟發掘所得到的卓越成績，而此項以科學方式從事的考古發掘，又是中國學術界首創之盛舉之故。在傅斯年先生所撰寫的「歷史語言研究所報告書第一期」中，於「安陽調查」一項，曾有如下之記述，曰：

❻ 蔣復璁撰：「李濟之先生的追憶」，傳記文學第三十五卷第三期，頁六二。
❼ 許倬雲撰：「悼念李濟之師」，傳記文學三十五卷第五期，頁六八。

約而言之，龜甲文字雖大致未必可再多得，而其他知識此地必含甚多材料。如將小村收買一部而工作之，在地點之四方探之，容可得到殷墟之大體。李濟先生決定明年一月赴安陽勘察情形，便即動手。此次初步試探之結果，指示吾人向何處工作，及地下實尚含有無限之知識，不在文字也。

前文曾經說到，史語所在民國十七年十月所舉行的「安陽試掘」，乃董作賓先生所主持，如果我們對此一「試掘」工作的前後經過不能充分瞭解的話，就很容易得到這樣的概念——由於董作賓先生在一度「試掘」之後證明小屯地下尚蘊藏有無窮之地下知識，值得繼續發掘，於是乎傅斯年先生纔決定禮聘李濟先生為考古組主任從事此後之大規模發掘，於是乃有後來之輝煌成績。果屬如此，則李濟先生的「中國考古學開山大師」榮銜，便將減色不少，因為安陽考古的真正開啟者應是董先生而非李先生也。這裡面的真正事實，由於傅斯年先生的含混敘述而頗有牽纏不清之嫌，很應該根據當時的實際情形為之董理清楚，以明究竟。

董作賓先生往安陽從事「試掘」工作的前後經過，史語所檔案中迄今尚存有其「試掘」期間所寄回來的一切信件，除了與本文無關的部分不需贅引外，今摘引其發掘將告結束之前所寫各信中的部分內容於後，以見董作賓先生當時所「認為」的安陽小屯村，是否還有繼續從事發掘的價值。弄清楚了這一點之後，對於決定繼續發掘者之睿智程度如何，自亦可以了然於胸矣。

史語所舊存檔案元字第二十三號卷，存有題名「董作賓先生函件」之信函檔存簿，所粘即安陽「試掘」期間之董先生前後來函，每件均編有號數及頁碼，今選錄其中之一部分。

編號「乙第五號」函之第十一頁至十三頁，發信時間為民國十七年十月二十三日。此三頁中云：

觀以上情形，弟甚覺現在工作之無謂。不但每日獲得之失望，使精神大受打擊，且傷財勞民，亦大不值得。擬看此後三五日情形如何。倘情形尚好，足償半月來損失，則繼續下去，或做滿一月；如仍無大宗發現，則盡此三五日之力，將所有機會求遍，再無大獲，只有先行停工，以免多耗時日與金錢。蓋除卻現有之幾個希望外，實為毫無把握，村北地即先例也。恃地面殘片指導者，則為掘殘之坑；恃深洞為指導，則又失其效力；今惟有藉他人之經驗而已。再無成績，只有暫時停工，俟有賢能者詳密計劃，再來大舉發掘耳。

所謂「大舉」，弟此次絕不承認。試問大到何處？第一，不能將出土甲骨之區域內，整個平翻。第二，不能作長時間及多數金錢之大犧牲。兄縱能在經濟方面儘量供給，弟亦不敢妄肆揮霍。試想發掘已三十六坑，而得甲骨文字者不過七、八處，且有僅出三數片者，有為發掘數四之殘坑者，有把握者不及全工五分之一，豈敢大膽做去！

董作賓先生的安陽「試掘」工作，起自民國十七年之十月十三日，至同月三十日收工，總計挖掘時間首尾共十八天，十月二十三日則是第十一天。由上函所述可知，董先生在安陽「試掘」了十天之後，前後共掘三十六坑，所得甲骨之數極少，因此遂認為發掘無把握，繼續做下去，殊不值得。至十月二十七日，董先生續寫一信報告此三日來之成績，情形已較有好轉，但他則主張趁此下臺，以便「見好就收」，免得深陷泥淖。此信編號為「乙第六號」，第六、七兩頁云：

三日來成績，如上述，已可稍慰兄遠念。然因成績較好，反使弟增加危懼之心。蓋此次龜版層之發現，乃大非易易。工人某，因弟勸導而為吾人効忠，謂此處前曾發掘，經地主干涉而中止，未盡其藏也。於前日暗指其處，乃命發掘。但其坑偏於西，僅見一墓，某則就其下曲折以求之，卒得其處。觀此可知村人之言為可信。則所謂村北十六畝（四坑所在）及二畝（十五坑所在）出甲骨，並村中共三處出之，其言亦甚可信也。此蓋村人經驗，吾輩發掘，亦不離此三處也。除此之外，實毫無把握。茫茫大地，將於何處下手？昨已求遍機會，今日擬續作三十六坑，務盡其藏，然後結束。蓋即此亦便是弟與兄下臺之機會。倘再作去，非有時間與經濟之絕大犧牲不可，且又有成與否，尚在不可知之數，弟意勸兄不必負其責也。

安陽「試掘」的收工日期雖是十月三十日，實際上則最後幾天衹是處理善後，正式的發掘到十月二十六日便已結束，其情形即如董先生上函所說：「此亦便是弟與兄下臺之機會也」。至十一月七日，董先生已由安陽返抵開封五日，檔案中續有一函，乃董先生報告此行之總結及其個人觀感者，其中所說，尤堪注意。信函編號「乙第九號」，中云：

在安陽得兄之復電，有二字錯誤，「盼電容工作」，弟想當為「賡續」之意。然事已結束兩三日，不如歸來另作計劃。因計算情形，兄或已收到第一報告，猶不知以後事耳。再行開工，遲早決無關係。一、本地人決不敢再做盜掘之事。二、有麥苗及他作物之地，地主亦決不讓私人開掘。又弟已向各方面說明，此為暫時停工，另作計劃，已有再來之表示。而對河南省政府弟亦擬發公函聲明，下次再作，可省去一切手續，不作，亦絕無關係也。刻下擬於十日內將報告作成，並所摹新獲之甲骨文字，自己抄寫付印，先印百份。像片則因此間沖洗太貴，僅先印一兩份寄上。所謂「另作計劃」者，將於報告中述及。第一問題，即須待地面之平靖。第二、須有長時間之犧牲（至少半年）。第三，須求工具之方便。第四，須有多數金錢之犧牲。第五，須增加工作人員。弟深信此後不致有別人冒險為之者，因經吾人探視之處，所謂殷代宮室制度等等，皆無發見之望，又地下情形極為凌亂而複雜，除卻求得甲骨或其他古器物之外，可謂別無希望。而於甲骨又僅在發現而已，既非有秩序之度藏或淹沒，錯雜無次，即保存其原狀，亦決不足以補助研究者使有新的發明，可斷言也。惟同時有一事可作，即調查其他般之故都受河患者，向地下求之，或有新獲之望。蓋甲骨刻辭決不能為武乙一代所創制，前無古人而後無來者也。……

在這一封檢討十八天來試掘成果的信函中，董作賓先生對試掘的結果是認為並無再掘的價值。其理由：㈠不可能在小屯地下發現古代殷都之遺址；㈡零星掘獲之甲骨文並無多大價值；㈢除甲骨及古器物之外，別無得獲之希望。而他對此後的工作建議則是：別求其他為河水淹沒之古代殷都遺址，也許可能在那裡得獲新的甲骨寶藏。總括起來看，董作賓先生心目中的考古發掘，幾乎與探尋甲骨埋藏分不了家，所以其念茲在茲的發掘目標，完全專注在此。李濟先生在前往檢視一過之後回來對傅斯年先生說，董先生的挖掘工作雖較羅振玉的發掘稍勝一籌，亦不過是五十步與百步之差而已。因他對於發掘所見的地層情形一無記載，又惟視甲骨文為重要之物，其他悉為「副品」。殊不知董先生所視為之「副品」，正是考古學家心目中之珍品，其價值並不遜於甲骨文字也。根據李濟先生在當地廣諮博詢所知，小屯附近先後出土的商周銅器甚多，且有帶彩陶片及石器等等，可知其地下埋藏之古代文物必甚豐富，如能作一番大規模之澈底工作，必可使極可靠之三代文物重現人間。由李先生與董先生之所見差異，正可以看出舊式古物學家與新式考古學家的歧異所在。欲求瞭解不見於文字記載的地下古史，所需要的是考古發掘，而李濟先生在考古學方面的卓識又正足以適應此一需要。於是，傅斯年先生在聽了李濟先生所陳述的意見之後，立即決定再次前往安陽舉行大規模的發掘，並即請李先生以考古組主任的身分主持其事。這固然是傅先生的明智決定，亦淵源於李先生的睿智判斷。震撼世界學術界的安陽發掘工作，居然是在這種情形之下所促成的，說來似乎有點使人意外。

前文曾經提及，李濟先生未入史語所擔任考古組主任之前，已曾得有美國弗列兒藝術館之津貼，計每年美金二千元，折算當時之國幣幣值，約為四千元之譜。為使李先生在進入史語所之後其每月所得不致少於四百元之數，當時曾由傅斯年先生與總幹事楊杏佛先生商定，應在弗列兒藝術館所給予李濟先生的津貼之外，再由史語所給予每年一千元之津貼，以資彌補。但李先生在弗列兒藝術館所領的津貼，到民國十九年五月份就終止了，十九年六月份起，即由史語所負擔其專任研究員的全薪，其事見於史語所民國十八年度的第二次所務會議紀錄。其內容如下：

李濟之先生已向弗列兒藝術館辭職，自十九年六月份起，完全在本所專任，應以本院最高薪津待遇。因本院最高薪津為五百元，而且李先生在弗列兒藝術館之報酬，按現在之匯兌率已超過此數。李先生能毅然在本所專任，同仁等深為感佩。

在民國十九、二十年的時代，在史語所享有五百元最高薪的，除了所長傅斯年先生之外，只有趙元任和李濟先生二位；陳寅恪先生則因此時已在清華支專任教授薪之故，史語所只給予每月一百元之津貼。僅以此五百元之高薪而論，李濟先生亦已經夠資格列名為史語所的三大人物之一；何況他還是第三組的主任，與陳寅恪、趙元任先生鼎足而立，乃是名符其實的三大主任之一呢！

李濟先生辭去美國弗列兒藝術館有薪給的兼職，專任史語所的研究員兼第三組主任，根據趙元任夫人楊步偉女士的回憶錄記述，其中頗有內幕。今先將楊女士所述錄後。傳記文學第九卷第一期頁三十一至三十三，「元任和中央研究院的關係」一文中說：

沒料到一九三二年正是九一八以後，清華大學發生了種種困難的問題。元任雖離開了，可是清華凡有緊要的事，他們評議會的人總是來找他的。那時評議會人員是葉企孫、陳岱蓀、周培元、吳有訓、金岳霖等等，常常全體來我家討論。經過多次的危機，元任總是在背後幫點忙。這次的風潮息後，就是校長問題，元任又不願做，就由翁詠霓代理，他只答應代理三個月，元任是提議梅月涵從駐美清華學生監督處回國長校，不知其中有好些人要做清華校長，以後都怪元任不該提老梅，而老梅給終沒有回信的消息。翁一方面追，而校方也百事待議，元任就說，我去代他一年半監督任務，促他快些回國。以後才知道，他當中有很多的問題很難解決，而他也知元任打算去了，並且其中兩個願接監督的人他又不敢正式的派，因國內情形複雜弄不清，只得暫以不了了託于熂吉先暫代。我們到唐山去接他，他才知道國內已定了，雖然他有點不願意沒得到他的同意，誰叫他老不回信問問呢？其實元任也不太願意去，而孟真則大反對，叫李濟之來勸。可是濟之贊成我們走，也因前些時李和傅兩個人因董某（原注：「不是董彥堂。」）與佛列兒博物館辦合作辦的損失了主權，傅和他大爭。李來我家談到，他若離中央研究院，奈父母年老多病，不願離開北平，但和孟真一道又實在受氣太大，因他們兩個都無忍耐性的人。我就給李留下，請幾個人陪他打牌，元任就去和適之商量，改由中基會出薪水，因此兩面關係遠一點可以減少衝突。（原注：「濟之，我這個記的一點不錯吧！」）因此李濟之多年都是由中基會出的薪水。……

趙夫人楊步偉發表此一段回憶錄時，李濟先生尚健在，不聞有何異議，想來楊女士所說即是當時事實。而由史語所舊存檔案中見之，傅斯年先生確曾於民國十九年的二月十九、二十一兩日兩次召開臨時性的所務會議，討論弗列兒美術館代表畢士博先生來平與史語所商談合作，史語所方面應持的立場。由會議紀錄內容看來，該館所提合作條件為取得史語所考古報告集之英文版權，傅斯年先生則僅同意安陽考古報告之英文本版權，並須在英文本之報告集封面書明作者姓名及雙方合作之條件；至於對方所提供之條件則為史語所從事考古發掘時之一切田野工作費用。由這些討論內容可以知道，弗列兒博物館當初所謂「無條件」提供李濟先生一切考古工作費用，而只需以一份英文報告結案的承諾，此時已經有了變更；而傅斯年先生則因不願以史語所考古報告之英文版權作為交換之故，與李濟先生頗有衝突。為此之故，方由趙元任先生商請中華教育文化基金會董事胡適先生設法，由中華教育文化基金會撥款支付李濟先生在史語所之薪金，以資緩和雙方之不愉快氣氛。中基會本來在地質調查所設有地質學研究教授一席，由翁文灝博士擔任，年支薪七千二百元，亦即每月薪六百元；此時乃再在史語所設置考古學研究教授一席，年支薪六千元，亦即每月薪五百元，恰與李濟先生在史語所的原支薪額相等。其設置期為五年，所騰出之李濟先生原薪，為數不菲，改用於考古發掘的工作費用，殊於史語所的經費調度大有裨益。不過，由此一事亦可看出，在史語所的三個組主任之中，陳寅恪先生從無權力慾望，趙元任先生遇事皆能容忍退讓，只有李濟先生容易與傅斯年先生發生衝突。趙夫人楊步偉女士以為是他們二人皆無忍耐性之故，這話誠然不錯，然而更重要的原因似乎還在彼此對於他們所認定的主張皆不肯退讓之故。民國三十三年，傅、李二先生曾因中央博物院之陳列品問題大起衝突，於此時蓋已可預見其端倪。

六、奠定所基

甲、把握發展方針

在本書第四章「遷平」的敘述中，筆者曾引述傅斯年先生致林語堂之長函，以說明史語所之由穗遷平，及將原設八組縮併成為三組的真正原因，並非如「中央研究院十七年度總報告書」中史語所部分之冠冕堂皇，而是另有內情。其詳情已見「遷平」一章之敘述，今不再贅。所需要再提出來補充說明一番的，是原信中尚有若干文字的語意不甚明白，如不另加詮釋，恐使人莫明其所以。此信中有一段話說：

> 在粵時，弟未有若何經驗，何後何急，全無充分之認識。到平後，大家以為，如此少錢，如此名義，如此時局，如不切實收縮一下，簡直不得下臺。故決定：⑴全所完全集中在北平。⑵停止所外一切工作。⑶專辦幾件事，凡在至少一年之內不可以刊布之工作，皆停止。

這段話的後半部分當然容易明白，因為其意義十分顯豁，不會教人看不懂；而教人看不懂的則是「如此少錢，如此名義，如此時局，如不切實收縮一下，簡直不得下臺」的那些部分。史語所由原來的八個工作組縮編為後來的三個學術組，當然是「切實收縮一下」的意思了；但縮編以後的史語所，經費仍如舊數，則由八組縮為三組後，對研究工作究竟又能發生何種振衰起敝之實際功效？則就無從了解其中的連鎖關係了。這一層，無疑正須加以補充說明。

史語所舊存檔案的元字第二五四號卷，存有史語所民國十七年度的收支預算書一份，起訖時間自民國十七年七月至十八年六月，乃是史語所尚未遷平之前所造。此預算書的收支總數各為十萬元，計自十七年七至十月每月收入五千元，十一月份起增為一萬，合共十萬元。支出項下，除購買內閣大庫檔案二萬元，圖書及其他各項設備三萬元，預定搬家損失二千元，事務行政人員薪津及辦公費支出等項七千八百元外，所餘之四萬零二百元，即為史語所各工作組民國十七年度之全年支出數。其各項細目，備載於原預算書之中，今予摘錄於後，以便讀者之研究了解。

一、史料組——年支六、三〇〇元，其用途如下：

1. 研究員陳寅恪薪一、八〇〇元（十月份起，月支半薪二〇〇元）
2. 研究員傅斯年薪四、〇〇〇元（九月份起，月支四〇〇元）
3. 助理員（一人）薪五〇〇元（二月份起，月支薪一〇〇元）

二、漢語組——年支六、〇五〇元，其用途如下：

1. 研究員趙元任薪一、七六〇元（自三月份起，每月四四〇元）
2. 研究員羅常培薪一、二〇〇元（自二月份起，每月二四〇元）
3. 研究員丁山薪（暫不預定）
4. 研究員李方桂薪（因尚未回國，暫不預定）
5. 助理員黃淬伯薪一、一四〇元。（九月下半月起，月支薪一二〇元）
6. 助理員朱芳圃薪九五〇元（同上，月支一〇〇元）

7.助理員林和清薪六〇〇元（二月份起，月支一二〇元）
8.助理員一人（未定）薪四〇〇元（三月份起，暫定月支一〇〇元）

三、考古組——年支三、五〇〇元，用途如下：
1.研究員李濟薪一、〇〇〇元（津貼）
2.編輯員董作賓薪二、一〇〇元（十七年下半年每月一五〇元，十八年上半年每月二〇〇元）
3.助理員（一人）四〇〇元（自三月份起，月支薪一〇〇元）

四、民間文藝組——年支三、一三五元，其用途如下：
1.研究員劉復薪一、三五〇元（十月份起，月支半薪一五〇元）
2.助理員常惠薪五四〇元（十月份起，月支六〇元）
3.採集員鄭祖蔭薪三〇〇元（一月份起，月支五〇元）
4.採集員劉天華薪四五〇元（十月份起，月支五〇元）
5.書記李家瑞薪三一五元（十月份起，每月三五元）
6.書記李荐儂薪一八〇元（十月份起，每月二〇元）

五、人類學民物學組——年支五、六八〇元，其用途如下：
1.研究員史祿國薪三、四〇〇元（十七年六月至十八年一月，月支二〇〇元，十八年二至六月，月支四〇〇元）
2.助理員黎光明薪一、二〇〇元（全年，月支一〇〇元）
3.助理員鄧永鏗薪五〇〇元（二月份起，月支一〇〇元）
4.助理員閻富曾薪三〇〇元（二月份起，月支六〇元）

5. 技術員李裕玶薪二八〇元（十二月起，月支四〇元）

六、敦煌材料研究組——年支三、六〇〇元，共用途如下：

1. 編輯員徐中舒薪一、二〇〇元（二月份起，月支二四〇元）

2. 編輯員余永梁薪一、六〇〇元（十七年八月至十八年一月，月支一〇〇元，二月份起，月支二〇〇元）

3. 編輯員余永梁赴巴黎搜集材料之川資八〇〇元

七、外國通訊員（珂羅堀倫及伯希和二人）津貼，共計二、〇〇〇元

八、不屬組之助理員趙邦彥薪五〇〇元（二月份起，每月一〇〇元）

九、各組工作費如下：

1. 史料組八〇〇元（三月份起，每月二〇〇元）

2. 漢語組二、四〇〇元

3. 考古組三、〇〇〇元

4. 民間文藝組七六五元

5. 人類學民物學組三〇〇元（九月份起，每月三〇元）

6. 敦煌材料研究組一、五〇〇元

7. 其他，四〇〇元

以上合計全年共九、二五五元。

此預算書之尾頁，列有預算項目之分析比較，計如下表：

1. 購置費——佔總支出數之五〇%。
2. 遷移損失費——佔總支出數之二%。
3. 薪津——佔總支出數之三四・一%。
4. 雜費——佔總支出數之三・一%。
5. 工作費——佔總支出數之九・三%。
6. 房租——佔總支出數之一・五%。

中央研究院歷史語言研究所既是學術研究單位，此所中又設有語言、考古、人類學民物學等組，要推行這方面的研究工作，便不可能沒有出外搜集研究材料及從事考古發掘的費用。然而，即使將史料組、民間文藝組、及敦煌材料研究組加在一起，六個工作組的全年工作費支出預算，竟然只有總數九、二五五元之譜，只佔年度支出預算數中的九・三%，這數目未免太少得可憐了吧！史語所的考古組（後來改稱第三組）在民國二十三、四、五年間在安陽從事大規模的考古發掘，每年所支出的田野工作費都在一、二萬元以上，如果也像這份預算書所限定的年支三千元之數，那就不可能有後來的安陽考古成績了！考古工作的工作費浩繁如此，語言組從事方言調查、建立音檔、以及購置各種測音灌音等等儀器設備等項的費用，亦何莫不然，更何況還有買回內閣大庫檔案所急需展開整理的工作費！就以這三項重點工作所需要的工作費而言，區區九千餘元之數，就絕不足以應付任何一項之用！這就是傅先生寫在前信中那幾句話的真意所在——「如此少錢，如此名義」，「如不切實收縮一下，簡直不得下臺！」收縮之辦法，除了將八組縮為三組之外，在經費運用方面，亦復有絕大的變動。由檔案資料中所見的情形，遷平以後的史語所的經費支配，通常以一、二、三組及總務行政等四個項目為分配單位，其分配比率大致為三・三、三・一或三・三、二・二之比；即第一組及第二組通常各得總預算之三成，第三組或得三成，或得二成。史語所的預算收入數，從十八年一月份起額定為一萬元，以後漸增至一萬二千元，此後即不曾超出此數。依此比率，一、二組的每年開支約為三萬六千元至四萬三千二百元，第三組則約為二萬四千元至四萬三千二百元。這雖然仍舊不是很寬裕的預算數，但如以十七年預算書中按六組分配，最多不會超過一萬元的情形相比，顯然好得多了。經費夠用，然後可以從容展開較具規模的研究工作。史語所在遷平之後，各項研究工作之所以能有成效卓著的成績，此為重要原因所在。

史語所舊存檔案元字四五二號卷，存有「歷史語言研究所第一組十八年度預算」之手寫草稿一份，不知出於何人手筆。由其內容，可以窺見史語所遷平以後之第一組工作計劃情形。今予抄錄如下：

研究員　陳寅恪　月薪四〇〇元
助理員　浦江清　月薪一〇〇元
研究員　陳　垣　月薪一〇〇元（兼任研究員）
編輯員　余永梁　月薪二四〇元
工作費一〇〇元
編輯員　徐中舒　月薪二四〇元
助理員　趙邦彥　月薪一二〇元
助理員（檔案整理）　月薪八〇元
助理員（檔案整理）　月薪八〇元
練習生　三十人（檔案整理）　月薪六〇〇元（每人月支二〇元）

書記　　（二人）　　月薪六〇元（每人月支三〇元）
特約工作費（于道泉）月支五〇元
特約工作費（容庚）　月支五〇元
特約工作費（趙萬里）月支五〇元
購置費　　　　　　　月支六〇〇元
工作費　　　　　　　月支一三〇元
以上合計——每月三千元

史語所自遷平之後，將每月額定經費一萬元作四股分配，第一組得三成，每月三千元，故上表即為史語所遷平後之第一組每月經費預算。其中除研究員、編輯員、助理員、書記等人之薪俸支出外，尚包括工作費及購置費。而工作費之預算中又以內閣大庫檔案之整理工作費支出最多。除助理員及練習生之薪俸及津貼外，「工作費」項下之一三〇元，亦應包括在內；因整理檔案除助理員及練習生外，實際上尚有雇工數人在內，其工資所出，即屬於此項。史語所在十八年年初以銀元二萬元之代價從李盛鐸手中買回內閣大庫殘餘檔案七千蔴袋，在未遷平之前，一直因經費及房屋問題未能解決而無法開始整理。至此經費有著，工作即可推展。再由此預算計劃所顯示之工作配置情形而言，專任研究員陳寅恪與兼任研究員陳垣所從事者乃個人之史學研究工作，助理員浦江清配屬於專任研究員陳寅恪，于道泉、容庚、趙萬里三人所從事者乃特約研究工作，編輯員余永梁赴巴黎搜集敦煌文獻資料，除此之外，所餘下的工作人員（趙邦彥除外），幾乎全是整理檔案工作之用了。此項工作，後來由編輯員徐中舒先生負責，領導臨時書記及雇工等二、三十人專責從事整理，凡歷時三年之久方告初步結束，其後即陸續編刊明清史料甲、乙、丙、丁等編行世，在學術研究上發生極大的影響力。如以此一工作的參加人員之多，工作量之龐大而言，第一組的其他工作都將為之相形失色。所以我們也很可以這樣說，史語所自遷平之後，第一組的重要工作，就是整理內閣大庫檔案，而且整理成績十分可觀。惟其因為如此，所以對此一重要工作不可不以適當的篇幅專門記述之。

乙、購買內閣大庫檔案

所謂內閣大庫檔案，說得清楚一點，乃是庋藏於「大庫」內的清代內閣檔案。清代的內閣，為庶政所出之地，除殿閣大學士值宿之「直廬」外，設有批本處、誥勅房、典籍廳、稽察房等機構，「大庫」則為庋藏檔案之所。所藏檔案，包括順治、康熙、雍正、乾隆以來歷朝之內外衙門題本、揭帖、文移、書表冊籍等等，甚至還有滿清未入關以前的瀋陽舊檔，以及明史館所徵集供纂修明史之用的天啟、崇禎二朝內外衙門章奏文移，為數極鉅。大庫本有大樓二座，每座上下兩層，縱深數丈，所堆積的歷朝檔案，數以百萬件計。清宣統二年，大庫屋壞，部分檔案遭雨水滲漏溼壞。為了修理庫樓，很多遭水溼壞及因年久而變質變黑的陳年老檔均被移出。有人建議銷毀。羅振玉時為學部參事，建議於管理學部的大學士張之洞，暫時移往國子監存放，徐商處置辦法。這些檔案因此方得免遭「火劫」。民國元年，歷史博物館籌備處成立，檔案移交該館管理。但因裝盛檔案的蔴袋遭竊情形嚴重，該處處長胡玉縉深恐發生問題，報請教育部核示處理辦法。教育總長傅增湘親加檢視，認為並無太大的保存價值，僅指派部中職員一、二十人前來「整理」，決定何者應留，何者應去。決定應予「保留」的是外形比較完整的成捆檔案，後來由歷史博物館繼續保管，也撥給了北京大學一批供作研究之用；至於那些視為不值得保留的，當然是外形較為污穢破損的東西了。這些東西裝在一起，居然仍有十五萬斤之多。由於已經教育部派員檢查鑑定，視為是不值得保留的殘破檔案，遂由歷史博物館以「經費缺乏」之理由奉准變賣，由北京同懋增紙店以四千銀元的代價購去。準備運往定興縣造紙作坊加以銷毀後作為紙漿原料。適在此時，滿人金梁得悉此事，急往告之羅振玉，以銀元一萬二千元的代價向同懋增紙店購回，檔案遂歸羅振玉所有。在羅振玉保有這批檔案的期間，曾雇人稍加檢查，清出若干較有價值的重要文件，編成「史料叢刊初編」印行，一時引起學術界的極大注意。但因檔案的數量實在太多，羅振玉以個人之力，絕無法勝任保藏及整理之責，故其後又以一萬八千元的代價轉售予天津藏書家李盛鐸。李盛鐸買下這批檔案，初意是欲轉賣圖利，其對象據傳為日本的滿鐵公司。事為北平學界人士馬衡等人所知，力加反對，並向輿論界公開揭發此事，方告中止。馬衡旋將此事與陳寅恪商量，認為若非由中央研究院歷史語言研究所出資購買，絕無法防止這批檔案落入外國之手。因為就在滿鐵公司停止購買檔案之後，另外傳出的一項消息亦說，燕京大學有購買檔案之意。燕京大學雖是設立在中國的教會大學，其背景畢竟是外國勢力，即使比由滿鐵公司買去稍好，總是中國的國家之恥。因此陳寅恪纔急與傅所長商議，敦促傅先生從速辦妥此事。關於這其間的種種情形，史語所故研究員李光濤先生生前業已寫過很多文章談及。不過，本書既是記述史語所建所以來的發展史實之書，對於影響史語所研究工作的如此一件大事，豈可因李先生業已有所記述而略去不提？所以仍舊應該根據檔案內的文件，將史語所購買這些檔案的有關紀錄擇要記述，以資徵信。

最早公開提出購買檔案之事的，是傅斯年先生寫給蔡院長的一封私人信。時間，是民國十七年的九月十一日；地點，是在上海的滄洲旅館。此信已在史語所所印「明清檔案存真選輯初集」的附錄中製成圖版，雖因面積縮小太多而無法看得清楚，但已在本書第五章有關陳寅恪先生的記述中加以轉引，可以不贅。蔡先生收到此信後，即於九月十二日致函本院總幹事楊銓商量籌款的問題。信云：

杏佛先生大鑒。頃得周鯁生函，辭法制室主任，似可允之。但應改兼任或特約，請酌之。孟真來函，欲大學院以二萬元購李盛鐸所藏之檔案。如能騰出此款，當然很好，但幾日內有法籌出否？亦請酌行。兩函奉覽。並祝儷安。弟元培敬啟。九月十二日。

傅先生在九月十一日寫給蔡先生的信中說，買檔案大概需要三萬元，亦有可能減至二萬元以內，所以蔡先生函請楊總幹事設法籌措的，亦就是這個數目。其實這所謂三萬元或二萬元以內云云的話，完全只是傅先生一人所說，其目的無非不希望把數目說得太大，以致蔡、楊二先生不願為之設法籌措，則檔案或將不能買成。若從陳寅恪先生的有關書信中看來，則李盛鐸最初所希望的價格，實在遠過此數。摘錄陳先生歷次信函中的有關部分於後，便可知其中之真實情形如何。（李盛鐸號木齋，陳信中所云之「李木齋」，即李盛鐸。「玄伯」則是李宗侗，故宮博物院秘書長。）

一、十七年十月十七日陳寅恪致傅斯年函：

……購買檔案事，因有燕京大學競爭，故李木齋欲得三萬元。玄伯意，若以政府之力強迫收買，恐李木齋懷恨在心，暗中扣留或毀損。且需在國府通過一條議案，極麻煩費事。因大學院已批准二萬元，再與李木齋磋商減價，大約二萬數千元即可買得。此二萬元由大學院原案所批准款項內撥付，所餘之數千元，由歷史語言研究所出。如一時財力不及，則與之磋商分期支付。弟以為此物如落入燕京之手，殊不佳妙。且聞有八千蔴袋之多，將來整理明清史料必不可少之資料，尊意如何？若以玄伯所言為然，即請速覆一函。李木齋住天津，弟未往見。因未得十分把握，亦不能太空洞與之談，即談亦無益也。……

由這一封信可以知道，李盛鐸最初所希望的賣價是三萬銀元，陳寅恪則希望能略減；較二萬元超出之「數千元」，則希望由傅先生在史語所經費中籌措。惟此後的情形則變得十分理想，詳見下函。

二、陳寅恪致蔡元培、楊銓、傅斯年函（民國十七年十二月二十七日）

一、購買內閣大庫檔案事，孟真先生前函囑寅恪赴津與李君盛鐸商議條件。李君現已來京。經叔平先生與之議價，減至兩萬元，較李君前次所索價少數千元，殊為可喜。惟李君有兩條件。⑴須陰曆年內付款。此節據孟真先生函意，及此事與本國史學及本院研究資料關係，無論如何務求撥給此款，以免失此機會，為燕京大學等處所得是幸。⑵李君謂，大庫檔案內如檢得宋板書籍殘頁，須交還渠；因渠藏有宋板書係原藏於內閣大庫者。寅恪意謂，苟檢得殘頁書籍與李君所藏者本是一書，則不妨交還李君湊合成為完書，但此湊成之書須借與中央研究院充分利用；如檢得之殘書非李君所藏者，其一部分則仍留研究院而不交還李君。似此辦法，尚屬平允。不知尊意如何？敬乞示知，以便遵辦。……

「叔平先生」即馬衡。馬衡與李盛鐸磋商檔案售價，李盛鐸竟答應減去「數千元」之數，是否即以李盛鐸所提出之二點為減價條件？事不可知。李盛鐸之意，希望此二萬元能在「年內」付清，此「年內」當然是指陰曆而言，因為民國十七年的陰曆除夕乃是陽曆的民國十八年二月九日，而直到這一天為止，檔案款二萬元迄尚未交付也。其詳情可見下信。

三、民國十八年二月九日陳寅恪致傅斯年書

孟真吾兄左右。頃知李木齋君已返津，年內不來北平。據其來書之意，欲俟兩萬元到齊然後商定。蓋彼或疑不能付清此款。好在此款不久可來，俟來時再與之商量，當可如願。……

陳寅恪先生以為，購買檔案的全部費用既未超過二萬元，而此二萬元又是「大學院」所業已「批准」之數，則只要史語所方面向院方速催、力催，必定可以早日到平。殊不知道當初蔡先生及楊總幹事雖然同意購買這批檔案，這兩萬元究竟由何處籌撥，實在並無眉目，所謂「批准」也者，嚴格說來，只是原則上的「同意」，費用方面，正有待多方設法也。這只要看當時中研院總辦事處發給史語所的電報，便可知道。

其一電云：

> 傅孟真兄。寅恪函北平檔案兩萬元年內須付，惟院無預算。子老意由貴所支出，院墊付，回期還。如不能，乞盼復寅恪。銓。江。

又另一電云：

> 孟真兄。院虧空二萬，各所不肯墊。貴所存款萬五千尚預（？）開支，擬請電商寅恪，年內付半數之事，如何盼復。銓。

又另一電云：

> 中山大學傅孟真兄。報告到，檔案考古款除由所擔任外，實無法。望速決。銓。真印。

這三通電報的譯電紙上均未註明發電或收到日期，其排列次序純係依內容測度，因其中之事實頗可與陳寅恪先生之前述各函相互呼應之故。如「江」電所云年內須付檔案價款二萬元而院無預算，蔡院長意欲由史語所自出，院先墊付。既是「年內」，當是十八年二月九日以前之事。第二電之性質頗同於第一電，楊總幹事意欲「年內」先付一萬，即在史語所存儲未用之經費一萬五千元內撥款。至第三電──「真」電，楊總幹事更直接說明，檔案及考古等項費用，除由史語所自行負擔外，院方實無法可想。交涉至此，可謂已到了圖窮而匕見之地步──院方既無預算，而史語所自成立以來，逐月均有積存未用之經費，累積起來，實已足敷購買檔案之用。如果史語所自己吝而不與，則院本身在虧空纍纍的情形之下，如何能從他處設法籌措應付？當時史語所既有經費餘存，如果傅所長同意由所支付，事情立刻可以解決，否則恐怕夜長夢多，問題重重。當此情況，自然需要傅先生之當機立斷。但我們所不能了解的是：當時的史語所，是否有足夠的經費餘存可購此檔案呢？

由前引史語所民國十七年度收支預算數可以知道，史語所從民國十七年七月一日正式建所以來，截至十八年六月底，一年中所得到的經費收入是銀幣十萬元。但由支出項目中亦可看出，當時的史語所工作人員，自十七年七月即開始支薪者絕少，另有大約四分之一從十七年十月份起薪。自十八年二、三月起薪者最多。既然在民國十七年十二月份以前尚有大部分工作人員並未起薪，其逐月預算當然可有餘存。所以此一年份的支出預算中，購置費支出竟列有五萬元（五〇%）之多，其原因即在於逐月累積未用之款太多。史語所本身有如此豐富的預算餘存，院方之經費又支絀如此，如果一定要由院方設法籌出此二萬元購買檔案，以作為一種贈與之"Donation"，未免強人所難；何況此時的大學院業已改為教育部，與中央研究院全無關係，中研院院長蔡元培先生並未再兼任教育部部長，贈與之說，事實上亦不可能存在了。大概就是因為這種種原因，所以這購買檔案的二萬銀元，最後仍是由史語所自己負擔，列入民國十七年支出預算中之購置費項下報銷，中央研究院方面，不過由會計處為之代匯北平而已。此項代匯之數，亦係分兩期匯付，計每次各匯一萬元，由陳寅恪先生交付李盛鐸。此亦可由陳寅恪先生之來信中證之。民國十八年三月十日陳寅恪致傅斯年書云：

孟真兄：廣州臨行前一函，頃收到，此時想已到滬矣。前日已交李木齋一萬，既已收款，即已購定矣。李即欲將物交付。因天津一部分存寄檔案房屋之主人欲索還屋，故李亦急於賣去，免再覓屋之煩，此乃李之內情，弟前日方由彼處得知者。……

又另一不署年月之信函云：

孟真兄：頃通易公司電匯來一萬元，即以中央研究院歷史語言研究所名義，用活期存款存於此間大陸銀行，俟李君歸來，再與磋商。現燕京與哈佛之中國學院經費頗充裕，若此項檔案歸於一外國教會之手，一國史之責，託於洋人，以舊式感情言之，國恥也。匆上，敬請著安。弟寅恪頓上。二日。

由後一信之內容看，收到通易公司電匯之一萬元，必在交付李盛鐸之前；所以此信雖未署明年月，實際上應為十八年三月二日，亦即在第一信之前八天。李盛鐸收下史語所交付之第一期購檔款一萬元後，陳寅恪先生謂「既已收款，即已購定」，可知在未交款之前仍是懸而不決之事，若不幸而為燕京或哈佛以巨金捷足先得，則這一批檔案勢必將落入外國人之手。陳寅恪先生說：「一國史之責，託於洋人，以舊式感情言之，國恥也。」信然。所幸這批檔案不但為史語所所購得，其負責人傅斯年、陳寅恪諸先生又都是最重視直接史料的著名史學家，這批檔案的真正價值，終於能充分發揮，則誠然是極大之幸事。

丙、北海靜心齋房屋

史語所以兩萬銀元的代價向李盛鐸購買內閣大庫檔案，其第一期款一萬元於十八年三月八日交付。至第二期款一萬元係於何時交付？因檔案中並無資料可查，不詳。其時史語所尚在廣州，而且正在進行遷設北平的計劃，對於這批檔案究應如何處理，一時尚難兼顧。在此以前，史語所曾計劃在北平設立分所，由傅斯年先生函請陳寅恪先生在北平設法覓求辦公所需房屋。陳先生轉託故宮博物院秘書長李宗侗代為打聽，李謂以前清之都察院衙門最為合適。但直到民國十八年三月購定李盛鐸之檔案時，北平分所之房屋尚無著落。李盛鐸催促陳先生準備接收檔案，陳先生對此實感無法，因此只好飛函傅所長設處，前引陳寅恪致傅斯年函中，有一封專談此事。原信發於十八年三月十日，除購檔事已見前引外，其後續部分，引述如下：

……李即欲將物交付，因天津一部分寄存檔案房屋之主人欲索還屋，故李亦欲急於賣去，免再覓屋之煩。此乃李之內情，弟前日方由彼處得知者。其中有一部分，為羅叔蘊所清出，即印出之史料，然極少數，其餘必未打開清理。此檔案中宋板書成冊者，大約在歷史博物館時為教育部人所竊，歸羅再歸李以後，則尚無有意的偷盜，因其勢有所不可。李據實告弟，謂只開過兩包，故此節不甚可慮。又，我輩重在檔案中之史料，與彼輩異趣，我以為寶，彼以為無用之物也。但房屋未覓妥，竟無法收受此樁檔案。前次所請撥之屋，已不甚好，然皆不能成。此事非蔡先生出力與兄來此不可，前此一紙空電，竟未發生效力。故宮博物院之房屋，易寅村尚不肯給，其餘較佳之處，大約須蔡先生與閻錫山商震輩交涉，然後方能得之也。……餘事非面談不可，函中不便多說。惟「匯其他一萬元」及「覓屋」二事，乞特別注意為感。匆復，敬請旅安。弟寅。三月十日。

此信之末，尚有附言二則，其一云：

已付李之一萬，乞告杏佛先生。彼已書一收條，俟再付一萬後，將與二次之收條一同寄院存案。

其二云：

李藏檔案，天津有一部分，非特別請鐵路局撥車運不可。此事已轉託古物保管委員會北平分會，即馬叔平，俟付清二萬及房屋定後方能進行，目前亦空空預備以待而已。

原來馬衡兼具「古物保管委員會北平分會」某種負責人之身分。想必是他在與李盛鐸磋商檔案售價時，必曾以「古物保管委員會」絕不同意此項檔案落入外國之手，即使教會大學亦不例外之理由向李盛鐸軟硬兼施，否則在各方面競購此項檔案之時，李盛鐸正可居奇抬價，絕無遽允降價「數千元」之理。準此而言，陳寅恪先生之籌劃購買這批檔案，正可說是煞費苦心。不過，如今購檔案的問題雖然解決，關於房屋的問題，卻非有「大力之士」出來斡旋奔走不可。陳先生只善讀書而不善於官場中的交涉往還，這一點，惟傅斯年先生兼擅之。所以，一旦面臨交涉的問題，陳先生只好老實不客氣，要求傅先生出來解決了。就後來的發展情形看來，傅斯年先生的交涉成績，確實有其獨到之處。

史語所整理內閣大庫檔案的工作，後來由專任編輯員徐中舒先生負責。（徐先生於民國二十年升專任研究員）當徐中舒先生受聘為史語所專任編輯員，並銜命赴北平協助處理購檔及接洽房屋問題時，曾有一信向傅先生報告辦理情形。此信內容，極為詳盡明白，可使我們了解當時陳、徐諸先生處理此項問題之實際情形，應予轉錄如下：

孟真先生：

……至三月五日始行動身北上，……於九日抵平。職責久曠，至深歉疚！在滬曾晤楊杏佛先生。當時杏佛先生即將乘車赴京，談話間至為匆卒。杏佛先生謂，史語所址設京設平，均可商量，惟廣州歷史材料至少，殊不適宜，且中大有語史所，雖同為國家辦事，仍應分開為是。現在趙元任先生、陳寅恪先生、所中均擬聘為專任，史語所重心，漸向北移，囑弟直往平，不必南行，並囑弟到平與陳、趙、馬諸先生接洽：㈠覓史語所址，宜打聽所索之處屬何處主管，打聽清楚之後電京交涉。㈡檔案已付萬元，餘款俟二月份經費領下即行匯平，云云。

來平後連日晤陳、趙、陳（援庵）、馬諸先生，晤商結果，略述如次：

所址——寅恪先生主張索北海靜心齋（歸外交部管轄），為所址。堂子及御史衙門（歸故宮博物院管轄）為堆存檔案處。堂子及御史衙門，北平故宮博物院沈、馬諸人均不負責，謂易寅邨作主，前曾電京交涉，迄今尚無結果。李玄伯先生云可以商借，亦是口惠。請兄到滬後就近催促，早日解決。至北海靜心齋，與北平、北海兩圖書館毗連，極為適宜，且內有傢俱，不需另外購置。前閻總司令雖寓此養病，但此處確與河北山西無關，只要與外交部交涉辦好，即無問題。馬叔平先生謂此處在公園內，出入不便；但仍謂別處無此好房屋，不妨試索一次。因於前日電致楊杏佛先生云：「南京楊杏佛先生。北海靜心齋隸外交部，懇商王部長。並齋內傢俱撥為史語所址。寅。」此電去後，迄今尚未得復。望商同杏佛先生交涉，務須早日撥為史語所址，俾利進行。

檔案——關於檔案者，現在有四個問題即須解決。⑴檔案僅付萬元，由李木齋存銀行，四釐起息，如館款遲久不能付出，李即將原付萬元退回，打銷原約。前見杏佛先生，謂該款即將匯出。現時二月份經費已領下，聞院給北平圖書館補助費千元（二月份起）於初旬匯到，而此款仍無消息，不知何故？盼催早日匯下，免生其他變動。⑵全部檔案存北平天津二處，存天津者，據馬叔平先生云，須索火車二輛裝運，此項交涉仍須院給文書，現平無印信鈐記，無從進行。⑶寅恪先生謂，檔案在津者係租日人房屋，在平者係租盲啞學校房屋，付款之後即亟待搬運，而堆存之處須有大屋兩所。故堂子及御史衙門，必須早日將交涉辦好。⑷檔案數量至鉅，整理匪易。援安先生前整理北大檔案，成績極好。據云在暑期中調校役三四十人，先作粗略的分類。內容方面，如奏本、報銷、揭帖……地域方面，如各省府廳……年代方面，如順、康、乾、道，雖大同小異，亦各具特有形式，一望可知。此種分類，即能識字之粗工亦能勝任。至斷爛首尾不完具者，及分類以後之摘由，皆須先經訓練，始可從事。史語所不妨先設所員訓練所，加以三個月之訓練。至馬叔平先生謂，招考小學畢業生及中學生四十人，在大學歷史系卒業之大學生指導下從事工作，乃屬理想之談，恐多滯礙。

敦煌材料……

以上三項。請斟酌緩急，分別進行。寅恪先生甚盼兄早日北上，主持一切。不然一切散漫，無從進行。……

弟中舒謹上。三月十四日。

關於史語所的所址問題，陳寅恪先生看中北海靜心齋。其地在北海公園之內，本為清宮園苑房屋之一，不但地點幽靜，而且與北海、北平兩圖書館毗連，可以就近利用兩館圖書。在史語所成立初期，本身的圖書設備尚極貧乏的情形下，有此條件，當然十分理想，但因其地早由外交部用作貴賓招待處，迨政府遷離北平之後無貴賓可以招待，則又改作該部之檔案保管處，如撥為史語所所址，外交部設於該地之檔案保管處勢將撤銷，對於該處工作人員之生計影響頗大。所以儘管外交部長王正廷表示可借，檔案保管處的祁處長卻多方推宕，以致交涉不能著力。其中情形，徐中舒先生於此時所寫給傅斯年先生的信中，說得最為明白。亦抄錄其中之有關部分如後：

……靜心齋房屋，於二十一日晨偕趙元任陳寅恪兩先生，會同外部駐平保管處庶務主任方君，踏看一次。客廳三間最好，方君謂留為夏日招待外賓之用，須與所合用。廳之東及後有房兩座，周有走廊連貫，可為住室。兩座約五六間，僅能住三四人。此外西偏房兩排，合五六間，為廚房聽差居室，方君謂此須留為檔案保管之用。如此則所實際借用者，不過五六間住房而已，其不敷用甚明。且外部保留西偏房，將來糾紛必多。陳趙二先生之意，以為此時不妨與外部力爭，務須全部借用。如辦不到，不如另租民房。又傢俱合用者雖不多，但另置則須兩千餘（內有面盆、浴盆、馬桶六、七套），外部前已允借，茲復食言，其中必有弊端。前北平圖書館接收居仁堂時，傢俱遷移一空，當時亦謂運京，而結果則為私家朋分而已。使靜心齋借得而傢俱運走，則所將一無所得。外部駐平保管處動曰請示京方，實不可以理喻。寅恪先生尤不願與此輩交涉，仍盼先生及杏佛先生在京滬接洽。……

徐中舒先生此信，信末所署日期為四月二十五日，可知中央研究院與外交部之間的上層交涉雖已辦了很久，外交部的北平檔案保管處仍動輒以「請示京方」為推拖延宕之術，而且多方飾詞刁難，其目的總在希望史語所知難而退，借不成靜心齋的房屋。陳寅恪先生不願與「此輩」交涉，只好向楊總幹事及傅斯年先生搬救兵，但楊、傅二先生又何嘗願意向這些專會打太極拳的「官僚」交涉？不過他們確實有其高明厲害之著數，足以擊破這些官僚們的太極拳戰術。其辦法是先照檔案保管處所開的條件接管靜心齋的房屋，俟搬入之後，再以各種理由商請外交部續借仍由檔案保管處所佔之餘屋。外交部長王正廷及次長唐悅良既無法峻拒，在北平的檔案保管處自更無法不聽命於上級。這種「反客為主」的戰術，終於剋制了外交部北平檔案保管處的大小官僚，靜心齋的全部房屋，在後來終於全歸史語所所使用。由此亦可知道，中國官場中的積習甚深，很多事情，往往不能循正當程序獲得解決。靜心齋的房屋問題，即其一例。

丁、接收歷史博物館

就在史語所計劃由穗遷平，及為所購內閣大庫檔案整理工作的場地問題大費周章之時，史語所發展史上的另一件重要事情發生了，那就是接管「北平歷史博物館」之事。

史語所舊存檔案元字第二九一號卷中，存有教育部長蔣夢麟寫給傅斯年先生的信函殘件一件，其首尾均被截去，其粘連在一起的殘葉亦係由兩張信箋所拼成，只可由此看出所談之事乃有關於北平歷史博物館之隸屬問題而已。信云：

（上缺）教部歷史博物館之處置，有兩種辦法，任兄擇一見復。一、交與歷史研究所代管，用人行政，教部概不過聞。預算由研究所代編，由教部支給。二、撥歸研究所管理，每月之款，

撥發至預算年度終結為止。（因既將該館撥交研究所，教部自不能於下年度再列預算。）（下缺）

由於原信的首尾各頁均不存於原卷之中，單看此二頁殘箋，絕無法了解教育部在當時何以要提出此一計劃？以及此事究竟因何而起等等的問題。王懋勤在民國五十六年時編纂所史資料，曾說此事係由傅斯年先生主動向蔣部長提出，目的在取得歷史博物館的管轄權之後，可以借該館位於午門樓上之廣大房屋進行內閣大庫檔案之整理工作，但未見說明係引用何項資料中之敘述。今閱史語所接管歷史博物館案件之傅所長代擬本院致教育部之函件，可知其說實有根據。傅函之內容照抄於後。

逕啟者：頃接本院歷史語言研究所函開，敬陳者，案博物館之發達，端賴專門學者之整理、歷年不斷之增益、研究結果之報告、精編目錄之刊行；蓋保存之中寓有研究，研究之果在於著述，此通誼也。查北平之歷史博物館，藏物頗有根基，可據之以成大規模之博物館，只以限於經費，未能多聘整理研究之人。而歷史語言研究所不乏專家，從事整理之業，只以自無材料，亦感創業之艱。若以歷史博物館併入歷史語言研究所，則以彼材料，用此人力，必感相得益彰之效，不特舊物得適當之保存、整理、與刊布，而歷史語言研究所以後歷年所獲，盡以增益此博物館，亦可日益發達，歷史博物館必有整理之人，歷史研究所亦日獲新出之具，合之兩美，離之兩傷。尤有進者，歷史研究所近以二萬元購李氏所有之明清內閣檔案，實與歷史博物館藏者為一事，後乃無端分為兩宗，合為一起，事半功倍。為此種種，擬請鈞院轉向教育部商量，可否將歷史博物館劃歸歷史語言研究所，以便收切實之效。至於歷史語言研究所經費，目前實感不足，如劃歸時，仍盼教育部在一年之內，繼續撥發歷史博物館經費於職所，俾能充分進行。職所必於一年之內將歷史博物館整理完備，刊印圖影目錄，以不負教育部之盛意。至於檔案，亦於撥到之後即行編輯。所有請教育部將歷史博物館聯同經費撥歸職所一事，是否可行，即希酌奪，等因。查敝院歷史語言研究所所陳各節，確係實情。理合據以奉達，如荷贊同，於吾國歷史學術之發達，當有裨益。此致國民政府教育部，國立中央研究院院長蔡〇〇。

此函之原稿上未署發文日期，想係因呈院繕發之故，案存院中，故祇存此草稿，而不知確實發文日期。但如由中央研究院此年八月七日致史語所函，轉知接收歷史博物館一案已得教育部覆函同意，囑即辦理接管云云之件看來，史語所呈院之函，必係十八年七月間所發。復查史語所在十八年七月二十二日舉行之十八年度第二次所務會議紀錄，亦有關於此案之討論。其決議即是決定採取教育部所提之第二項辦法，將歷史博物館撥歸研究院管轄。原紀錄上關於此事之內容如次：

第七案——本所應否接收歷史博物館案

說明：教育部可撥給歷史博物館之兩項辦法：一、代教部管，二、歸研究院。請討論。稅務處房子允借，而該檔案處早已將其租出，本所檔案又急待整理，若接收史博館，有地方可以整理、保存，故不得不一斟酌。如何辦法，商定後即電教部。

所務會議主席是傅所長，提出此案而又加以說明之人，當然就是傅先生。綜合這些有關資料，可以相信王懋勤先生寫在所史資料中的記述，是正確的。這不僅因為他是中央研究院的「老人」，而且他在作此記述時，亦必定多方諮詢史語所中的舊日同仁，如當時尚健在的故所長李濟之先生，即是。傳說性的記述既與檔案資料互相吻合，當然可以相信其所述即是當時之事實。由此而言，傅斯年先生當年為了整理這批檔案，還真是費盡了九牛二虎之力。而且也真的還虧了是傅斯年先生，若是別人在作史語所所長，是否有此能耐，具此神通，還真是一個絕大的問題呢！

史語所接收位於北平午門城樓上的歷史博物館，後來並即在該地進行檔案整理工作，關於這方面的情形，下文另有記述，這裡應先夾敘一段發生於民國十九年春夏之間的史博館危機。因為歷史博物館在此時已歸史語所所管轄，而且史語所所進行的內閣大庫檔案整理工作即在該館所在地，一旦史博館發生危機，就等於是史語所的危機，豈可略而不述？下面先抄一件民國十九年四月四日歷史博物館致史語所之箋函，然後再加說明。

敬啟者：昨准新委古物陳列所歷史博物館主任柯璜函開，「頃奉陸海空軍總司令閻任命狀開，任命柯璜為北平古物陳列所主任，兼歷史博物館主任，等因，遵於本月五日上午九時前往接事。除分別電報外，相應函達，即希查照。」等因到處，敬以奉聞。此上，歷史語言研究所。

國立中央研究院歷史博物館籌備處謹啟。四月四日。

北平歷史博物館原隸教育部，自民國十八年改隸中央研究院後，改稱「國立中央研究院歷史博物館籌備處」，由史語所就近管理。籌備處並無「處長」、「主任」之類的主管官員，只由史語所成立了一個「籌備委員會」，聘特約研究員朱希祖為委員長，專任研究員兼所長傅斯年，專任研究員兼一、三兩組主任陳寅恪、李濟，專任編輯員董作賓、徐中舒等為委員。舊時的北平歷史博物館主任裘善元，此時已由史語所聘為專任編輯員，亦為委員之一，仍兼負實際管理之責。隸屬於國立中央研究院，而由歷史語言研究所監督管理的歷史博物館，忽然由陸海空軍總司令閻錫山派來一個新的主任，並且事先來函通知準備接印視事，這對於當時的歷史語言研究所及歷史博物館豈是小事？

閻錫山之出任陸海空軍總司令，並通電接收中央政府派駐平津冀察各地之一切政府機關，起因於當時的政治糾紛——閻錫山、馮玉祥、李宗仁等聯合反叛國民政府。此一政治糾紛雖因閻、馮之中原大戰失敗而告終場，但北方局勢則因閻、馮勢力之介入而一度陷入混亂，如閻錫山以「陸海空軍總司令」名義濫委官員，到處辦理接收，即其一例。閻系勢力在北方到處接收中央政府轄下之各級機關，學術文化機構原在例外，所以在北平的史語所並未受其影響。只因閻系的官僚政客並不了解此時的歷史博物館已不隸於教育部，而且與隸屬內政部的「古物陳列所」截然二事，根本不應該將歷史博物館與古物陳列所一同列為接收對象，所以纔有這種錯誤。幸賴北平學界人士向閻錫山鼎力斡旋，接收之議，方告打銷，然而在史語所方面已因此而引起莫大之騷動矣。北平學界人士為此事而出力排解，其盛情至可感念。所以應將此時之各方來往電報酌量記述，以存信史。

一、民國十九年四月四日江瀚致閻錫山電

太原閻總司令賜鑒。北平之歷史博物館去夏由教育部取消，改由中央研究院院長蔡元培先生，由院組一委員會，在內整理史料，陸續刊布，以餉國人。此館與古物陳列所本為兩種機關，毫無關涉，因無收入，特撥院款維持。今聞此機關由公派員與古物陳列所併同接收，整理工作不能進行，想此中情形未蒙詳知。蔡院長全國學界人望所歸，此事又僅學術機關，我公素日扶持文化，想必力加維護。務乞設法分別辦理，俾整理工作得繼續進行。請即賜復，學界同仁不勝感幸。江瀚。支。

二、民國十九年四月六日閻錫山復江瀚電

衛戍總部轉江叔海先生道鑒。支電誦悉，古物陳列所與歷史博物館委員兼辦，係為鄭重保管，節省經費，並非合併。承示有礙研究學術，中央研究院照舊管理，亦無不可。請將該委員會組織辦法檢寄一份，以便定奪為盼。閻錫山。魚印。

三、民國十九年四月九日江瀚致閻錫山函（抄件）

百川先生賜鑒。魚電敬悉。歷史博物館事承鼎力維護，學界同仁至深感幸。茲謹遵命檢寄中央研究院職員錄一份，其中第二十三葉即該委員會之組織。並抄該所檔卷二件，藉悉此委員會之由來及其辦法。外附歷史語言研究所近日刊物三種，敬請鑒察。該會為純學術機關，先生觀此，當蒙洞悉一切也。又該院歷史語言研究所在北平之工作，大體為整理明清史料、調查方言、殷墟考古等，頗得中外之譽。先生交遊中如王鴻一、孔雲生諸君，亦知其詳也。耑此，敬叩勛安。

四月九日。

四、民國十九年四月十四日賈景德致王鴻一函

鴻一先生大鑒。關於歷史博物館事，頃奉百公總座復電云，已飭暫緩接收，其他文化機關，亦允加以維護，云。特此奉達，並頌道綏。弟賈景德拜啟。

四月十四日。

歷史博物館籌設於民國元年七月，早期之籌備處地點在前清之國子監官舍，所有藏品不多，半係國子監舊藏之圖書板片，餘則購自洛陽之墓俑明器等等。民國六年，北洋政府教育部計劃將歷史博物館遷至午門及端門間之城樓，民國七年七月正式遷入，曾將兩門略加修葺，以午門城樓及兩翼亭樓作為陳列室，午門內兩廊房屋作為儲藏及辦公等室，端門樓上則存貯粗重物品。遷址以後，多撥經費，故能有力量遠至鉅鹿故城從事考古發掘，及往河南信陽發掘漢墓。自民國十年以後，該館藏品漸豐，聲譽日起，除該館自身廣事採購古物外，私家藏品贈送該館庋藏者亦復不少。但北洋政府後期之政治極為混亂，經費常多欠發，至國民政府收復平津之時，該館久因經費匱乏而陷於停頓狀態。民國十八年六月，國民政府教育部接管該館，深感經濟困難與鞭長不及之苦。傅斯年先生於此時向教育部部長蔣夢麟提出接管之議，蔣部長自樂於贊成。但中央研究院之經費原不充裕，接收該館後，僅能編列該館之每月經常費五百元，於維持該館工作人員之薪資外，事實上無法開展博物館應有之工作。迨民國二十年之後，九一八事變及一二八事變相繼發生，政府財政支絀，研究院經費僅發至原預算數之六成，於歷史博物館自更無力充分照顧。故傅斯年先生在建議接收該館時所擬之種種發展計劃，用意雖佳，事實上並無實行之能力。而該館撥歸史語所管理之後充其量亦祇能維持其最低限度之正常運作，及借用該館之午門城樓房屋作為檔案整理之用而已。歷史博物館在民國二十四年之後仍復由中央研究院劃出，隸屬時間既短，復無重要業績可言，可以置而不論。今且續述借用該館午門房屋辦理檔案整理工作之事。

戊、內閣大庫檔案之整理及刊布

國立中央研究院所編印之十八年度報告，第十一款為史語所部分。此報告之第一章——一年來工作概況，云：

本所自廣州遷平後，將原有八組改為第一、第二、第三三組，已具詳十七年度報告中。本年度各組工作，即實現十七年度所定計劃，及繼承其未完之事業，而尤注意於歷史語言的材料之取得，及與此項材料有關之目錄學。……蓋材料齊備而後研究事業始有所資藉，而目錄學又實為研究事業之初步也。……

史語所費二萬銀元從李盛鐸手中購回之清代內閣大庫檔案，即是最大宗之歷史材料，既然「材料齊備而後研究事業始有所資藉」，對於這一批為數有七、八千蔴袋之多的巨量檔案，當然需要立即從事整理，以便研究人員得以取材。而且這項整理工作應該愈快愈好，因為這時的歷史語言研究所並沒有更充分的史料及足夠的圖書可資研究參考也。正因為此一緣故，所以傅斯年先生纔要百方為檔案整理工作尋覓所需房屋，最後乃擇定了歷史博物館的午門城樓。歷史博物館此時雖已撥歸中央研究院轄屬，由史語所接收，但畢竟是不同的單位，借用房屋亦仍然應該有必需的禮貌。所以檔案中便可看到史語所與史博館之間為此事進行之借用公文，迻錄如下：

一、民國十八年八月二十日，史語所致史博館籌備處函：

逕啟者。查敝所由李木齋手購到檔案數千蔴袋，須集中於一適當地點，以便整理。查貴籌備處午門樓上西翼接連三座房屋，容量寬廣，便於堆存及攤開整理之用。擬請貴處借給。再，左闕門旁南北朝房十間，右闕門南朝房兩間，一併撥借，以便工作及工人寄宿之用。事關本院學術事項之進行，想貴處必樂於贊助也。如何之處，即希查照惠復是幸。此致，歷史博物館籌備處。歷史語言研究所啟。

二、民國十八年八月二十五日歷史博物館覆函

敬覆者。頃奉大函內開，貴所擬借午門西翼接連三座房屋，及左闕門旁南北朝房十間，右闕門南朝房兩間，為貴所堆存及整理檔案之用各節，事關本院學術之進行，自當欣然贊助，祈即派人點收為荷。此致，歷史語言研究所。中華民國十八年八月二十五日。

借用歷史博物館午門城樓進行檔案整理工作，其時間起自民國十八年九月，迄於民國二十一年終，前後歷時凡三年四個月。關於檔案工作進行的情形，負責人編輯員（十九年十二月升研究員）徐中舒先生曾撰「再述內閣大庫檔案之由來及其整理」一文，刊於史語所集刊第三本第四分，民國二十二年出版。此文中的「史言所檔案整理之經過」一節，敘此最為詳盡，無異是記述檔案整理工作的最佳文獻，今引敘其原文如後。

史言所所藏內閣檔案，原為民國十年歷史博物館所售出者。此項檔案，自售出後數經災厄，最後仍歸公家所有；其中雖不免遭遇種種的損失，但在近代學術史上，畢竟是一件差可欣慰的事。

史言所動議購買此項檔案，在民國十七年十二月。其時史言所尚在廣州。及十八年五月，全所移平，八月，始將此項檔案移運至午門西翼樓上，開始整理。其工作較之北京大學及文獻館整理工作，繁重數倍。大概北京大學的檔案，都是比較整齊的案件；文獻館紅本庫所存，不但捆

紮整齊，且年月次第都沒有紊亂。而此項檔案當初由歷史博物館售出時，就是破碎的居多，及輾轉遷移之後，就更加零亂不堪了。我們最初整理這些檔案時，必經過下列許多程序：

㈠去灰　此項檔案，積存的時間久，又數經遷移，其每次遷移之後，其貯存的地方，都不甚適宜，故積塵甚厚。整理之先，必須去灰。其時雇有工人十九人，為此項工作，均戴避風用之眼鏡罩與口罩。

㈡鋪平　史言所檔案，大半與字紙簍中字紙無異。初整理時，每件必須逐一鋪平。此與去灰係連續之工作，費時最多。

㈢分類　此為整理時最重要之工作。初為外形的分類。蓋此項檔案，如明題行稿、清紅本、揭帖、移會、謄黃、賀表、各項簿冊雜稿、及殘本書葉等，其外形各各不同。在稍有經驗之工人，一見即可識別，按其形色，分別處置。同時有書記六七人，同熟練之工人，選檔案中最多之紅本、揭帖，按其內容，作簡單的分類。其手續先將紅本中關於刑科的部本、通本，即三法司案卷，與禮、戶、工、吏、兵各科繳進部本及各省通本，分別處置，然後再與揭帖等各按時代分類，即順治、康熙、雍正、乾隆、嘉慶以下至光緒朝，各為一類。

㈣捆紮　各項檔案分類之後，再用麻繩捆紮，分別處置。

㈤剩餘碎檔之處置　此為整理時最困難的問題。因此項檔案自歷史博物館售出後，經過數次改裝遷運，其中破爛的約占全量檔案三分之一強，其比較整齊而前後缺失的，尚未計入。這些破碎的檔案，片紙隻字，全無連貫，整理不能，除非有很充足的經費與時間（較之現在的工作，恐要增加數倍），既為我們的財力所不許，而隨意棄置，又大不可。凡是這一類的檔案，我們只得仍舊裝入蔴袋中，留待他日環境允許時再為整理。當我們做這工作時，我們總是很小心，總極力要把這裝入蔴袋的分量減少，凡是稍微整齊一點的，我們都檢出來，捆紮上架。

㈥裱褙　此項檔案既破碎居多，有些重要的，或破爛過甚的，必須隨時裝裱。因此我們就在午門樓下預備了一間裱褙處，使與整理工作得有聯絡。凡已經整理出來的史料，無論如何碎爛，我們絕不能使其毀在我們手中。有些斷卷殘件裡，很有不少重要的史料，往往因拼接裱褙之結果，而復成一完整之件。我們的同事李光濤先生，對於這件事貢獻尤大。他在許多碎片當中，按紙質、紙色、及紙的裂紋，先行接合，再選取碎片中字體相同、辭意連屬者，參以經驗，依次拼上。如明稿及謄黃之類，往往有連綴數十碎片而成一整件者。這樣工作，在史言所檔案中，實在是必要的。我們曉得，如果我們稍一疏忽，就有許多重要的史料將被永遠埋沒。這樣拼接的，在史言所檔案中確是不少，其中有許多明稿及瀋陽舊檔，都是很可重視的文件。

㈦抄錄副本　擇重要檔件抄錄副本，以便編纂付印。

此項工作，自十八年九月起，至十九年九月止，前後一年之間，纔粗告一段落。同時，我們也組織一個「明清史料編刊委員會」，那時計審定編印之史料叢書一種（清代官書記明臺灣鄭氏亡事），明清史料四本。

此種最艱難的初步整理工作，羅振玉在史料叢刊初編的序裡寫他整理的經驗，說：「檢理之事，以近數月為比例，十夫之力，約十年當可竟。」現在我們以僅倍於「十夫之力」的人力，而居然在一年以內完成了，這真是我們最高興的事。不過這樣初步工作，僅略事分類，仍不便於編號上架，而欲其可以供給史家的利用，實不能不再作一次更精密更詳細的分類。不幸我們此時以人力與財力的關係，不能夠放手做去。我們此時工作的人，幾乎減少了一大半。我們這時的工作，完全集中在分類方面，即繼續從事工作程序中第三項工作。凡從前已分朝代的揭帖與紅本，現在更重行按年排列，捆紮上架。從前未分朝代的，如三法司案卷、移會、謄黃、賀表、各項簿冊等，現在再一一按朝代分年排列。捆紮上架。此項工作，較之初步整理，費時更多，每一檔件常須經過兩次以上的手續。即先將朝代分別之後，又須分年排列。其殘損之件，年代缺佚，或紅本中僅存滿文之件，又須分別提出，另行度置。因此至二十年年度終了之時，此項工作雖未全行整理完畢，然大致均已就緒。同時，前項工作程序中的六七兩項，在此次整理時，仍繼續進行。明清史料編刊委員會又審定編印史料叢書一種（內閣大庫書檔舊目），明清史料六本。

當二十一年年度開始時，分類整理的工作，未完者僅十之一二。前此參加工作的人，現在乃減至三人，俾得結束此未完之工作。當二十一年年終時，所有已整理的檔案，全已上架，雖未編號登記，然重要檔件已有簡明目錄可查。至是，此項檔案已可按年索求，供研究之用。此時我們乃計劃開始為檔案研究的工作。一方面設明清史參考室，將史言所所藏關於明清史的書籍全行移置其中，並將檔案中重要文件，或錄副陳列架上，以供編纂之用。

徐中舒先生的這一段記敘，對於史語所在民國十八年至二十一年間初步整理明清檔案的情形，已經有了一個大致的概括性說明，讀之自可得一大概的觀念。如果希望能在數目字方面有一更為明白的印象，則可以另外參考史語所已故研究員李光濤先生的另文說明。

說到史語所的內閣大庫檔案，就不能不對史語所的已故研究員李光濤先生表示深摯的敬意；因為他在史語所服務的四十多年的時間裡，幾乎就完全奉獻在這批檔案的整理、研究工作上。內閣大庫檔案中所蘊藏的無數寶藏，差不多都是經由李先生的辛勤努力，而後能夠貢獻於史學界的。徐中舒先生雖是史語所早期從事檔案整理的負責人，論到對檔案的研究貢獻，仍當推李先生為第一，不可不在此加以特別說明。

李光濤先生是安徽懷寧縣人，民國前十年出生，只在安徽省立第一師範畢業，入史語所前曾在海關工作。他與徐中舒先生是同鄉，以臨時書記名義入史語所整理檔案，亦出於徐先生的介紹。入所以後，在徐先生的領導之下，與另一位臨時書記尹煥章同為檔案整理工作室的臨時管理人，直接向徐先生負責。當時，參加整理檔案工作的人員，共有臨時書記十人，工友十九人。臨時書記中除李、尹二位外，其姓名分別為程霖、周士儼、張文熊、馬進修、潘小珊、嵇澤貴、陳長青、梁士琦。這些臨時書記，其後獲得史語所留用為正式書記的，計有李光濤、尹煥章、程霖、張文熊、周士儼五人，但只有李先生在檔案研究工作上具有成績，而且獲任為助理員，從此歷升為史語所之助理研究員、副研究員、研究員，成為聞名國際間的明清史專家。徐中舒先生在上文中亦已曾說到，李先生在整理檔案時，對於拼合殘件最有心得，經由李先生之手獲得復原成為整體的檔案殘件，為數甚多，而且多數均甚有價值。可見李先生在一開始便對這些檔案投入高度的關注與熱心，了解既深，所知自多，其後來之研究成績，可說即發軔於此。李先生在升為助理員之後即繼徐先生負責檔案之管理及研究工作，生平著述極豐。史語所於民國四十八年曾編印「明清檔案存真選集初輯」，此書書前有李先生所撰序文，對於這些檔案的來龍去脈及整理情形，均有生動明白之記述。因其內容頗與徐先生之大文有重複之處，不贅引。但亦因李先生乃是當年親身從事整理檔案之人，與徐先生之但司督導指揮者，感受程度不盡相同，所以其序文中亦有若干特別的內容，乃是徐先生所不曾注意到的。例如工作人員之姓名，工作中所感到之苦樂，以及外界人士對於檔案工作人員之批評等，均是。這些當然無關大雅，可談可不談，值得一談的則是李先生序文中所提到的檔案重量問題，亦此事中的重要掌故，應該附帶一提。

據李先生所說，內閣大庫檔案當初由歷史博物館賣出之時，約重十五萬斤。及史語所將李盛鐸分存於平、津二地之檔案運至午門從事整理時，秤得的實際重量，祇有十二萬斤之譜。則這批檔案在同懋增紙店及羅振玉、李盛鐸手中流轉之時，已損失約三萬斤。到了民國二十一年終，整理工作初步結束之時，這批檔案的實際重量約略如下：⑴已被整理上架的，計佔九十大木架。每架四層，每層約載二百斤，一架以八百斤計，九十木架約重七萬斤上下。⑵仍被裝入蔴袋的破碎殘片，計有一千二百餘袋，每袋以三十斤計，總重量約四萬斤。⑶因整理檔案而落下的灰土，亦有一百二十蔴袋之多，每袋以一百斤計，約重一萬二千斤。綜上記述，可知這批檔案在經過三年多的整理之後，可用的檔案不過只有七萬斤之譜，約當歷史博物館賣出時重量之半數；其餘半數，不是散佚、損失、就是愈變愈為殘破，與泥土灰塵結合在一起，成了無用之物。這樣的損失比率當然很可觀。不過，經由史語所大舉整理之後所得的結果，發現這批檔案之中特別有價值的東西實在並不太多，大部分都是各衙門例行處理的公文簿冊，並非即可據以纂修清史或重修明史的原始史料。據說傅斯年先生在知道此一情形之後頗為失望，以為所費太多而所獲太少，殊不值得。李濟先生所撰「傅孟真先生領導的歷史語言研究所」一文中，對此曾有記述，看來殊為有趣。李文說：

記得有一次在北海靜心齋與孟真先生閒談，說起午門檔案整理工作，他頗有點失望的表示。問他為何有此不滿？他說：「沒有甚麼重要的發現。」我聽了有些不大懂得他的意思，因再問他：「什麼叫做重要的發現？難道說，先生希望在這批檔案內找出滿清沒有入關的證據嗎？」他聽了為之哈哈大笑，從此再不說這件事了。❶

❶ 史語所編印之「傅所長紀念特刊」頁一六，民國四十年三月出版。

李先生所記述的這一段笑話，頗可看出當時一般人士對這批檔案所存的奢望，以為其中必有「無盡寶藏」，可作澄清一切疑難問題之用。一旦發現這些檔案的絕大部分只是清代各部院所日常處理的一般政務，而並無十分隱秘的珍貴史料時，便不免對之大失所望了。李光濤先生以極大的耐心在這些檔案中潛心摸索，在明稿、瀋陽舊檔、清初檔案中發現甚多與官書所載截然不同的記載，由此考證出許多人所未聞的史事真相，這些檔案的真正價值，纔逐漸為世人所體認。那當然是另一個問題，可以無須在此多所辭費，所應該在此一說的，乃是徐中舒先生在前文中所說，史語所整理檔案工作因受人力及財力之限制而不能「放手」去做的問題，其中的原因又是甚麼？

己、國難當頭

民國二十年九月十八日的晚上，瀋陽事變發生。不旋踵之間，東三省及熱河均為日本帝國主義所侵佔。這是中國近代史上極有名的「九一八事變」，也是中國最大的國恥。日本侵略者謀亡中國，處心積慮已久。九一八事變並未引起我國的對日抵抗，更助長了侵略者的野心。四個月之後，「一二八事變」又在上海爆發了。這一次，由於我國軍隊的英勇抵抗，雖死傷慘重，而堅決死守陣地，苦戰不退，終於使侵略者也嚐到了失敗的苦果。一二八抗日之役，歷時數月之久，日軍不能得逞於淞滬戰場，頗欲沿長江深入內地各省，以脅迫我國政府接受其侵略條件。在此嚴重威脅之下，國民政府亦不得不遷都洛陽，以避其兇焰。在戰爭持續期間，銀行停止匯兌，金融市場一片混亂，政府財政更是左支右絀，拮据不堪，全國各政府機構莫不因此而裁員減薪，困難萬分。在這國難當前的嚴重關頭，史語所亦為政府機關之一，焉得不因此而大受影響？其中情形，可以先抄一段傅斯年先生在所務會議中的報告文字，藉見一斑。

史語所民國二十年度下屆的第一次所務會議，舉行於民國二十一年之一月二十八日上午十時至下午一時，地點在北平北海靜心齋史語所的圖書室。那一天，淞滬戰爭已在上海爆發，但遠處北平的史語所同仁尚未知悉。而史語所的經費情形，則自二十年十一月份起，已因九一八事變所造成的國難問題而發生積欠了。這天的所務會議中，傅先生曾向與會同仁報告史語所的經費困難情形，也提到了院方對經費問題的應付辦法。會議記錄中所記報告內容如次：

本所經費，一月份已領一成，但去年十一、十二兩月尚無著落。現在本所共欠二萬三千餘元。此次南去，在京滬參加本院臨時院務會議兩次。第一次在滬開會討論本院緊縮辦法，詳細情形見本院臨時會議記事錄。在緊縮期中，即二、三、四三個月中，本所經費按六成支付，即六千六百元。在本院方面，除總辦事處外，以本所社會研究所支付數為最多，其他各所有減至三成者。第二次在京開會，審核本院各處、所、館在緊縮期間應付舊賬。本所在此期中，以一萬元為限。……

在此一會議記錄中即有關於檔案整理工作的緊縮計劃，亦抄錄如下：

檔案整理暫行縮小範圍案——傅斯年徐中舒提出

說明——檔案第一、二兩步工作已畢，如再繼續，必須有較充裕之經費，添置木架，增加工作人員。現在緊縮期中，擴大既有所不能，仍舊工作，亦難收效果。故就目前狀況言之，必須縮小範圍，以期節省。

議決——書記李光濤、尹煥章、張文熊三人仍分負保管之責及任鈔寫工作，程霖、周士儼二人調至二組工作。工人酌留一、二人，餘給資遣散。

整理內閣大庫檔案工作因經費緊縮而縮小工作範圍，這僅是史語所受緊縮影響的一環而已，其他方面的影響，尚有更大於此者。這一層，且留在後面再說；現在且先看看傅斯年先生所說的「本院緊縮辦法」，其內容如何？

民國二十一年一月十六日，中央研究院各單位主管在上海舉行臨時院務會議，由總幹事楊銓為主席。此會主要為應付經費困難而開，故紀錄內容亦不出此一範圍。摘錄其中要點如下：

主席報告——本院經費，自去年下半年起即已發生困難，財政部積欠已經三個月之多，而院中少數存款，亦將用罄，倘不及早設法緊縮，渡此難關，院務將難以維持。故今日臨時邀請諸位來此，共商節流開源辦法。務祈各抒己見，俾使院務不致中斷。前月因本院經費困難，曾會上海同仁商得緊縮原則三項，已得院長同意。今日可以之為根據，共同討論。

一、各所館經濟獨立，仍繼續維持，惟決照緊縮預算支付。

二、在政府財政困難時期中，本院應先定三個月之最低限度緊縮預算，以應付難關。

三、本院各所、館應付款項，即日開單交會計處彙齊審核，分緩急定付款辦法。

……

議決各項：

一、限各所、館趕造三個月之緊縮預算，於下星期二（二十日）以前，連同購置費應付未付款項詳單交送會計處。

二、二月份起，薪水在五十元以下者照付，五十一元至一百者一律九折，折後不足五十元者以五十元支付，一百零一元以上者一律八折，折後不足百元者以百元支付。其餘若所得捐等項，俟發足薪水時扣算。

三、請假超過二月以上者停薪。

四、凡特約研究員津貼一律停止。

五、在緊縮預算期內，一律停止加薪添人。

……………

當時中央研究院所屬各研究所的「緊縮預算」，原則上是依據政府經費只能按五成發放之假設標準擬訂的，惟史語所因有檔案整理及安陽發掘等特別支出之故，從寬列為五點五成，即可按原預算每月經費一萬一千元之五五%支列，計為每月六千零五十元。這項緊縮計劃擬訂之初，原以為只需應付最初幾個月最嚴重的困難時刻後，即可漸復正常，孰知其後來情形並非如此。民國二十一年五月中旬，中央研究院再在上海召開院務會議商討緊縮辦法，由傅斯年先生寫給趙元任先生的信中可以知道，除二十年十一、十二兩月之額定經費分文未曾領到外，二十一年度各月經費的實領情形，一月份只有一成，二三四月各祇三成，五月份以後始漸增至五成。當此年五月間中研院在上海開會時，五月份經費情形如何，尚不可知。院中經費既係以五折籌墊，而院方向財政部實際領到之數又只有三成而已，再拖上幾個月，就會把院中經費完全墊支淨盡，到時候將如何「共渡時艱」，誰也無此把握。為了這一原因，所以院長蔡元培先生及總幹事楊銓先生再度呼籲大家設法節省，所提出來的辦法中，對史語所有直接影響的共計二點，一是撤銷社會科學研究所後在史語所中新增一組，以容納社會所原來擔任之研究工作，二是語言組在洋溢胡同所租房屋必須退租，搬回北海靜心齋與所本部同在一起，以資節省開支。語言組房屋退租的問題，前文已有述及；社會所併入史語所的問題，後文另有述及；今先將傅先生所寫信件中有開史語所此時之困難情形，摘錄一段於後，以見此時的史語所所面臨的危機是何等的嚴重。傅先生寫給趙元任先生的信，在討論洋溢胡同房屋退租問題時已引述其一部分，此為其另一部分。原信云：

……上海戰起，弟以為研究所生存之希望十之一耳，故不得已想了好些節省的辦法。蓋當時知十一、十二兩個月分文未領，一月一成而已。如此是真辦不下去的。同時院中來電來信，令以撙節、緊縮等等者，不計其數，研究所尚有今天，非當時所能料及也。在這些計劃中，二組移居亦是一個，然此並非大的。即如我之別求生路，亦是一個，亦不是大的。其最大者是：在萬不得已時，一、二組減至每組一位研究員；考古組可以不動，因為沒有許多薪水；或者第一組完全取消亦可，因為考古也是歷史。無論如何，我自己當然是走的。如此，由濟之負責，由中基會月出三千元光景。此意自然不便多對人說，寅恪當時不在城中，故只對濟之說過；說時適彥堂來，也聽到些。他們都說，現在且不必先想到這些。我現在說到這一段不該說的故事，無非要說明，二組移居之議，並非單有的，且遠不是最澈底的。在當時的那些不得已之舉中，今日看來，只有一件事做到，即請適之先生幫忙莘田、方桂二位翻 Karlgren 書一事。然而其他各法弟皆有準備，只是後來的環境因用不著而作罷了。……

傅先生在此信中說，當危機最嚴重的時候，他曾擬好很多應變的辦法，「只是後來的環境因用不著而作罷了」。此所謂應變之法，大概就包括了他在上信中所說的各種：裁員、縮併、及自己離開所長之職，由李濟之先生領導此殘存之史語所，以儘可能爭取史語所的生存機會等等。傅先生在當時竟有此最惡劣的打算，可知在危機嚴重之時，史語所的生存機會，真是不絕如縷。其所以終於能得免於難，當然應歸功於蔡院長、楊總幹事等最高負責人之多方設法，共度時艱。在財政部經費斷絕之時，研究院的維持，主要依賴當年所募得的基金利息，及應付未付各款之暫時挪移應用。當時雖有薪水減成發給之決議，但因顧慮院中存款有限，不便悉索摒擋之故，臨時改變決定為只發「生活費」以維持全體員工之最低限度生活需要，俟經費情況好轉後再相機而作。當時所決定的「生活費」數目是，月薪不足六十元者一律照數發給，超過六十元者一律只發六十元，經過如此改變之後，史語所全月的「維持費」只需三千數百元已足，其他各所、館、處當亦類似。此一辦法使院中的九萬元存款發揮了最大的救命效果。五月份以後，財政部發下的經費增至額定預算之五成，情況大有改善，自院長、總幹事及傅所長以次的全院同仁，總算放下了緊張的心。但因日本侵略對於政府財政經濟的影響畢竟太大之故，史語所的額定經費，在很長時間之內一直不能按希望增加至理想的數目，對於史語所的發展與成長，畢竟仍有很大的影響。在這種情況之下，來自中華教育文化基金會及中英庚款方面的補助費，對史語所事業發展的幫助，就更顯得可貴了。

庚、安陽發掘

史語所在民國十八年至二十六年之間，在河南安陽殷墟故址所舉行的十餘次考古發掘，乃是二十世紀三十年代中國學術界的一件頭等大事。由於安陽發掘所獲得的成績十分輝煌，震撼了全世界的歷史學家與考古學家，中央研究院歷史語言研究所的聲譽，頓時宏揚於全世界。史語所故所長李濟博士撰「傅孟真先生領導的歷史語言研究所」，曾將此事歸功於傅斯年先生的卓越領導，以為若不是傅先生的高瞻遠矚，在短短的時間內就為第三組劃定了安陽考古的工作範圍，史語所的考古成績，當不致在幾年之內就獲致如此輝煌熠耀的成就。這話當然不錯，但是，雖然現在已有很多學者對史語所的安陽發掘成績給予具體的肯定，對於史語所當年如何辛苦爭取這一考古發掘的權利之事，恐怕就太少有人知道了。這誠然是史語所在建所奠基時代所辛勤獲致的成果，有了此一前提，然後方有後來的考古發掘可言。因此需要在撰述本書時詳為記述，以明瞭其源起始末。

在沒有敘述史語所如何爭取發掘安陽殷墟的權利之前，有一篇文章不可不讀，此即是李濟博士撰寫於民國十九年初的「現代考古學與殷墟發掘」。此文所介紹的雖只是考古學的一些常識問題，卻直接暴露了當時中國文化界中那些自命為「維護學術」的衛道之士，是如何的淺薄無識。正因為這些衛道之士的無理阻撓，中央研究院史語所在安陽所進行的考古發掘，幾乎陷於無法進行的困難地步。這其中的種種原因，錯綜複雜，絕非三言兩語所能交代清楚。所以必須先將李先生的大文引述一遍，然後再以李先生的觀點來與當時的實際情況互相印證，庶幾可以了解此事的癥結所在。李先生的大文，引述於後。

現代考古學與殷墟發掘

李濟

在現在的中國，要是派一個沒學地質的人去採礦，人們總以為是一個笑話；但是「考古」呢，普通人總覺得是誰都可以辦得到的。一年半前，中央研究院約董作賓先生去試掘殷墟的時候，就有好些朋友笑他太不憚煩了。他們說：「你何不叫人掘出來，去收買，又省錢，又省事，何必自己麻煩呢？」這種很富於常識的忠告，自然可以代表一般人對於考古學的態度。就是四十年前的歐洲學者，對於這種見解，也可表相當的同情。許禮曼掘荷馬故址的惟一的資格，是因為他有錢。那時的希臘學者多當著笑談。但是許禮曼確是一個歐洲考古學的先驅。近四十年，西方科學的挖掘一天精密一天，多半是他創造出來的局面，到了現在，古物挖掘差不多同採礦一樣的專門。就技術方面說，掘古物較採礦尚複雜得多，非有若千年的預備，絕不敢輕於一試。現在的中國學者，有好些對於考古學尚有一種很普遍的誤會。他們以為，考古學不過是金石學的一個別名。這種誤會，可以說有兩個來源：(1)因為缺少自然科學的觀念，(2)以為古物本身自有不變的歷史價值。由第一種誤會，就發生一種「人人都可考古」的觀念；由第二種誤會，就產生了那「惟有文字才有歷史價值」的偏見。其實金石學與現代考古學的關係，好像煉丹學之於現代化學，採藥學之於現代植物學。煉丹採藥，自有它們在學術史上的價值，然而絕沒有人說它們就是化學或植物學。

現代考古學的工作，大致可分兩大段——挖掘與考證，兩者都分不開的。挖掘不考證，出來的古物就無價值可言。考證的依據，大都靠著挖掘的記載。記載就是出土物件的靈魂，沒有出土的記載，考證的結果絕沒有頭等的科學價值。這是金石學與考古學很重要的分別。什麼是挖掘的記載？我們可以分兩段來討論，(1)記載什麼？(2)如何記載？

談到「記載什麼」，必須聯談到挖掘者的資格。一個專以挖寶貝為目的的人，自然談不到這件事；就是叫他記載，他也不知道記載什麼。現代考古家對於一切挖掘，都是求一個全體的知識，不是找零零碎碎的寶貝。要作到這件事，他至少要相信「知識」是他最後之目的。但是，這種態度是慢慢的訓練出來的，養成的，不是要「有」便可「有」的，或者可以「封」到別人身上的。這種訓練包括：(1)一切自然科學的基本知識；(2)人類史的大節目；(3)一地方或一時期歷史的專門的研究。頭二種為一切考古家的普通訓練，第三種定本人工作的範圍。就現在的趨勢看，這些資格也許不全具於一人，但在一個團體內總要全代表出來。有了這種訓練，考古的人就可自己知道他所求的是什麼。他就有了問題，他就可以設計來解決這問題，他就可以應用一切方法使這計劃實現了。有了問題，設了計劃，定了方法，自然知道要記載什麼了，那記載的內容也自然豐富了。但如只知道記載什麼，不知道如何記載，不特勞而無功，終算不了科學的考古。這種「如何」的解決，也是一種特別的訓練。一位不能定高下，不能辨東西南北之人，就是有一大堆極好的問題在心中，他的記載終歸失敗。一個照像，往往勝於一萬個字的敘述。但是照什麼東西？用什麼鏡頭？用什麼版片？亦不是沒有預備作得到的。最要緊的還是文字的記載。這種記載不但指那出土物件的位置而言，要包括它的所有的環境；換句話說，這種記載的目的，要能使挖出來的物件仍舊可以歸到原來的環境。以上是就普通挖掘說。實際上，各遺址有它的特別情形，處理的方法也有小異。挖一個城與挖一個墓不一樣，挖一個大墓，又與挖一個小墓不一樣。

殷墟的挖掘，本是很難的一個題目，考古組同仁誰也不敢說全具現代考古家的一切資格。但是各人對於所研究的問題，都有若干年的預備，並有相當的經驗，所以小心翼翼的合作起來，對於現代考古研究所須的知識，尚稱齊備。因為這是一件國家的事業，所以我們預備了極長久的計劃。我們並沒有期望得許多甲骨文字。在我們認定題目範圍之內，除甲骨文字，可作的工作甚多。自然，這遺址的重要，全是因為有文字存在，時代上沒有許多疑問，所以一切無文字而可斷定與甲骨文同時之實物，均有特別研究的價值。就殷商文化全體說，有好多問題，都是文字中所不能解決，而就土中情形可以察得出的。這裡面顯而易見的幾個問題，如：這個地方究竟是一個什麼地方？忽然埋藏著這些帶文字的甲骨？又何為而被廢棄？關於這類問題，就是只有甲骨文字興趣的人，也有時不免要問問，但如要實際解決它們，卻很費一些手續。這種題目雖說可以提開問，卻不能提開解決；只有整個的問題解決後，這兩個問題也隨著解決了。

「整個」這觀念，本來各人有各人的說法，我們在這地方就是說，要把小屯村地面下一切物件，先作一個類族辨物的功夫，看它們空間性是否混亂？時間性是否複雜？作這件事，我們先要解決所謂地層問題。我們理論上的出發點是假定著：要是地層沒翻動過的話，我們可以認定凡與甲骨文同層出土的物件，都可定為與之同時；要是地層經過翻動，我們應該區別那種物件是原在的，那種是後加的。所以我們擬定的工作程序，有下列的重要題目：

一、殷商以來小屯村附近地形之變遷及其原因。

二、小屯村地面下文化層堆積狀況。

三、殷墟範圍。

四、殷商遺物。

這四項題目中，甲骨文字，可以說只居第四類之一部，而第三題與第四題又完全看第一題與第二題能否滿意的解決。要解決第一題與第二題，又非有專門的訓練不為功。第一題不但為一地質專題，兼涉及歷史地理。我們解決的方法是：⑴先從測一地形圖入手，⑵再西入太行勘察洹河沿岸地質，⑶東測黃河故道找它與洹河的關係。我們深信，要解決殷墟的興廢及廢後的變遷，必須先要有這一部地質上的基本知識。殷墟地層之構成與附近河流之變遷息息相關，地形地質的問題不解決，地層的問題也不能全解釋。對於第一類題目，春季只作了一部，繪了一幅五千分之一的地形圖，秋季本擬續作第二與第三分題，因為發生糾葛，遂爾中止。同時我們對於地質以外的地層問題，卻大部分解決了。解決這類問題所用的方法，也可略加說明。一個最大的關鍵在於掘墓時的觀察。小屯自從殷商廢棄後，歷代多作葬人之用。每經一次墓葬，地下即翻動一次。然歷代習俗不同，有掘及黃土方葬者，有未及黃土即葬者。由這些不同的習慣，我們就得了研究地層很好的幾個標準。由這種觀察所得的結果，我已經作了一篇論文，在安陽報告第一期發表。此處我只舉一個例，說明這方法的應用（略）。

此種類似的證據很多，我們把各時代這種層次看清楚了，積起來，我們把小屯地面下堆積的歷史就可弄得清楚。堆積的層序研究清楚了，我們才能斷定，孰為殷商，孰不是殷商。若就位置深淺論，是殷商的不必全在深處，有時竟在淺處。這種現象有時可以給我們研究地層的反證。我們對於各種出土物品的位置，都用三點記載法或層疊法記載得很清楚，所以可以利用這種材料的地方很多。一方因地層而定殷商遺存的性質，一方又假殷商的物品考較地層的變化，兩者相互為證。現在，我們對於小屯的一部分地層已經近於完全的解決了，從此再進而研究第三類與第四類問題，就可迎刃而解。

以上所說的，只是我們對於殷墟發掘應用的方法之一部，並不是說凡是挖掘都可應用此種方法。凡是受過科學洗禮的人都知道，「運用之妙，存乎一心」。有題目才有問題，有問題才選擇方法，由方法應用可再得新問題，周而復始，若環無端，以至全體問題解決為止。我們要知道，時時刻刻我們可以有意料以外的發現，所以時時刻刻要預備新的應付。譬如說，在這次的挖掘，我們因方法的應用，無意之中發現了銅器時代有「俯身葬」的習慣，由此而發現小屯銅器時代俯身葬與甘肅俯身葬的關係問題；又無意之中發現了隋唐時已有了束足的習慣，替中國風俗史加了些新的證據。而此種觀察，固非有心人不能得之，若一經毀棄，即永絕人世。所以現代的考古家經過十數年的嚴格訓練，方能荷鋤持鏟，去田野工作，自出問題，自解決之。若號稱為「專家」者，運籌於千里之外，而聽雇員指揮工人在田野為之，終不能成事。這是我們所不取的。

洋洋灑灑地抄錄了這一大篇文章，乍看之下，很不容易知道有何用處，但如與當時策動反對力量以阻止中央研究院在安陽從事考古發掘的某一宣言相比看，就可知道當時中央研究院從事安陽發掘之所以會橫遭如許阻力，其中的道理究竟是為什麼了。關於這一問題，傅斯年先生在民國十九年二月曾撰「國立中央研究院歷史語言研究所發掘安陽殷墟之經過」一文以闡釋之，文長逾一萬二千字，由於客觀原因的顧慮，傅先生在此文中並不能夠直抉其隱，坦白指出這些阻撓的內幕原因究竟是什麼，反不如藉此兩文之比對觀看，可以看出其中的真相。所以筆者纔不敢憚煩地將李濟先生的原文抄述如上，藉存原貌。至於反對中央研究院從事安陽發掘的「宣言」，則是由當時河南圖書館館長兼民族博物院院長何日章所署名散發的一篇「發掘安陽殷墟甲骨文字之經過」。讀何日章此文，不但可以知道李先生大文中所說的金石家與考古家之真正分別，亦可以看出這些自命為專家的衛道之士，他們之所以要反對中央研究院在安陽發掘，其主要的心態又是什麼？何日章的原文，亦照抄於後。

發掘安陽殷墟甲骨文字之經過

竊維日章承乏河南圖書館暨民族博物院，受事以來，臨履滋懼，勉盡駑駘，矢勤矢勇，不謂於發掘殷墟一事致惹中央研究院考古組之誤會。案關史蹟，其間經過情形，有不得不為同仁告者。謹將始末情由，一略陳之。

查最有價值的史料之殷代甲骨及器物，埋藏於河南安陽縣小屯地方，此為豫省學術界久欲發掘，加意保存者也。乃去年十月間中央研究院考古組前往發掘，經日章呈奉河南省政府指令；「所請保存安陽龜骨等物一節，應准照辦。除函知中央研究院查照，並令行安陽縣暨派往委員張錫晉遵照外，仰即知照。」旋奉訓令，以中央研究院覆函略開：「所請以掘出古物留存開封陳列一節，自可酌量辦理。請令飭河南圖書館館長會同本院特派員董作賓遵照辦理」，等語。日章迭與董君虛衷接洽，而董君始終延宕，不得要領，不曰「發掘完竣再行商酌」，即曰「彼無全權」。日章又託本館指導員安陽中學校長張尚德就近交涉，卒無明瞭表示。孰意本年春季考古組復來安陽發掘，並將兩次掘得古物遝運北平，事前既不通知參加委員暨特派員，事後亦不報告省政府。日章職責攸關，安能緘默？因復擬具計劃，聘請專家羅振玉先生、袁復禮先生擔任考證，組織委員會從事工作，呈奉河南省政府指令規定發掘辦法三條：「⑴准予河南圖書館暨民族博物院自行發掘，陳列開封，公開研究。⑵中央研究院特派員不遵照函商協定，將發掘龜骨器物潛行運去。只得先行謝絕考古組之發掘，再與中央研究院交涉，請其履行協定。⑶令行安陽縣長協助河南民族博物院辦理，並阻止別人發掘。」詎鳩工往掘之日，該考古組又不遵照協定通知此間，仍舊在小屯地方繼續發掘，並派專員赴北平砌聳張繼先生。河南省政府暨教育廳接到張氏電，略謂：「考古組在安陽工作，突有何日章自稱奉省命前往拒絕，並派人發掘。茲經審議，以何既無考古學識，又無計劃，未可聽其毀滅此惟一史跡，應請電令即日停工，靜待中央解決。」等語。查內政部「名勝古蹟古物保存條例」第四條第五項：「其他金石陶器雕刻等各類古物，應調查收集，就地籌設陳列所，或就公共場所附入陳列，並嚴定管理規則，俾免散失。」及第六條：「各省、縣政府為保存轄境內名勝古蹟古物，得於不抵觸現行法令範圍內發布單行規則。」此項殷墟古物應由地方負責保存。乃該考古組於第一次發掘之後，既不履行與地方合作之條件，又不通知委員暨特派員逕行從事第二次發掘，兼於發掘場所周圍以軍隊佈防，如臨大敵。先後發掘三次，為期已逾年餘，其所掘得之古物為數若干，研究之方法如何，陳列之計劃何在，殆無從知其梗概。十一月四日，中央研究院復致電省府，略云：「院掘安陽古物，全為研究發揚吾國文化，俟結束後，當分陳中央及省博物院」，等語，並派傅斯年君蒞汴接洽。經日章提出辦法：⑴依照研究院養電，將安陽掘得古物陳列省垣博物院。⑵將去冬今春所運去之古物，限期運回開封，妥適保存。⑶在省垣設立古蹟古物研究所，其組織方法由中央研究院、河南考古學會、及中山大學史地學系會商妥定。而傅君所提辦法：⑴為謀中央學術機關與地方政府之合作起見，河南省政府教育廳遴選學者一人至二人，參加中央研究院安陽殷墟發掘團。⑵發掘工作及所獲古物，均由安陽發掘團繕具清冊，每月函送河南教育廳備查。⑶安陽殷墟發掘團為研究便利起見，得將所掘古物移運適當地點，但須函知河南教育廳備查。⑷殷墟古物除重複者外，均於每批研究完結後，暫在開封陳列，以便地方人士參觀。⑸俟全部發掘完竣，研究結束後，再由中央研究院與河南省政府會商分配陳列辦法。日章與傅君意見，經調人迭次商榷，已漸接近，似可告一段落。惟陳列地點一項，傅君堅持不在河南民族博物院，並謝絕調人，拂袖而去，致令會商辦法，又歸停頓矣。

夫以中州文獻，合千萬人之力以維護之，猶虞不給，日章以當代名流數千里外所斥為「既無學識又無計劃」之人當之，其收效之微，自無足數。惟以職責所在，罔敢怠忽，苟有利於本省文化，刀鋸鼎鑊，亦所弗辭。此後究應如何進行，仍望邦人君子時賜明教，俾日章有所遵循，則不惟一省文化事業之幸，亦中華民族數千年史乘之光也。

何日章謹述　十八年十二月

以何日章所寫的這一篇「發掘安陽殷墟甲骨文字之經過」，與李濟先生的前述文字互相比看，可以看出非常明顯的一點差異，即李濟先生所述說的，乃是如何以現代考古學的學識應用於安陽發掘工作，而何文的重點則在安陽發掘所獲得的「古物」，其中又以「甲骨文字」為最重要。試看何日章屢次在他的文章中說到「將兩次掘得古物逕運北平」、「此項殷墟古物應由地方負責保存」，及「先後發掘三次，為期已逾年餘，其所掘得之古物為數若干，研究之方法如何，陳列之計劃何在，殆無從知其梗概。」云云，可知他心目中的安陽發掘，其最大的收穫就是由此能夠掘得埋藏於地下的「古物」。所謂「古物」，照當時一般人的觀念，青銅器、玉器之類貴重的「古董」之外，同樣具有珍貴價值的則是「甲骨文字」。何日章是羅振玉的學生，羅振玉以撰寫「殷墟書契考釋」而成為聞名國際的甲骨文專家，自羅振玉以至何日章，他們對於「安陽發掘」的重大期望只有一項——希望多獲刻有文字的龜甲牛胛，其他都是無關緊要之物。所以他們的發掘目的是多獲甲骨文字，所謂「破壞地層」以及「考古學乃是極專門而極複雜的一門學問」之類的話，是他們聽也不曾聽到過，也絕不肯相信的。李濟先生在他的大文中一再強調，說：「在現在的中國，要是派一個沒學地質的人去採礦，人們總以為是一個笑話，但是『考古』呢，普通人總覺得是誰都可以辦得到的。」「現在的中國學者，有好些對於考古學尚有一種很普遍的誤會，他們以為『考古學』不過是『金石學』的一個別稱。」這些話顯然是專門說給何日章這樣的「學者」專家們聽的。無奈說者自說，聽者哀如充耳，他們始終認定中央研究院在安陽所從事的考古發掘是在那裡「掘寶」，基於轄境內所得「古物」應歸當地地方政府保存，「以免散失」的堂皇理論，於是他們可以煽動那些熱心「地方文獻」而對考古學毫無認識的人出來與中央研究院對抗，形成了阻撓發掘的一股極大力量。

中央研究院史語所第三組在組主任李濟先生的主持領導之下從事安陽發掘，所掘得的「古物」，當然很多。不過，在安陽地下所掘得的「古物」雖多，此所謂「古物」，與何日章心目中的「古物」實在大有距離。其實際情形，可以參看李濟先生當時所寫給傅斯年先生的一封信。原信寫於民國十八年三月十二日，實物原件尚保存於史語所舊檔元字第二十五號，「李濟之」之卷宗內，抄錄其前半段如下：

> 孟真吾兄大鑒。開始工作電報想已如期達到，千分之一地圖初稿已繪成，挖掘五日亦略有所得。唯弟以為考古組此次之來彰德作站，不宜專以收集古物為目的。此等東西，自然是愈多愈妙，且最足動人觀聽，引起社會注意。然若專以此為目的，則必與我輩科學的考古之目的不合。所謂「科學的考古」者，㈠必須有問題，㈡必須有方法，㈢記載必須精確，㈣必須無成見，㈤必須有耐性。此五條件中，第一項完全為個人學問上修養之所得，非能強為者。二、

三、四項大部分為訓練問題，第五項則半關訓練，半關癖氣，此五項資格，弟個人亦不能全具，故將來是否能成功，尚不敢說，不過總想盡力向此路走。至於此次來彰之最大問題，弟視為最需解決者有二：㈠為龜甲文時期之物質文化及其老家，㈡為龜甲文文化與仰韶期文化之關係，若能附帶的解決他種問題，固甚妙，若不能解決其他問題而能解決此兩問題，亦不算大失敗。唯據五日來挖掘經驗，尚不敢說定能解決此兩問題。地層凌亂，自不待說，在此種情形之下，是否能得一完全無缺之殷墟故積，實難預言。擾亂地層之主力，有天然者，有人工者，人力擾亂尤以過去者為多，今日挖古董者尚不算重要的。數日來所得之龜甲文（已有數十片）之土層，極不一致，有沙土，有泥土，有黃色，有灰色，有在地面者，亦有極深者，而龜甲文之下又有近代墓地，前日發現一唐墓，其上固有龜甲文也。總計五日來之所得，不能不說成績甚好，除龜甲文數十片之外，有骨針、鹿角、箭頭；古墓兩處、陶片尤多。陶片者，弟視為最要緊，而旁人多視為最不要緊者也，現已積數十盒矣。……

安陽發掘，從此時開始一直到民國二十六年，前後舉行了十餘次之多，發掘所得，甲骨文及殉葬物之外，數量最多的就是這類「骨針、鹿角、箭頭、陶片」等等的古代文物，說它們是「古物」嗎，一點不錯；但如要把它們一概視為具有「古董」價值的古物，可就相去十萬八千里了。何日章等人不知道考古學所最重視的就是這些足以代表古代文化的陶片、石器、骨殖、鹿角、箭頭之類，誤以為史語所挖得成箱成盒的古物都是非常值錢的古董與有字龜甲，於是乎就急不及待地起而相爭了，更何況當時所掘得的「古物」中，確實有為數不少的「龜甲文字」呢！

史語所在安陽從事「考古學」的發掘，而何日章之類的河南地方人士則把他當作是掘寶式的發掘工作，彼此間所引起的爭執不小。民國十八年秋間，當李濟先生所率領的考古發掘團再度前往安陽工作時，何日章所策動的阻撓力量就已發生了具體的作用。十月八日，河南省教育廳所主辦的河南教育日報，登出了有關此事的新聞，其標題曰：

安陽龜甲文字將自動發掘

中研院不遵協定潛運出境

何日章呈請自掘已有眉目

觀此文字，不難知道反對人士心目中的安陽發掘，不過祇是發掘有字的龜甲牛胛，其他固非其所知也。可怪的是，當時的河南主政當局，自省政府主席以至教育廳廳長，似乎也不知道「考古」與「掘古董」之間的差別，因何日章之呈請「自行發掘」，就率爾批准，並明文禁止中央研院再在安陽發掘。為了希望打破這一僵局，傅斯年先生一方面請求院長蔡元培先生去函河南省政府解釋，一方面又要求負責內政部古物保管委員會的黨國要人張繼出面斡旋。張繼支持中研院的立場，去電河南省政府要求制止何日章的濫掘，卻不料因為措辭失當，反而招致河南省主管當局的誤會。於是這中間的轇轕愈來愈深，一時之間，很不容易解決。

史語所舊檔，元字第一四一號「安陽工作糾葛」卷中，存有段錫朋致傅斯年先生一函，發信時間是民國十八年的十一月七日，信云：

孟真兄：方得敬齋兄回信，原函夾封奉閱。發掘龜甲事，一切官方私人手續，似都可停止。何已被令停止工作，兄似可日內依弟意前往中州與敬齋兄接洽。此事雙方職員皆有失檢之處，要當平情衡之。弟錫朋叩。十八、十一、七日。

李敬齋是當時的河南省政府教育廳廳長，他寫給段錫朋的信，別存於元字一五一號的「安陽工作糾葛」卷內。看李敬齋之信，不難了解段錫朋信中所說的「雙方職員皆有失檢之處」也者，究竟是何意義？因此也抄錄其原信如下：

錫朋志兄大鑒。展誦錦章，為之失笑。連日接果夫先生、溥泉先生電責，及道藩兄函問，方知有此誤會。尊函所稱，較得其平，然亦無勒令停止工作之事。弟所以派何館長前往發掘者，蓋因此項古物，無人經理，恐被盜賣，又以該館存有餘款，約有專家，故令試辦耳。如知研究院亦在挖掘，或無款無人，絕不多此一舉。研究院派員，今春既不踐約，此次來豫，又不通知地方，何君一去，又未與之磋商合作，亦不來汴面籌妥法。去後張大其辭，紛請各方函電援助，均嫌幼稚。弟已令何君停工返汴，祈轉知前途來汴籌議為荷。謹頌寒祺。弟李敬齋拜復。十八年十一月二日。

李敬齋信中，一則說，如果他早知道研究院亦在安陽發掘，或者河南民族博物院無此經費，無此人才，他絕不會讓何日章到安陽去和研究院搶挖；再則說，研究院此番來豫發掘，並不知會聯繫，何日章去了之後，又不派人來開封商議解決辦法，卻只抬出各方要員來函電指責，其作法實太幼稚云云，先後之間，顯然存有矛盾。因為研究院在民國十七年冬間派董作賓往安陽試掘，已曾因何日章之干涉而引起河南省政府與中央研究院之間的函電磋商，雙方並洽定發掘所得物品的處理辦法；則研究院之續擬再次發掘，正是顯而易見之事，如何可說不知道研究院亦在挖掘，纔另派何日章前去「自行挖掘」？李敬齋信中之所以有此矛盾，無非只是一種遁飾之辭，藉此遮掩其派遣何日章前往挖掘之不當行為耳。至於李敬齋為何要任令何日章到安陽去「自行挖掘」，在下面所引的幾件資料中，或者可以稍為看出一些跡象來。

史語所舊檔元字一五一號，「安陽工作糾葛」卷中，存有下述三件電稿，雖不知其是否曾經拍發及於何時拍發，但因均為傅斯年先生之親筆稿底，且均與此事有密切關係，可知其中所透露的消息均極為重要。今按其原來之排列次序，轉錄如下。

第一件。

南京中央黨務學校段錫朋張道藩兄轉呈果夫先生，敬齋在黨教潮中表面周旋，實犧牲院工作，不踐前言，如成與何合作。務求果夫先生發兩電，在星二省會議前到。敬齋但以自己地位為重，全不踐前言。年。

第二件。

南京中央黨務學校段錫朋張道藩兄，務請果夫先生分電韓、李，星二省會前到，敬齋因對彼黨糾教潮，頗犧牲此，盡食前言。電復，年。

第三件。

南京中央黨務學校段錫朋，並轉道藩劍翛，省府未遵國府電辦理，何派人仍在彰亂掘，弟謙和讓步至極，省府將另擬所謂合作辦法。此事本由敬齋引起，今不敢為我主持，乞即日請果夫先生再電敬齋，務辦到發掘由院負全責，不受制限掣肘，更同樣電託韓主席，尤感。請劍翛陳夢麟先生，請組老再申國府世電。弟住汴中山大學，年。

由上面所引述的三件電報稿中大概可以看出，第二件即是第一件的濃縮，而第三件之內容及辦法，則均較第一、二件為詳。很可能的情況是，傅先生先擬了第一件電報稿，因文字不妥而刪節成為第二件；但文字太簡則不足以表達實際情況，所以最後又另擬為第三件。由第三件，乃可看出當時河南省政當局對安陽發掘一事的大致態度，李敬齋雖為負其實際責任的教育廳廳長，卻因背景複雜而不敢擅自作主，於是乃有表面一套話，實際上另一套作法的矛盾現象。檔案中另存有李敬齋覆陳果夫先生的電報譯文一件，最可以看出其敷衍態度。電云：

南京中央黨部組織部陳果夫先生鑒。儉電敬悉。前據圖書館長兼博物院長何日章呈請發掘殷墟古物，經轉省府准予試辦。中央研究院倘再發掘，自當盡力贊助，佈告禁止，絕無其事。此間如有特別發現，亦可呈送中央，藉資研究。李敬齋，陷印。

李敬齋說，河南當局絕對沒有出佈告禁止中央研究院發掘之事，不錯，因為他們此時已設計了另一套抵制中央研究院安陽發掘的辦法，此可由河南教育日報所載有關此事之消息中見其梗概。民國十八年十一月二十九日該報載云：

安陽殷墟甲骨文，為近今考古學之至寶，中央研究院與河南民族博物院俱在發掘中。昨（二十八日）日上午八點，何日章、關百益、任懷榮等晉謁韓主席，報告交涉情形，略謂，經安陽縣長決定，中央研究院佔地十七畝，河南民族博物院佔地二十七畝，各自發掘。主席面諭：「既與中央研究院分行發掘，甚善，予電飭安陽縣長，對於兩方面均妥為保護。」想安陽古物糾紛，暫可告一段落矣。

又，民國十八年十一月三十日該報載云：

安陽甲骨文古物問題，發生以後，因關係古代文化至鉅，中央與地方頗有爭執，所有經過情形，屢誌前報。省政府對此問題，曾訓令各該機關，以利進行。其令文如下：「查發掘安陽殷墟古物一案，關係中國古代文化至為重要，無論中央或地方開掘，均為研究學術，似無爭執之必要。本府現正籌擬辦法，以利進行。在未擬定辦法之前，雙方掘則同掘，停則同停。合行令仰即便遵照，並轉知雙方查照，為要。」

這就是何日章他們這一班人所設計出來的抵制辦法——在安陽指定中央研究院的發掘範圍，與河南民族博物院所派去的發掘人員同進同退，「雙方掘則同掘，停則同停」，以免地下古物全被中央研究院所掘去。由此亦可知道，何日章等人所藉以煽動地方人士反對中央研究院考古發掘的理由，乃是他們認定了中央研究院到安陽去從事考古發掘的真正目標，就是當地所埋藏的大量古物。民國十八年十一月二十八日河南教育日報所載，河南民族博物院於此時所舉行之「安陽甲骨文等古物展覽會」，何日章曾在會中致詞，報告此會之意義，其言論內容，即是最有力之證明。亦轉錄如下。

何日章之報告略謂：予之報告現分三部。(1)當河南民族博物院籌備時，即有發掘安陽及洛陽澠池各處古物之計劃。及十六年五月，奉令改博物院為民族博物院，因洛陽有私行發掘古物之

> 事，當即前往洛陽考察一切，未及兼顧安陽古物。此時乃有中央研究院特派員在安陽發掘殷墟甲骨文之事。當經呈請當局向教部交涉，並呈准由博物院自動出資發掘，以資保存。經過許多手續，現在仍在進行中。(2)博物院呈准派人在安陽發掘古物，僅十餘日而成績已非常可喜。所掘得者，除甲骨文外，尚有許多陶器、石器、骨器，人骨、獸骨等物，皆足為考古最好之資料。現已掘得之物運來四箱，俾大家得以先睹為快。(3)博物院奉令改組以後，因建設過急，塑製模型較多。現將各室陳列品漸次改良，有白雲寺的大部佛經，有袁世凱的衣冠遺物，有大宗的古磁像器，有甘肅的珍貴物產，有上海畫的各時代文物圖畫，皆為蔚然大觀。現又得有此項甲骨文等古物，更為博物院生色不少。尚望到會諸君指教，共策進行，云云。

將何日章的報告辭與河南教育日報的前二則新聞記事合併起來看，就可知道，當時河南人士之所以會附和何日章的主張，反對中央研究院在安陽從事考古發掘，就是因為他們認為那裡的「古物」珍貴無比，所以不能任令中央研究院掘去，而應由河南人自行發掘、自行研究，「中央政府絕不能阻止河南人研究學問」。當時的河南省政府主席，是新由馮玉祥的西北軍系歸順中央的韓復榘，他雖然不敢開罪中央政府，可也不願意得罪河南省教育文化界的知識分子，所以一看到他們提出來這麼一個「劃定地區，各自發掘，掘則同掘，停則同停」的「妥協」辦法，覺得如此必可使中央研究院感到滿意，就同意照辦。殊不知如此一來，中央研究院史語所派在那裡的考古組同仁，等於被縛住了雙手，施展不得，又如何還能有成績可言？中央研究院的考古組同仁，碰到了何日章這樣工於心計的積猾之徒，與韓復榘這樣的老粗人物，可真正是無策可施。當時的情形，由檔案資料中可以看得出來的是，中央研究院正由兩途進行，以設法化解其中的障礙。一條途徑，是由研究院出面，託請黨國元老吳稚暉先生代為轉陳國民政府主席蔣先生，由蔣主席致函韓復榘勿使何日章從中搗亂；另一條途徑則是由河南教育文化界人士從中疏通斡旋，以雙方從事合作之法和平解決爭端。今分別記述如下。

史語所舊檔元字一五一號卷中，存有傅斯年先生發致院方的電稿一件，乃傅先生之親筆文稿，內云：

上海，究四四九六，乞稚老力託蔣主席急電報，發掘係院整個計劃，辦理經年，不便無端改組，致難進行，仍照國府世電即辦。年。

所謂「國府世電」，即國民政府文官處於民國十八年十月三十一日發致河南省政府的電報，電報原文如下：「河南省政府鑒：國立中央研究院呈稱，該院歷史語言研究所在河南安陽發掘，時逾半年，已得一部分成績。不料河南省立圖書館長何日章矇呈該省政府謝絕開掘，即將已掘之物發還該省等語，並由該省府函同前由，事堪詫異。請電令仍照原議繼續保護該院發掘工作，並停止何日章任意開掘，以免毀損現狀，致墮前功，等情。奉主席諭：照准，等因，特電查照辦理。國民政府文官處，世印。」傳電發出後，十八年十二月三日即得中央研究院總幹事楊銓之電復，云：

河南開封，中山大學傅孟真兄，國府已電省照辦，稚老電即發。銓，江。

傳記文學月刊第二十八卷第一期的「每月專題人物座談會」，這一期的專題人物是傅斯年先生。座談會中李濟先生發言，有一段關於安陽發掘工作之事，可以與此參看。李先生說：

雪屏先生剛才說他要材料、要東西的能力，那的的確確是行政上的一個天才。比方就我這考古方面來說，最初我們到安陽發掘之時，地方政府認為我們是挖河南的寶貝，中央把河南的寶貝給搶走了，河南省政府有一群人，並不是所有的人，就反對我們發掘，而自行組織一隊也在安陽發掘。於是在安陽就有兩支考古隊伍，一是奉中央研究院之命，一是奉河南省政府之命。這弄得我們非常尷尬，不能工作，停了工。傅先生親自到開封辦交涉，一待待了三個月。他常常指著自己的鼻子對我們說：「你瞧，我為你們到安陽，我的鼻子都碰壞了！」他對我們說這個笑話說了好幾年，他為這個事情直接找到蔣委員長，請蔣委員長出一個條諭在安陽，才把這個問題解決。這件事情若不是傅先生辦，別人也辦不下來，而安陽的田野考古工作也做不下去。……

傅斯年先生當時是否曾經直接去找過蔣主席，請他下條諭解決此事？這個問題暫時無法解答。不過若由上引檔案資料當可知道，國民政府蔣主席曾電請韓復榘勿使何日章從中搗亂，俾使中央研究院的安陽發掘工作得以順利進行，這事情是一定有的，從旁代為轉請的則可能是吳稚暉先生。這是海中冰山浮現在水面上的一角，可以讓我們看到其面貌之一斑；至於隱藏在水中未為人見的，則尚有極大的一部分，也就是筆者在上文所曾說到的第二條進行途徑，仍然需要把它找出來研究了解一番。

史語所舊檔元字一四一號卷中，存有郭寶鈞寫給董作賓先生的兩封信。郭寶鈞是當時的河南省教育廳某科科長，後來棄政從學，加入中央研究院的考古組工作行列，在考古學方面極有成就。他是當時河南地方人士中較為同情於中央研究院方面的。由他的來信中，不難看出當時河南人士反對中央研究院發掘工作的若干內情及斡旋轉圜的契機。郭寶鈞的第一信，寫於民國十九年之二月五日，信云：

彥唐弟。二十二、七兩函均悉，兌款已收到。殷墟事，因平方有制止發掘之電，起鉅大變化。

刻日章已呈准省府，撥兵一旅（駐彰者）自掘，訓令昨日下。兄聞訊，急請侍峯勸日章慎重將事，並微露弟函合作之意。侍允擔保成功，俟一二日有回話，當再函達。以兄見觀之，此事暗礁甚多，未可樂觀，除合作外，別無善法，否則不出下列三途：⑴中研院用大力制止，⑵中研院放棄豫境，別尋古蹟，⑶雙方鬥爭無已時。⑴既不可能，⑵又非學術前途之福，⑶則更不堪問矣。蓋日章之為人，好大喜名，在學術固屬門外漢，在交際場中，當有相當活動。譬之於馬，善馭之亦可日致千里，不善馭之，則橫衝直撞，反有奔蹶之虞。吾等對此等人，正宜假以詞色，稍事羈縻，以利用其筆力，不必疾之如遺，反生阻力。猶憶吾等初到小屯時，與冬烘閻某，村痞何某逶迤，祇兩頂高帽，三元大洋，已能得其死力，在今日正不妨以冬烘待立人也。至吾人身價之高下，學術之收穫，絕不因與冬烘並坐而降低，於村痞又何較焉？今事急矣，請轉孟真兄急定方針，或請濟之兄速蒞汴一行，從事接洽。若籌備一層，在今日尚屬第二步也。又，此事既正在疏通中，望平方勿遽表示，俟續函到時再定。續函準於後日發。此頌撰祺。兄子衡。二月五日。又，此間組織一發掘團，地點不限安陽，輝縣、洛陽，皆在計劃中。兄意合之雙美，分之兩傷，不知弟意何如？

第二函之發信日期在二月七日，亦即第一信中所說之「續函準於後日發」。此信中所說如此：

彥弟。昨得侍峯回話，日章允緩掘二十日。兄並親訪日章，為陳說古蹟關係之重大，不可鹵莽從事。彼已首肯。（彼言已籌得款項，擬於輝縣、洛陽同時並舉。）最好趁此機會，中研即派人會商合作辦法。蓋此時各方皆知古物之重要，中研如不掘，豫必自掘，公家如不掘，古董商人亦必私掘，是吾人遲延一日，古蹟之損毀必日甚一日（加速度的）。希轉孟真、濟之兄急定方針，並速覆為盼。又，此事如從合作方面著手，最好由私人先事接洽，再形之官牘，不難迎刃而解。若先發文電，正式詰問，反致僨事，望慎出之。專此，順頌撰安。兄寶鈞，二月七日。

由郭寶鈞的這兩封信中所透露出來的消息可以知道，儘管中央研究院運用各方面的力量以求排除河南人士對安陽發掘的阻力，河南人士仍是要以各種方式抵抗到底。這當然是十分麻煩的事，其結果也必然將與郭寶鈞寫在他第一封信中所說的情形一樣——雙方之明爭暗鬥無已時，甚非學術前途之福。針對這種暗潮洶湧的水底逆流，傅斯年、李濟、董作賓諸先生當然亦能了解，此絕非行政壓力所能解決之問題。所以當時的傅先生雖然仍一再致函河南行政當局要求干預何日章的阻撓行動，另一方面，也不得不設法從談判合作之途徑化解其中的基本困難。這其中的情形，在董作賓函復郭寶鈞之信件中，可以很明白的看得出來，原信亦見於史語所舊檔元字第一四一號卷中，信云：

子衡兄，前函想已入覽。濟之本擬拜二動身，現因彼經手工作一時不能結束，又恐車道有阻，往返需時，故爾遲遲。又本所開工時期，擬展緩幾日，故對日章方面接洽，亦擬從長計議，由書面上措商，乞即邀同侍峯向日章一詳談之。此間孟真、濟之兩兄之意見，不外下之五點：

一、安陽工作，應照豫政府解決辦法辦理。

二、輝縣洛陽發掘工作，以豫方為主體，本所派人參加合作，並予經濟上的協助。

三、輝縣洛陽出土古物，由豫方保管存放，但本所得隨時派人至古物所在地研究之。

四、關於輝、洛工作計劃及預算，請開來一份，以便規定具體的協助人力財力方案。

五、希望豫方於輝、洛先作一處，不必同時並作。

此事祈與侍峯詳細討論，再向日章措商。弟意如此辦法，似是一舉兩得之事，一則不致與省府成案衝突，二則豫人亦有發展考古學機會。望商妥後即賜復書。專此奉達，即頌教安。侍峯先生同此問好。弟作賓。十九年二月十八日。

原信之後，另有「附頁」一頁，其內容與此信同樣重要，亦轉錄如下：

又，現在協助河南方面他處工作之舉，並不因此時日章又生波折而發。在孟真、濟之回平後，即商及聯絡彼此感情之事，故弟前函言及。今兄既本此意與侍峯出而調停，似可儘力為之。因此時日章倘仍以破壞安陽工作為目的，則前途實不堪設想。否則如上列諸條解決，實為兩全之道。切望兄與侍峯善勸導之。盼速賜覆信，為感。賓又及。

此信之後，附有郭寶鈞發來之電報一件，譯文云：

北海靜心齋研究所董彥唐鑒。意見漸近，合作有望，函詳。鈞，勘。

惟郭寶鈞此電中所說之「函詳」，在檔案中卻並未發見此函，竟不悉其內容如何。所能夠看得出來的是，中央研究院後來與河南省政府合作創設「河南古蹟研究會」負責河南境內其他地區的地下發掘工作，此會之經常費由雙方各半負擔，其參加成員，史語所部分，由考古組的李濟、董作賓、郭寶鈞三人擔任，河南省部分，由關百益、王幼僑、王海涵、林百襄四人擔任，另由史語所推薦河南省通志館之張中孚，亦作為史語所部分之委員，合計八人。關百益、王幼僑、與王海涵，當年都是附和何日章反對中央研究院在安陽發掘的「有力人士」，由他們之參加此會，以及此會之成立目的端在從事地下發掘這兩點看來，中央研究院與河南方面的「考古合作」，最後還是按照河南方面的意願正式實現了，然則「安陽發掘」的阻力得以消除，除了高階層方面的行政力量外，這方面的溝通疏導，無疑仍當居極重要的因素。由這一點事實亦可知道，河南方面的地方人士，最後大概亦終於認清了「考古」工作不是外行人所能從事的觀念，所以他們纔需要以「合作」為讓步，藉以換取史語所考古專家在學術方面給他們以充分的支持。然則何日章在後來之所以會銷聲匿跡，顯然亦與這一事實有關了。

中央研究院所編撰的民國十八年度總報告書，對於史語所當時在安陽從事考古發掘的記載如次：

殷墟發掘，始於十七年秋季的試掘。十八年春季，在小屯村中更作一次有計劃的工作，頗多創獲，嗣因軍事影響，中途停頓。十八年秋季，繼續前業，是為第三次田野工作。這一次田野工作，可以分為兩期。頭一期自十月十七日開工，至十月二十一日停工；第二期自十一月十五日開工，至十二月十二日停工。本年度安陽田野工作僅此一季，而一季又分二期，則因中途發生糾葛之故。

十八年五月間，軍事突興，安陽土匪蜂起，考古組工作站之在洹上者，危殆不可終日。乃以遺物標本的一部分存城內十一中學，一部分運至北平本所整理。不意因此竟生誤會。十月間正工作之際，河南民族博物院院長何日章至安陽，自稱奉省政府命，禁止中央研究院開掘，彼將自己開掘。考古組因而停工。所長傅斯年乃赴南京，向院報告，並請政府支持。旋經院長呈國民政府，奉主席諭照准，即電河南省政府「繼續保護本院發掘工作，並停止何日章任意開掘，以免損毀現狀，致墮前功。」時考古組主任李濟以此案已告結束，遂於十一月十五日前往安陽，繼續工作，河南民族博物院人員亦重行開工，彼此相持不下。院復派傅所長至開封，與河南省政府當局及汴中人士接洽。在汴月餘，磋商數四，乃於十二月二十八日得河南省政府公函，擬定解決安陽殷墟發掘辦法六條以歸。此為十八年交涉的經過情形。十九年二月間，本所正擬照河南省政府商定辦法，前往安陽工作，忽又有何日章派人先往發掘之舉。電責河南省政府，迄無答覆。於是殷墟發掘的工作，乃完全陷於停頓狀態之中。

年度工作報告的資料包括時間，是從本年的下半年到次一年的上半年。據此云云，則安陽發掘工作的停頓狀態，應該是到十九年六月間尚未能順利恢復。此雖為報告書上的官式記載，實際情形，恐怕還有一些出入。因為自民國十九年四月至此年九月，正是馮玉祥、閻錫山聯合反叛中央，在河南、山東二省境內爆發規模十分鉅大的「中原大戰」之時。此一戰爭，自開始醞釀至判定勝負，中間所經歷的時間長達數月之久。河南省政府的主席，本是馮玉祥麾下的大將韓復榘。戰爭一開始之後，韓復榘倒戈投順中央，遭到馮系其他部分的猛烈攻擊，戰爭因此一路蔓延到了山東，直到中央反攻勝利，閻馮勢力完全崩潰，方纔恢復和平。在這一段時間之內，一方面是河南的大部分地區淪為戰場，二方面是身為省主席的韓復榘地位難保，河南當局怎能抽出時間來處理安陽發掘問題的爭端？到了十九年的下半度，戰爭已告結束，河南秩序恢復，省主席亦由韓復榘換成了劉峙，一切情況都有了變化，雙方的合作談判乃有了良好的結果。直到此時，安陽發掘問題的暗礁方得完全撤除，田野工作亦得順利恢復。不過其時間已從民國十九年的春天一直拖到了二十年的春天，耽誤時間幾有一年，不能不說是太長久了一點。

七、拓展宏規

甲、培植後進

現在的中央研究院，各研究所的研究人員均有劃一的等級，自助理員、助理研究員、副研究員、至研究員，其任用資格及晉升規定均有明白的規章條文可循。新進的研究人員依其出身及學歷為準，分別按助理員、助理研究員，副研究員的名義加以延聘，然後循序而升遷至研究員，步驟明白，辦法清楚。而且目前國內各大學均設有門類眾多的碩士班及博士班研究所，學術人才的來源充沛，中央研究院似乎根本不必擔憂研究人才補充不繼問題。但在上一世紀二、三十年代之時，中央研究院甫經籌設之初，情形顯然與此不同。當時，國內各大學極少設有培植高深學術人才的研究所。中央研究院的各個研究所為了羅致所需要的研究人才，除了延聘在國外學成歸國的博士、碩士之外，另一個辦法就是自行訓練。在這種情形之下，「助理員」並非自作研究的低階層研究人員，而是高級研究人員的助手兼學生；等級更低於此的，則是「練習助理員」或「研究生」。這些名詞，在現在當然早已成了陳跡，但既是追述當年的舊事，自不可不特加敘述，以明瞭其源起及演變。

要知道中央研究院各研究所早年時代的研究人員身分及其職掌，須從早期文獻資料中去尋求瞭解。史語所的檔案資料號稱完整，早期檔案中尚存有建所之初所擬訂的「暫行組織大綱」草案原本，極富參考價值。不嫌冗長，為之抄錄於後。

國立中央研究院歷史語言研究所暫行組織大綱

第一章 建置

第一條 國立中央研究院於院中設置歷史語言研究所，以便用科學賦給之工具，整理歷史的及語言的材料。

第二條 歷史語言研究所以從事下列工作為目的：

甲、輔助從事純粹客觀及語學之企業。

乙、輔助能從事且已從事純粹客觀史學及語學之人。

丙、擇應舉之合作工作次第舉行之。

丁、成就若干能使用近代西洋人所供用之工具之少年學者。

戊、使此研究所為中國或外國為此兩類科學者公有之刊布機關。

己、發達歷史語言兩科之目錄學及文籍檢字學。

第三條 歷史語言研究所以院長聘任之研究員、編輯員組成之。

第四條 歷史語言研究所暫設下列各組：

一、史料

二、漢語

三、文籍考訂

四、民間文藝

五、漢字

六、考古

七、人類學及民物學

八、敦煌材料研究

第五條　歷史語言研究所設所長一人，統理全所事務；秘書一人或二人，執行所中事務。所長及秘書必須為專任研究員。

第二章　所務會議及所長

第六條　歷史語言研究所之所務會議，由各組主任組織之，所長及秘書均為當然議員，院長得就組主任以外之研究員指定若干人加入所務會議。

第七條　所務會議以所長為主席，秘書為書記。

第八條　所務會議議決下列各事：

一、制定本所一切章程。

二、每組之廢止及增加。

三、編製預算，審定決算。

四、決定與研究員及編輯員之約定。

五、集眾工作之決定。

六、工作報告之審查。

七、出版事件之大體。

八、財務報告、購置報告之審查。

第九條　因各組不設一處，所務會議得以傳函簽註之法舉行之。所長因事實之需要及急切，得為便宜之處置，但必須於一個月內向所務會議請求追認，若所務會議五分之三以上否決時，此項便宜處置無效。

第三章　事務系統

第十條　所長、秘書之下，設圖書員一人至三人，工程員一人至二人，會計員一人，庶務員一人，書記若干人，技術員若干人。

第十一條　秘書為事務之總負責者。秘書考核職員之規則另訂之。

第四章　組別

第十二條　每組設主任一人，由專任或兼任研究員任之。其在特種情形之下，由特約研究員擔任時，須由所長請院長特別核准，並須於此組中任一事務負責人。

第十三條　各組均須定一預算。

第十四條　凡不屬於各組之集眾工作及研究員之工作，由秘書綜其事務。

第十五條　研究員得於組外作研究，其工作之性質雖屬於某一組，然若願不以此工作加入該組時，得向所務會議聲明。

第五章　研究員及編輯員

第十六條　研究員分專任、兼任、特約三類。

專任研究員通常不得兼任其他任何職務。如院長以某一種職務之兼任不妨礙其研究工作時，得特別許可其兼任，但由此而得之薪水、津貼，須繳付本所。

兼任研究員在定約時，須敘明本所任務佔其全部工作幾成。在此成數之內不得移任他事。

特約研究員如工作上需要本所之協助時，得向所務會議提出。所務會議依本所需要及經濟力量隨時決定之。

特約研究員如擔任組主任及其他重要工作時，得承受本所之津貼。

第十七條　專任研究員任期二年至四年，得延長若干時或連任。兼任研究員任期一年至三年，得延長若干時或連任。特約研究員任期二年，得連任。

第十八條　編輯員分專任、兼任、特約三類。此三類之責任及待遇，均與第十六條及第十七條對於研究員之規定同。

第六章　外國通信員

第十九條　院長得聘外國語言、歷史學者為本所外國通信員。

第二十條　前項之外國通信員如其工作需要若干經濟的幫助，而此項工作與本所之工作有切實之關係者，院長得決定對之為一次之資助或按月之資助。按月之資助由一年至三年，但得繼續。

第二十一條　其不屬於第十九條所規定之外國學者，本所如有事件委託時，院長或所長得聘其為通信員，與次章之通信員同，不與本章之外國通信員同。

第二十二條　外國通信員在中國時，得與組主任同樣參加所務會議。

第七章　通信員及其他

第二十三條　院長及所長得就本所需要，聘請或任用通信員及其他為本所工作有需要而設之人員。所長作此項聘任時，須先經院長核准。

第八章　助理員

第二十四條　歷史語言研究所任用助理員若干人，助理各組及組外之研究工作，以訓練其在後來獨立自作研究。

助理員任用，經院長核准後由所長行之。

第二十五條　助理員之工作，一部分為其自己之研究，此項研究，須先將題目擬就，由組主任及所長許可，並由組主任及所長視察其工作又一部分由組主任及所長分配之工作。

第二十六條　助理員成績特別優善者，由本所或本院獎勵之。

第九章　學生

第二十七條　歷史語言研究所之學生，須合於下列要求，由本所以考試方法取錄之。

一、國立大學畢業，或有相類之學力者。

二、於歷史、語言各科之一，曾有多少研究者。

三、有一種主要歐洲文能讀書者。

四、願此後專致力於歷史、語言科目之一者。

第二十八條　歷史語言研究所得以需要隨時設置額外學生。

第十章　出版

第二十九條　歷史語言研究所編印下列刊物：

集刊

單刊

史料集

歷史語言目錄學報

特種刊物

所務會議為上項刊物之編輯者。

第三十條　各組如有自辦一種刊物之必要時，得由所務會議議決，並委託組主任編整之，但所務會議仍保留其修正權。

第十一章　雜則

第三十一條　每半年秘書須協同會計主任將支出報告刊印之。

第三十二條　本組織大綱得由研究員滿三人之提議，交所務會議議決修正，經院長核准行之。

第三十三條　本組織大綱由院長核准之日施行。

附條

一、此大綱未核准以前，所長舉行之事，須交所務會議追認之。

二、本年內因各組未一律成立，所務會議之組織仍施用八月中院長所指定者，待十八年七月份改用由第　條規定而成立之所務會議。

上面所抄錄的這一篇史語所「暫行組織大綱」，並未載明其擬訂時間。但由末尾之「附條」可以猜測其擬訂時間似在十七年年底至十八年六月之間，可知此為史語所甫經成立之時，最早出現的組織大綱。由此一組織大綱的條文內容可以看出，當史語所成立之初，史語所各同仁心目中的組成成員，主要的只有編輯員與研究員兩種。其時雖亦設有助理員之職稱，但其職責只在「助理各組及組外之研究工作，以訓練其在後來獨立自作研究」。至於此項助理員在達到能夠「獨立自作研究」之後，其身分及職稱是否可藉晉升為編輯員或研究員之方式予以改變，則因原組織大綱內無此條文，未便臆測。

在「助理員」之外，第九章「學生」內各條所定之招考各國立大學歷史、語言兩科之畢業生，是否為儲備助理員人才而設？亦因條文之文字不明而含義不詳。不過，雖然此一最早出現的史語所組織大綱對於「助理員」及「學生」的要求內容語焉不詳，若由當時各有關人員的書信中推敲其含義，則當時的「助理員」及「學生」，確實含有「人才儲備」的意義在內，無可懷疑。

史語所舊檔，元字六十四號「楊成志」卷中，存有傅斯年親筆寫給助理員楊成志的兩封信，勗勉其從事學問的道理，其中就曾談到史語所對助理員之要求標準為何。按，楊成志在民國十七年夏間隨史祿國教授赴雲南作人類學調查工作，史祿國因畏懼猓玀生活地區十分危險而不敢前往，楊成志卻以冒險犯難的精神深入其中，獲得圓滿的調查結果。回來之後，史語所已遷至北平，由於李方桂先生之介紹，傅斯年先生同意讓楊成志仍舊到史語所來作助理員，但須隨李方桂先生往廣東傜人居住地區調查當地方言。為了擔心楊成志或者因調查猓玀民族著有成績而致志得意滿，故傅斯年先生特貽書誡勉之。書凡二通，其中所述，均與史語所當時對助理員之要求標準有關，故摘錄之。

第一書作於民國十九年之五月二十日，中云：

希望你以後繼續你的冒險、吃苦、耐勞的精神，切切實實的隨同李先生工作。這個研究所，現在完全是實事求是、不求速效、不假借、不務外、不學一鬨之市的機關。一切有秩序的工作均努力進行，一切無秩序的工作均逐一停止。你這兩年工作是極可佩的，但此時斷斷不可自滿。第一要義是避免宣傳及 Jourrsatism 之爛調，第二是隨李先生學方言等細密的方法，第三則隨時擴充自己工作的工具，而一切觀察工作尤要細心。這樣行之三四年，然後是個入門的民族學者，行之七八年，然後可以專門名家。雲南兩年的事，只是精神可佩，不能自謂是有結果，不能聽人恭維的話。

因為我對你的期望極大，並很佩服你的吃苦精神，希望你大器晚成。又怕你在中大研究所「具予入聖」的空氣中忘其所以，故直率言之，望勿為過。……

第二信寫於同年之八月五日，中云：

本所前因李方桂先生之提議，經由所務會議議決，任執事為本所助理員各節，業經具達。茲因執事來函，對薪數有所討論，並審明來函詞意，有不得不於執事擔任此項任務之前，預先聲明者。查執事前次在川滇界上調查猓玀，一住經年，不避艱難，誠為幸事。然若因此自負，則既與本所任執事之意不合，並恐於執事學業前途不無影響。一種專門學問，必須有嚴整之訓練，方可取得可靠之成績。執事上年之行，只可認為試作，如以為學業便是如此，自己已可負獨立之責任，則非敝所同仁所敢知矣。因此提明下列二事：

一、助理員之最重要任務，為助理其所屬之研究員工作。因此，一切助理員須絕對受其所屬之助理員（按，此「助理員」三字，似為「研究員」之筆誤）之指導及囑託，對組主任亦然。並應遵守本院本所一切公規。

二、助理員之成就，在其因受專門之訓練而能於將來獨立研究。故在助理員任內，必須虛心勤勉從事，而避去一切浮動不實之趨向及新聞式之工作，及類於此者。

以上兩條，本為當然的。同仁等感於此時有書式述明之必要，故具函前達，此即作為受任之條件。希查明見覆為荷。此致，楊成志先生。國立中央研究院歷史語言研究所。

傅斯年先生在這兩封信中，明明白白的寫出了他對於助理員工作要求的規定，及對助理員將來的希望；可知當時的史語所助理員，一方面固是研究員的助手，一方面亦是史語所藉工作訓練而儲備的研究人才，以備他日獨立研究之用。到了助理員能夠獨立自作研究之時，當然他的學識能力已到達相當水準，可以成為史語所的編輯員或研究員了。這其間的發展關係，雖未見諸明文規定，其含義固已極為顯豁。由下面所引的另一封信中，更可看出其中的實際關係。

史語所舊檔，元字第四十八號「丁聲樹」卷，存有傅斯年先生覆胡適先生之函稿一件，說明他對於接受丁聲樹到史語所來作助理員的看法及意見。信云：

適之先生，丁聲樹君來談了一次，我覺得他的經學訓詁的根柢很好，若能加上些審音的功夫，和語言學的觀念，則用他的根柢，可以做進於漢學家一步的學問。所以我想拉他到研究所來。已和莘田、方桂兩位商量過，他們都很贊成。想到待遇如下：

一、語言組助理員

二、月薪八十元。初任皆此數。

如是，他可以在元任、莘田、方桂三位指導及協助之下，做些聲音訓詁學的研究。這待遇是不及中學教書的，然而似比在大學教書（此日中國之大學也）的作學問機會還好。（原注：「此雖笑話，亦實情也。」）

請先生問問他，可有意思嗎？

學生傅斯年上。六月七日

此事旋有丁聲樹經由胡適先生轉來的覆信，中云：「先生欲樹到研究所讀書，藉受諸位長者之教，摯情盛誼，感激何似。」「待遇一層，絕不計較。只須生活安定，俾得悉心求學，於願已足，他無所望。」於是，丁聲樹到史語所來作助理員，其時間是民國二十一年的七月。上文所說到的「元任」、「方桂」，即當時第二組之主任趙元任及研究員李方桂；「莘田」，則是第二組的研究員羅常培。這三位先生，分別在語言、語音、音韻等方面各有專長，丁聲樹從他們那裡接受這三種學問的陶冶訓練，在幾年之後果然成為專門名家，證明了傅斯年先生所說，在史語所作助理員的學習環境，比在當時國內各大學的教書先生機會還好的話，是不錯的；而丁聲樹之所以不計待遇菲薄，惠然肯來，顯然亦是由於此一原因。由此可見，當時的史語所助理員，一方面固然是研究員的助理，在另一方面，由於兼有接受專門訓練的權利，成材的機會實在太大了。以中央研究院後來的助理員情形與此相比，兩者之間，顯然有其重大差別。

與助理員情形相似而略有不同的，則是「研究生」；亦即上引史語所暫行組織大綱第九章中所說的「學生」。

上引史語所暫行組織大綱第八、九兩章有關「助理員」及「學生」的各項條文，後來經中央研究院訂立專門規章，於民國十八年一月十三日的院務會議通過，成為中央研究院的單行法規之一，各所一律遵守。今先抄錄其章程內容於後，然後再加論述。

一、國立中央研究院設置助理員章程

第一條　國立中央研究院各研究所，得設置助理員，由研究員推薦於各研究所所長提請院長任用，任期一年。

第二條　助理員須具有次列㈠㈡兩項資格之一，而於研究所各部分科目之一有相當研究，並有成績者：

㈠國立大學本科畢業者。

㈡在教育部立案之私立大學，或本院認可之國外大學本科畢業者。

第三條　助理員之薪水分為六十元、八十元、一百元、一百二十元、一百四十元、一百六十元、一百八十元七級，每過一年，得由所務會議參照其工作成績議決，提請院長按級增薪。

第四條　助理員除輔助研究員研究工作之進行外，得受研究員之指導，自作研究。

第五條　助理員須遵守研究院及各該所關於職員之規則，受所長及主管研究員之指導。

二、國立中央研究院設置研究生章程

第一條　國立中央研究院各研究所得設置研究生。研究生人數，每年由各所所務會議議決通過，經院長核准。

第二條　凡具有次列資格之一者，得應研究生之選拔考試。

㈠國立大學本科畢業者。

㈡在教育部立案之私立大學，或本院認可之國外大學本科畢業者。

第三條　研究生之考試規則，各所另訂。

第四條　研究生之研究期限為兩年。

第五條　研究生研究期內工作不力或違犯研究規則者，得由所長提出所務會議，令其退出研究所。

第六條　研究生在研究期限完滿時，如其所研究之工作未能完畢，經所長之特許，得酌量延長其研究期限。

第七條　研究生在兩年研究期限內所得之成績，經研究院認為滿意者，由研究院給予證書。

第八條　研究生由研究院給予津貼每月三十元至五十元，其數目由各所參酌情形並參照研究生人數，提交所務會議議決規定。

第九條　各研究所得設額外研究生，其資格及入所手續與研究生同，但不得享受津貼之待遇。

比較上述兩種章程之條文內容，在資格方面，助理員之入所資格，比研究生多了一項「於研究所各部分科目之一有相當研究，並有成績者」，其餘二項，與研究生的入所資格並同。這多出來的一項的意義，是表示研究生尚須經過入所研究二年，經各研究所考核其成績認為滿意，方得由研究所錄用為助理員；助理員則因其已具有相當研究成績之故，祇憑其大學本科畢業之資格，即可由有關研究員之推薦後，由各研究所逕予任用。由此區別可以知道，在研究院研究期滿而成績視為滿意者，其資格相當於今日之碩士班畢業生；逕予任用為助理員者，則因其已具備相當於此資格之學識能力，而可不再經過兩年之學習而逕予任用。這雖是從條文內容比較而得的一點推想，若究其實際情形，則在中央研究院未曾具體規定此一招考研究生之辦法以前，以大學相關科系而進入研究院各研究所工作者，多為助理員名義，當時固未嘗考慮其雖在大學相關科系畢業，是否已對所研習之科目具備相當成績，堪以直接從事研究工作的問題。及至發現大學畢業逕行任用為助理員有其能力問題，於是方纔逐漸發展出次一層的「研究生」辦法來。史語所舊檔元字第十七號「李濟之」卷中，存有李濟先生所寫一信，可以證明此點。信云：

孟真我兄。在君說，此後大學新畢業之學生，應概以「研究生」待遇，津貼不妨略加，助理員之名義，留於大學畢業後之稍有經驗者。他所今年已照此辦，本所可否同樣實行，囑弟徵求兄意，即時函詢。弟已與元任兄略談，很贊成。弟個人亦覺此意甚好，雖今年實施或有些困難，但亦不難掃除。並此寫出，供兄參考。……弟濟上，七月五日。

李濟先生信中所說的「在君」，即中央研究院故總幹事丁文江先生，其出任總幹事的時間在民國二十三年至二十四年。故此信雖僅有月日而無年份，仍不難推測其發信時間非二十三年即是二十四年。研究院所訂定的「設置助理員章程」及「設置研究生章程」，早在民國十八年一月就已經院務會議通過實施，直到民國二十三、四年時，各研究所仍有未經「研究生」階段而直接任之為助理員的情事，可見此二項章程在當時尚未經認真執行，所謂「研究生」，也就成了具文。這種情形，早在民國十九年時，就有關心人士注意到了。民國十九年七月一日至二日，中央研究院舉行第一屆院務年會，物理研究所曾提出「從早招收研究生」一案，可為明證，其提案內容及決議情形，抄錄如下：

物理研究所提議

本院宜從早招收研究生案

(A)查本院為提倡研究，宏造人才起見，對於青年學子有志深造者，有設置研究生章程之規定。而青年今者本院成立已逾二載，各所設備，大致規模粗具，可以招收研究生者當已不在少數。而青年希望在本院指導之下從事研究者，似亦日漸加增。加以國立各大學有研究院者絕少，學生畢業以後，實無繼續研究之機會。以致有志學問者，或奔走塵途，盡棄所學，或徘徊歧路，無所適從，抱璞不琢，可惜孰甚焉。本院各所似宜衡度其設備，從早招收研究生、庶幾輿望可慰。是否有當？敬請公決。

(B)付研究計劃組審查。審查修正。(1)用練習助理員名稱(2)招收時用介紹方法(3)膏伙費隨各所、館自定。

(C)大會決議：(1)用練習員名稱(2)招收方法為審查報告(3)津貼多少，由各所、館自定，但至多不得過三十元(4)各所、館招收練習員時，先將辦法交院。

按，民國十九年四月二十六日下午三時，史語所在北平本所舉行十八年度下半年的第三次所務會議，曾討論決定招收練習人員問題，所決定的名義亦是「練習助理員」。據此云云，則在中央研究院早年時代所招收的「練習人員」，無論所用的是「練習助理員」或「研究生」名義，應該是同一性質的初級練習人員了。史語所十八年度下半年第三次所務會議的討論內容，亦抄錄如下：

第四案　關於本所下年招收練習人員問題　　　傅斯年提議

議決：

名稱——練習助理員

待遇——每月四十元

資格——大學畢業或同等學力

錄用——考試、成績並用；既須成績以備審查，又須考試。可以隨時招考，並筆試面試並用。

由陳援菴、趙元任、李濟之、傅孟真商議實現上述辦法之章程。

史語所舊檔，元字第二三八號，「試設研究生辦法」卷中，又有呈院公文稿一件，內容為呈報本所於民國二十年度試設研究生之辦法。其原文內容如次：

敬呈者。本所二十年度試設研究生額，經十九年度下屆第三次所務會議第四案議決，本所民國二十年度內試設研究生辦法如左：

民國二十年度內試設研究生辦法

一、本所在民國二十年度內，依本院所定章程試設研究生額，以五名為限。

二、為上列之設置，本所編每月二百元之預算。

三、本年所設研究生之資格，以國立或立案大學畢業者為限。

四、研究生在本年度內，每月津貼三十至五十元，在下年度內，依本年度完結時之成績獎勵，分月支給之。但受獎者以仍在所為研究生者為限。

五、此項研究生，須由本所專任研究員一人之提請，附帶其研究計劃及最近成績，送交常務會議核定之。於必要時，得以試驗方法決定之。

六、本辦法自院長核准之日施行。

右案議決辦法，理合呈請核准施行，實為公便。謹呈，院長蔡。

綜合以上這些資料可以知道，中央研究院雖然早在民國十八年設院之初，就制定了設置助理員與研究生的兩項章程，但前一項章程固然並未認真執行，後一項有關研究生的章程，亦復紛歧錯雜，搖擺不定，直到民國二十一年以後方纔漸次進入正軌。即使如此，史語所在民國二十四年第二次招收研究生四名之後，到了第二年，又復以招考方式招收了練習助理員二名，詳情可見元字二四一號檔卷中的下列油印文件。

國立中央研究院歷史語言研究所招考語言學助理員或練習助理員一名。報考練習助理員者，須曾在大學或與大學相當之專門學校畢業，對於審音特別專長，具有漢語方言學知識者。報考助理員者，除上述資格外，須曾在學術機關服務二年，並須繳專門著作。練習助理員月薪自六十元起，助理員月薪自八十元起。

合資格之願應徵者，須於七月十日以前報名，並將⑴畢業證書⑵成績證明書⑶籍貫、年齡、性別⑷過去對於語言或聲學上工作及知識之敘述⑸著作及其有資證明學力之件，於七月十日以前寄到南京北極閣本所，經審查合格後，再定期舉行考試。考試地點，分南京、北平兩處。其託人寫不關證明成績之薦信者，即作為取消考試資格。

詳細辦法：

甲、待遇

一、此項助理員或練習助理員，除大部分時間助主管研究員工作外，本所並給以該項工作上之必要訓練，俾後來能在所外或所內獨立作該項學術工作。

二、助理員初任月薪八十元，練習助理員初任月薪六十元。但有特別技能及資格者，均得酌加。

三、錄取後以三個月為試用期，在此期內照支初任薪。但本所得隨時辭退，另以備取補額。

四、其他待遇，照本所規定及習慣。

乙、考試

一、本所於審查後擇其優者分別通知以考試日期。審查未合者，退還各項文件。

二、考試科目：(1)語音學記音(2)漢語音韻(3)漢學常識(4)英文(5)口試(6)主管研究員得依論文之情形加考應徵者以其他科目。

如果說「練習助理員」即是「研究生」的另一種名稱，則史語所就不應該同時存在練習助理員與研究生這兩種人員，可見彼此之間仍然存有差別。這其中的差別究竟為何？試加研究推敲，則「研究生」的責任專在讀書，練習助理員則只能在工作之暇讀書進修。史語所早年，以練習助理員名義進入所中工作的那些先生們，很多都不具備大學畢業資格。他們固然不能被任用為助理員，同樣也不能以研究生身分入所讀書，在不得已的情形之下，乃採取了這一項變通辦法——以練習助理員的名義一面工作，一面讀書進修，俟經過一段時間之後，視其成績為去留的標準，合格者留用為助理員，不合格者加以辭退。此一情形，試以早期各練習助理員之出身資格及其後來發展觀察之，即不難得出具體之結論。

史語所早期進用之練習助理員名單如下：

姓名	籍貫	學歷	任為練習助理員以前之經歷	後來發展
陳鈍	安徽和縣	南方大學肄業	本所書記	民二十二升為助理員 民二十五年離職
姚逸之	湖南長沙	武昌明遠大學肄業	中山大學檔案編目員	離職
劉文錦	陝西咸陽	西北大學肄業		離職
李家瑞	雲南劍川	北京大學肄業	本所書記	民二十一升助理員 民三十改助理研究員
程霖	安徽歙縣	京師公立第一中學畢業	同	離職
王湘	河南南陽		同	民二十六升助理員
李光宇	湖北鍾祥		同	民二十六升助理員 民三十年改管理員
李光濤	安徽懷寧	安徽第一師範畢業	同	民二十四升助理員 三十年升助理研究員 五十二年升研究員
唐虞	北平	北平市立第三高中畢業	同	離職

上表所列練習助理員九人，陳鈍、姚逸之、劉文錦、李家瑞等四人進用於民國十八年，王湘、李光宇、李光濤、唐虞等四人進用於民國二十二年，程霖進用於民國二十四年。此九人中，無一人具備大學畢業資格。此後則有四人在未獲晉升為助理員之前即被辭退，五人獲得晉升為助理員。即使如此，仍然只有二人曾升為助理研究員以上的職務，二人中途退職，一人改任為行政職務。這九位「練

習助理員」在進用之初。就是既不合任用為助理員，又不能以研究生讀書深造的人。但是，既因工作上有此需要，自只好以變通辦法進用。其名義即是「練習助理員」。以這種情形進用為「練習助理員」的，顯然與身分同於研究生的練習助理員不同。所以，史語所後期的練習助理員，纔有由研究生「升用」的情形出現。以這種情形被任用為練習助理員的，計有高去尋、吳宗濟、葛毅卿等三人，均係於民國二十四年入所為研究生，二十五年六月改為練習助理員，二十六年再改為助理員，其進用過程最富於曲折變化。

傳記文學雜誌第四卷第六期，載有中研院院士周法高先生所撰「語言學家董同龢」一文。其中說到，當周先生於民國三十年畢業於北京大學文科研究所，進入史語所作助理研究員時，董先生亦是史語所的助理研究員；與周先生同時進入史語所的北大文科研究所畢業同學，尚有劉念和、馬學良二人，亦被任為助理研究員。當時，董先生曾以半開玩笑的口吻同周先生談笑，說：「你們真順利，一下就做到助理研究員。」至於他自己，則是由練習生、練習助理員、助理員、一步一步升到助理研究員的，可真不容易哩。周先生所說的這一段話，不知是周先生記錯？還是董先生說錯了。因為董先生就是由上文所引述的那一則史語所招考練習助理員廣告啟事，而進入史語所作練習助理員的，他並沒有做過史語所的研究生；由研究生經由「練習助理員」、「助理員」這麼多階梯一步步爬上來的，並非董先生，而是高去尋先生；至於吳宗濟和葛毅卿，則在升到助理員之後就離開了史語所，改行別就去了。其原因是否由於史語所的研究人員升遷太困難之故，則無從知道。

中央研究院將各研究人員的身分區分為助理員、助理研究員、副研究員、研究員等四個等級，其事經始於民國三十年，故北大文科研究所畢業的周法高、劉念和、馬學良等人進史語所作研究工作，立刻可以得到助理研究員的名義，在此以前則只能是助理員名義。而且助理員作滿若干年可獲升遷為副研究員，並無明文規定。所以那時的助理員升遷最難，進用亦最不易。在這種情形之下，因僅有大學本科畢業資格者不能直接任用為助理員之故，很多甫自大學歷史系畢業的有志之士，要到研究所來工作，倘使不湊巧而遇到史語所並不招考研究生或練習助理員，那就只好屈就行政人員名義，俟有機會時改為助理員。史語所舊檔中就有這麼兩件公文，可以證明此一事實。

史語所雜字二十三號「歷年所務會議檔」之民國二十八年各次所務會議紀錄卷中，存有史語所呈院公文二件。一件發於民國二十八年之十二月十一日，發文滇二八字一二一二二號，文曰：

案查本所圖書管理員傅樂煥，來所任職已滿三年有半。前由京裝運書籍經湘到渝，卓有成績，近一年來所作工作，實為助理員之工作。又，事務員王崇武已滿二年有半，所作工作亦為助理員工作。均應改為助理員，以符實在。理合呈請核定。謹呈，院長蔡。歷史語言研究所所長傅斯年。附呈傅、王二君簡單履歷一件。

一件發於民國二十八年十二月十一日，乃傅所長致總幹事之箋函，發文滇二八字一二一二四號，文曰：

查本所第一組需事務員一人，擬派徐高阮君為第一組事務員，敬乞考量核准。此上，總幹事。

王崇武後來成為史語所的副研究員，專治明史，在未改助理員以前，雖為事務員身分，實際所從事的則是校勘明實錄，故傅先生謂其所作工作為助理員工作。傅樂煥後來亦為史語所之副研究員，治隋唐史。至於徐高阮，則是清華大學的畢業生，第一組主任陳寅恪之學生。史語所的事務員，若其工作確為行政工作，則應派在所中的總務部分，第一組乃學術組，並不需要行政人員，所以顯然所作亦為研究員的助理員性質。徐先生後來由圖書管理員改為副研究員，治魏晉南北朝史，更可為此說之明證。這些事實，都可證明史語所早期的助理員之中，不乏以行政人員身分而從事於研究工作之人，所以然之故，則因中研院早期所訂助理員資格甚嚴，僅有大學本科畢業資格而缺乏實際研究成績之人，只好以此迂迴方式達到其助理員之資格。自從民國三十年改訂制度以後，大學畢業生可以逕用為助理員，這一道舊有的障礙撤除之後，自不必再有這種迂迴曲折的麻煩辦法了。不過，亦正因為中央研究院早期所定的助理員資格頗為嚴格，在那一段時間之中，以助理員名義從事研究工作的低階層研究人員，其研究成績亦甚有可觀。筆者曾以民國十九年至二十七年間史語所集刊論文作一統計，得到如下之資料數字：

年份	研究員、編輯員所撰論文數	助理員所撰論文數	合計
民19	27	9	36
民20	24	12	36
民21	7	4	11
民22	13	2	15
民23	8	2	10
民24	13	12	25
民25	16	15	31
民26	1	3	4
民27	10	21	31
合計	119	80	189

根據上述統計數字換算為百分比率，並製統計曲線圖，則可以在曲線圖上看出研究員、編輯員所撰論文，在整個論文數目中的曲線逐漸下降，助理員所撰論文的曲線則逐漸上升，其實際情形如下：

㈠史語所民十九年至二十七年發表論文之撰稿人身分統計

年份	研究員、編輯員所撰論文比率	助理員所撰論文比率
民19	75%	25%
民20	66.6%	33.3%
民21	63.6%	36.3%
民22	86.6%	13.3%
民23	80%	20%
民24	52%	48%
民25	51.6%	48.4%
民26	25%	75%
民27	33.3%	67.7%

㈡依上表所作統計曲線圖

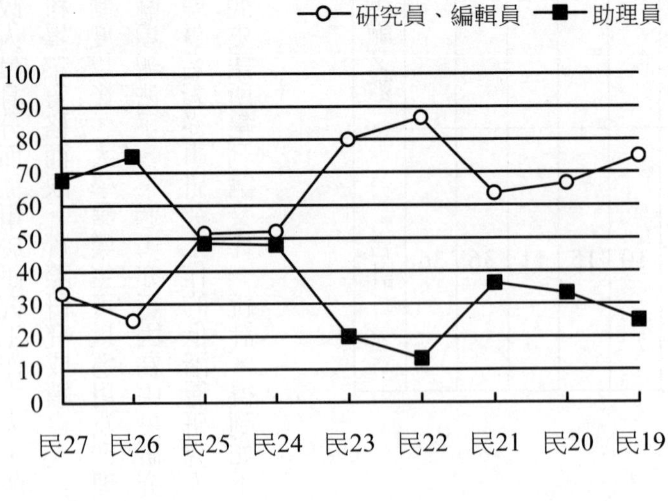

上述的統計數字可以顯示一項事實：史語所自民國十七年建所，至二十七年為止的十年間，屬於低階層研究人員的「助理員」，已經逐漸具備獨立研究的工作能力，有資格單獨進行其自身的研究工作了。史語所在建所之初，只視研究員及編輯員為研究所的主體人物，助理員只是研究員與編輯員的助理人員而已。到了此時，這種觀念顯然需要改變。改變的方式有二，一是提升資深績優的助理員為副研究員（即舊時之編輯員），二是承認助理員可自作研究，不須受「主管研究員」之督導考核。後一種情形在修改中央研究院各研究所的組織規程中見諸文字，前一種情形亦在民國二十八、九年以後陸續見諸實施，最早被提升為副研究員的，則是語言組的助理員丁聲樹先生。

丁聲樹先生升級事，係於民國二十七年度的第二次所務會議中決定。傅斯年先生手撰有關此事之呈院公文，其措辭極富於感情，甚可注意。今抄錄如下：

謹呈者。查本所第二組原有研究員三位，趙元任先生兼主任，羅常培先生、李方桂先生。羅常培先生於四年前由北大借聘，至今仍在聯合大學。李方桂先生由本所允許，往耶魯為客座教授，依約須明年方歸。趙元任先生又於去夏請假，赴夏威夷教書。在此無研究員之時期中，曾與元任先生商定，託羅莘田先生就近照料，其雜事則由助理員丁聲樹君為之，丁聲樹君在助理員中年績為長，其治學方法之嚴謹，學問根柢之充實，皆為同仁所敬佩，論其程度，足為大學教授之第一流。昨經本所所務會議決議，擬提請院長聘任為本所專任編輯員，月薪一百八十元。謹述實在情形如上，如蒙考慮核准，無任公感。謹呈院長。歷史語言研究所所長傅斯年。二十八年一月三日。

史語所的助理人員中，居然有「程度堪為大學教授之第一流」的人物，此不但足以證明史語所助理員程度之高，亦足以證明史語所培育後進人才之成功。因為我們在前述傅斯年致胡適先生信中分明曾經看到，丁聲樹入史語所之初，雖其經學訓詁的根柢很好，在語言學及審音工夫方面，則尚須趙元任、羅常培、李方桂三位先生加以指導。不料在六年多的時間中就能達到如此高明的成就，豈不證明史語所在人才訓練方面所作的工夫，確實不同凡響麼？

史語所早期任用的助理員，以丁聲樹之升任專任編輯員（後改稱為副研究員）首開紀錄。半年之後，第三組主任李濟亦在二十八年度的第二次所務會議中，提議升助理員石璋如為副研究員，亦獲順利通過。自此以後，助理員之升為副研究員者纍纍相繼，顯示史語所早年所培育的人才，至此時都已蔚然成材，足當大任。建所奠基的工作到此地步，顯然已經基礎穩固，以後的發展建樹，更可拭目以待。不過，這其間的過程顯然十分曲折多變，不加以分析研究，還真不容易瞭解其間分合變化的過程。

乙、建立永久所址

史語所建所初期的所址在廣州，其後遷至北平，大致情形已見前述。到了民國二十一年，因北方情勢惡化，平津危殆，史語所已不適宜留在北平，而且中央研究院又有將全院各研究所一律集中於南京的計劃。於是，史語所乃在這種情勢之下，先由北平遷設其大部分研究人員及設備於上海，最後又再全部遷至南京。南京的新所址，是新經建築完成的四層樓鋼筋水泥西式建築物，結構牢固，屋宇寬大，在短時間之內足敷史語所之用。史語所在建所以來，一直未有屬於自己的永久性建築物，至此乃可安心的在這一新的永久所址內從事研究，不必再擔心找房子與搬家的問題。造房子與搬家，在整個史語所的所史上亦應該算是比較重大的事情，可是，在檔案中就是找不出史語所在南京造房子的有關檔卷，甚至史語所暫遷至上海小萬柳堂的有關資料，在檔卷中亦無法尋得。是不是因為這只是一些行政事務上的問題，在當時概由中央研究院統籌處理之故，而不曾在史語所檔案中留下若干紀錄？這已經是目前無法解答的疑問。因此之故，只好權且將中央研究院民國二十一、二十三兩年所印總報告書中的有關資料加以摘錄引敘於後，藉以見其大概。

甲、民國二十一年度中央研究院總報告書中資料

本所全部在北平時，以北海公園之靜心齋、蠶壇兩處房屋，分配圖書館及一、二、三組辦公之用；洋溢胡同之租屋，尚有一部分保留，存放語音學機器；午門上西翼樓及東廊房，為第一組整理檔案工作室。各部工作，雖在國難嚴重期中，仍得以繼續邁進，實賴數年經營，漸有安定基礎之故。二十二年春，外禍日迫，平津危殆，院令遷移安全地帶，不得已而有三次運送古物書籍至上海之舉，而二、三兩組，亦同時南下。刻下南京建築新屋計劃，正進行中，現用房屋，則散在上海、北平兩地，茲分別述之。

上海方面——二十二年三月底，本所遷入滬西曹家渡小萬柳堂舊址。有樓房兩座，以東樓上為圖書室及第二組工作室，西樓下為本所文牘、會計、事務室及所長辦公室，西樓上為第三組工作室，各部分在緊縮狀態之下勉強工作。尚有書籍、古物、檔案、及出版品數百箱，因所址狹小，不能容放，乃分別存儲於理工實驗館及中國科學社兩處。其餘書籍、檔案、木器，存在南京者亦復不少。

北平方面——北平靜心齋蠶壇自二、三兩組南遷後，以蠶壇全部，靜心齋一部分，堆存午門西翼樓上舊存之明清檔案，使集中一處，以便陸續整理。午門房屋，仍撥還本院歷史博物館籌備處保管。

南京新建築之計劃——本院各研究所集中首都，政府早有明令，亦為本院預定之計劃，故在本所南遷之前，即有建造新址於南京欽天山之議，已由本所與社會科學研究所合組兩所建築委員會，籌備進行。繼以欽天山無線電臺一時不能遷讓，乃決定改於欽天山下社會所西北隅建築新屋一所，東西兩座，排列如一字形。擬先建西面三層樓房一座，為本所辦公之用，照原案約需建築費十二萬元。此屋落成，本所三組工作，可以集中，其辦公、陳列、工作各室，亦均能分配周備。此項建築，已委託基泰公司設計繪圖，預計在下年度內可以落成。東面同樣樓房一座，為儲藏古物、檔案之用，當繼續籌建。

乙、民國二十三年度中央研究院總報告書中資料

本所自成立以來，所址先後由廣州遷至北平、上海各地。二十二年春，遵奉本院集中各所於首都之計劃，乃在南京北極閣東麓建築所址一座。此項建築，於二十二年七月開工，二十三年十月落成，建築費十萬元，乃基泰工程師設計，建華建築公司承包，屋式中西兼採。全部分四層，屋頂鋪蓋北平官窰綠色琉璃瓦，四圍牆壁，完全司門汀，外表為中國古代式之建築。房屋內部之支配，第一層計大小十三間，大廳兩間為陳列室，其餘為研究室、會客室、庶務會計室等，併借一間與中央博物院籌備處作臨時辦公之用。第二層計大小十三間，東部為第三組研究室及古物臨時整理工作室，西部為圖書室、閱覽室、書庫，中有二間為所長及文書辦公室。第三層計大小十六間，東部為第二組語音學實驗室、研究室，西部為第四組人類學測驗室、研究室、照相繪圖室。第四層東部陳列各項志書，西部儲存各項標本及採集之材料。此外，又於新屋北面建築儲藏室及工役宿舍一座，計三大間，建築費七千元。

由後面所引的這一份報告資料中可以知道，史語所在南京北極閣新建的大樓，已於民國二十三年十月竣工，並即遷入使用。但新建的大樓乃是四層樓的建築物，與二十一年報告書中所提到的三層式大樓顯然不同。而且在二十一年度中計劃興建史語所新辦公大樓之時，同時計劃興建的尚有中研院的社會科學研究所，此後亦未見提及。這其間的關係，想必與當時中央研究院調整改組各研究所組織一事有關。因為中央研究院在民國二十二、三年時，曾因政府財政困難，中研院預算大受減縮之時，計劃將社會科學研究所撤銷，將其中的有關研究部門儘量併入史語所，因此不但在史語所中增設民族、人類學的研究組——第四組，也擴大史語所第三組的研究範疇，容納原屬社會所的民俗學部門。史語所的編制擴大，人員增多，原計劃興建的三層式大樓顯然不敷使用，於是乎乃改成了後來的四層式大樓。關於史語所擴大編制之事，後文將另有敘述。這裡所談到的房屋問題，因未見於檔案記載，亦只能是作為一種推測，是否正確無誤，尚有待查證其他相關資料之後方能確定。

丙、整理史料工作的兩項重要計劃
——整理內閣大庫檔案與校勘明實錄

傅斯年先生主張中央研究院應該設置歷史語言研究所，是因為他堅決相信，中國的歷史學與語言學在過去三百年中之所以衰微不振，乃是由於中國後代的歷史學家與語言學家們祇知墨守前人成規，在固定的題目、固定的材料、落後的方法中兜圈子；所以中國古代的歷史學與語言學雖曾有過光榮的過去，到後來卻遠遠落在西方學者之後，陷入了落後停滯的狀態之中。如果我們能以新的觀念來運用科學的方法及工具從事開拓性的研究創造，這兩門學問的前途依舊是十分光明的。他的此一想法，在「歷史語言研究所工作的旨趣」一文中曾有明白的闡述，此處不需贅引。及至史語所正式成立之後，他的想法，當然就要付之實現。最具體的證明，就是斥貲二萬銀元購買李盛鐸所收藏的那一批「內閣大庫殘餘檔案」了。史語所舊檔元字二五八號卷中，存有史語所民國二十六年一月間所撰，致中英庚款管理會請求撥款補助「繼續並擴充整理史料工作」之概算表及說明書各一份，其說明書所述，即可作為此一工作之最佳解釋。今抄錄如下：

史之良窳，視史料為準。史料而充實，則雖非第一等史家，亦得據以為上等史籍；史料而貧乏，則雖有第一等史家，亦不能撰成一部充實之作。此無他，歷史以傳信為主，史料不信，何有信史？史料不充，何有文質彬彬之史？現存之史，大概皆出於輾轉傳述而來。在今日視之，其敘述之輕重失宜，與真偽雜揉，自不能免。故今日之治史學，惟以搜集當日最直接之史料以為研究之資。直接史料者，即與史實發生時最接近之記述或遺蹟。此等史料最為堅實可據，然而最易於喪失者，亦無過於此。歷史語言研究所創立之初，即以搜尋及刊布可逢遇的直接史料為職志。以搜尋擴充研究之範圍，以刊布綿延保存之機構。七八年來，不斷的努力向此邁進。計已搜得及整理者如次：

(甲)自國家冊府出者，清內閣大庫所藏明、清兩代檔案。此項檔案，本所於民國十八年購入，計十餘萬斤，費約二萬元。以後更續有購入。經三、四年之整理，已分類編年上架，現分存南京及北平兩處。此為研究明清史最直接之史料，其中敘述，皆當時構成歷史者負責之記載，或最切近之報告，年月時地，皆極可據。其關涉明清際者，尤可補私著之闕，官書之妄。至已編印出版者，計有明清史料甲、乙、丙三編，每編十本。甲編已出版，乙編由商務印書館印行，即出版，丙編同在印刷中。

(乙)未刊並無定本之史料。此類史料僅次於直接史料一等，蓋其中大部分皆為以檔案為依據而編成之史料長編，如明實錄、楊英從征實錄等。其中不免刪改漏略，但較之檔案已有組織，亦不無較勝處。其檔案中較次之史料，亦入此類。計已整理及印行者：(1)明列朝實錄共三百本，自民國二十三年開始校勘整理，迄今年六月內可以完全就緒（即可付印）。(2)史料叢書有「楊英從征實錄」、「清代官書記臺灣鄭氏亡事」、「內閣大庫書檔舊目」及「補編」四種，並已刊印。在付印中者有六種。

(丙)金石刻。此為地下或地上陸續發現之有文字遺物，其重要性與檔案等。檔案為官府文書，此則公私紀念之物，兩者各有所長，而皆為史家所不可缺少之資料。計已整理及印行者：(1)周秦金石文，如銅器銘、石鼓文、秦刻石等，均在編輯中。(2)漢至隋碑碣。迻寫漢至隋磨崖石刻碑碣墓志等，按年月編排成書，統論前人考證，在編輯中。(3)漢至隋墓志。搜集漢至隋墓碑、墓志約數百種，按年月編排，照原蹟影印之。下月出版。(4)唐碑碣。迻寫唐代刻石墓志等，按年月編排成書，統論前人考證，在編輯中。(5)唐墓志。搜集唐代墓志，按年月編排，照原蹟影印之。在編輯中。(6)宋石刻。迻寫宋代石刻墓碑等，按年月編排成書。在編輯中。

以上皆為本所已往及正在進行中之工作。以後吾人仍將本以往之旨趣，完成並充實擴大之。……

史語所在民國二十六年七月抗戰發生之前所刊印的各種書籍，屬於前述各項的，計有：(1)延平王戶官楊英從征實錄，一冊。(2)清代官書記臺灣鄭氏亡事（原名平定海寇方略），一冊。(3)明清史料甲編十冊。(4)明清史料乙編十冊。(5)明清史料丙編十冊。(6)秦漢金文錄五冊，容庚編。(7)金文編二冊，續編二冊、容庚編。(8)金文書錄目一冊，容庚編。至於由趙萬里所編的「漢魏六朝墓誌銘」一書，則在編就後將書稿交由商務印書館印行，適逢抗戰發生，商務印書館的業務蒙受影響，不但無法如期出版，最後甚至連書稿的下落亦無從知道，實為本所之一項重大損失。此外則關於明實錄的校勘印行，在初時原以為是一份不甚繁重的工作，只要將北平圖書館所藏的紅格抄本與兵工署贈與史語所的廣方言館抄本互相校勘，校正其中錯誤，並設法配補其殘缺，即可付之印行流傳；故而前引史語所致中英庚款會的請款書中，即作如此云云的樂觀語調。但因史語所後來又買到了吳興劉氏嘉業堂所藏的一部明實錄——通稱為嘉業堂本。而嘉業堂藏書中還有另一些不完整的明實錄抄本——抱經樓本與天一閣本，不同的本子陡然增加了好幾種，校勘的工作自然就繁重得多，原以為民國二十六年初即可完成的明實錄校勘工作，其預定完成期限，自不得不因此而拖延下來。再加上民國二十六年七月對日戰爭發生，史語所西遷後方，經費困難，人員疏散，種種預料所不及的變化接踵而來，明實錄的校勘印行工作，竟因此而一延再延，直到民國五十七年六月，方纔全部告成，回溯往事，這一工作的全部歷程，共計費時三十四年之久，實在遠非當時的始料所及。一樁歷時三十四年之久的工作，中間的參預人員又多達數十人，站在史語所的整個立場來說，不能不認為是一項十分吃重的工作項目，當然更有必要將這一工作的全部過程略作介紹，以明瞭其中究竟。

要瞭解史語所從事明實錄校勘印行的工作過程，黃彰健先生所寫的兩篇有關文章，應該是最有價值的參考文獻。一篇是「影印國立北平圖書館藏紅格本明實錄並附校勘記序」，刊登於史語所集刊第三十二本，民國五十年七月出版；一篇是「歷史語言研究所校印明實錄的工作」，刊登於史語所四十週年紀念特刊，民國五十七年十月出版。黃彰健先生在史語所遷臺之後受命主持明實錄的校勘印行工作，最後終底於成，可知他是對於此一工作最能了解其首尾始末之人，由黃先生大文中的敘述，不難對此一工作的始末經過，得到完整明白的了解。但因黃先生的原文過長，所以只能摘錄其中某一些有關係的部分。以見其一斑。

黃先生在他的第一篇大文中曾經述及史語所從事明實錄校勘印行工作的緣起，說：

史語所校勘明實錄，與整理內閣大庫舊藏明清檔案有關。在民國十九年，史語所整理內閣大庫檔案，發現其中有明內閣進呈熹宗實錄散葉。熹宗實錄今存紅格本缺十三卷，既發現這些散葉，所長傅孟真先生就想從散葉中找尋殘卷，並改正紅格本的脫漏及誤字。內閣大庫所藏明清檔案，係原始資料，可糾正官書的諱失，使人對明清史有一新的了解。而實錄係根據檔冊修成，明代檔案多已散佚，則明實錄也可說是原始資料。歷代修正史，多取材於實錄，明實錄是研究明代歷史最重要的典籍，因此傅先生就決定，一方面整理內閣大庫檔案，編印明清史料，同時又籌劃校勘明實錄了。

熹宗實錄散葉計千餘葉，其裝裱工作至民國二十一年一月始完竣。

在民國二十年的下半年，傅先生向國立北平圖書館洽借所藏明實錄紅格鈔本予以晒藍。紅格本雖殘缺，仍有二萬幾千葉，計費時年餘始晒畢。

在民國二十二年六月，承兵工署以廣方言館舊藏明實錄抄本贈予本所。廣本明實錄僅闕熹宗一朝，在那個時候，政府機構所藏的明實錄像這樣大部頭的即少見。

民國二十二年七月，助理員李晉華先生到職，從事校勘明實錄。李君卒業中山大學歷史系後，即入燕京大學文科研究所研究，著有「明代勅撰書考」及「明史纂修考」二書，由燕京大學出版。李先生專攻明史，係傅先生的高第弟子。

明十三朝實錄計二千九百零一卷，正文約二萬八千餘頁，一千六百餘萬字，絕非一個人所能校完。因此，在二十三年七月，又增聘工作人員，請那廉君、鄧詩熙、潘慤三先生任初校，由李晉華先生任覆校，並兼總其成。李君三助手，其中鄧君二十五年離職，潘先生後來調往本所第三組，以那廉君先生從事校勘工作時間最長。

由晒藍本現存校籤看來，在李君主持下，其時校勘計劃係以晒藍本為校勘底本，與廣本對校；

遇廣本或晒藍本有缺卷缺葉，即以他本校勘。如太祖實錄，晒藍本缺卷十四至二十四，此一十卷即據廣本抄配，而以北平圖書館藏禮王府本校勘；宣宗實錄晒藍本缺卷一至十二，此十二卷即以廣本配補，而以北京大學藏本校勘；英宗實錄廣本缺景泰元年正月至五月計六卷，此六卷即以北京大學本校勘；世宗實錄廣本嘉靖三十七年正月至十二月各卷，審其紙墨行款係抄配，而抄配者以嘉靖他年事寫於嘉靖三十七年各月下，冒充配全，而此十餘卷北平圖書館本亦係據北京大學本抄配，故校籤即注明北平圖書館本此處係據北大本抄補，以表示無本可校；神宗實錄廣本缺萬曆四年至八年及十四年至十七年各卷，晒藍本萬曆四年這一卷卷首即注明此冊據北大本校；北大本缺神宗實錄卷六十一，故此處即注明北大本缺此月；卷六十二有校籤云：「詩題以下至月底，北大本缺。」

由國立北京大學圖書館善本書目看來，北京大學所藏明實錄抄本並不止這幾卷。檢視晒藍本校籤，凡廣本晒藍本俱全處，未見提到北大本及禮王府本。當時為什麼不將北大本及禮王府本全部校勘一過？我想其理由如下：……

以下論述李晉華何以不將北大本及禮王府本全部校勘一過的各點理由，與此文無大關涉，不錄。黃先生的大文接敘史語所從事明實錄校勘印行的工作經過情形，說：

在民國二十二年春，史語所由北平遷上海，二十三年，又由上海遷到南京。李晉華先生及其助手為了校勘明實錄，仍留居北平。他們在北方校勘明實錄，利用北方所藏的本子，仍未能將晒藍本的缺頁配全。其時又曾馳書武漢大學，洽借所藏本。武漢大學藏有穆宗實錄殘本，並非晒藍本及廣本所缺，既已借到，不能久假不還，所以這一個本子是校勘了的。

其時，所中藏有內閣大庫舊藏朱絲闌精抄本成祖實錄二卷。這一個本子非常好，是由李光濤先生讀，李晉華先生校的。

在北方既無法將晒藍本缺頁配全，於是就想到往南潯劉承幹嘉業堂，洽借所藏明實錄，就晒藍本廣本殘缺部分，補鈔補校。李先生給院方的工作報告，認為明實錄校勘工作這樣就大功告成。在那個時候，他似乎還沒打算借嘉業堂本從頭到尾校勘一過。既打算借南潯劉氏嘉業堂藏本，於是在二十五年秋他們就奉命南遷了。在二十五年冬十一月，李晉華那廉君二先生訪書於南潯劉氏嘉業堂，就所中所闕部分借抄借校。晒藍本缺頁，據廣本北大本補配的，至此更續有補配，而那些缺卷據廣本配補而以北大本禮王府本校勘的，至此也均據劉氏嘉業堂所藏抱經樓本校勘一過。憲宗實錄廣本缺卷一至十二，世宗實錄廣本缺卷一至九；武宗實錄卷一五四至一六二晒藍本缺，據廣本配補，至此亦均據抱本補校一過。神宗實錄廣本缺卷，並據抱本傳鈔。神宗實錄這幾卷，我發現係據傳抄本校，因此這幾卷現在又據抱經樓原本校勘一過。

嘉業堂所藏熹宗實錄，其實是熹宗七年都察院實錄。謝國楨晚明史籍考說，嘉業堂藏有熹宗實錄，這因為他沒有看見原書。這一書及嘉業堂所藏崇禎實錄，均史語所所無，遂亦傳鈔一部。另外還鈔了不少的書。

李、那二先生假館於南潯劉氏，補抄補校，最值得一提的是他們對明世宗實錄的校勘。明世宗實錄廣本與晒藍本的出入最大，常整段的多出；有時同記一樁事，而造語遣辭也不同。他們利用嘉業堂所藏天一閣本及抱本，就這些出入最大處，讐校一過。密行細字，有些地方據廣本閣本所補，多達幾千字，審其字體，均係李、那二先生筆跡。其中出入既那麼大，則嘉業堂所藏本是應該從頭到尾校勘一過了。假館於南潯劉氏，工作實多不便，因此就動念購買。在民國二十六年二月，那廉君、張政烺二君往南潯洽購，至是年四月，遂以重金購歸。

李晉華先生，連年工作辛勞，不幸於民國二十六年二月七日病逝。在晒藍本武宗實錄卷一百四十四第一頁，李君貼有校籤云：「貼籤有、號者應去」。由今存校籤看來，李君用紅筆所作「、」字，至神宗萬曆元年十二月卷止，在武宗實錄卷一百四十四以前，晒藍本上所粘廣本校籤，凡認為不值得保存者，他都省去，而留下撕去的痕跡。李君主持時所編的校勘記稿，今存太宗及世宗二朝，前者係以廣本作底本，後者係以晒藍本作底本，二者均記廣本與晒藍本異同。其太宗實錄校勘記所載廣本與晒藍本異同，多不見於晒藍本校籤，當為李君所省略。我曾以校勘記與校籤核對一部分，知其省略得很不錯。校籤多得駭人，只要嘗試做這一種省略工夫，就知道李君對明實錄的校讐，是的確費了不少心血的。

李晉華先生於二十六年二月去世，而那先生亦在是年夏改任本所圖書管理員兼傅先生秘書。在二十六年七月，傅先生遂另請北京大學高材生王崇武、吳相湘、姚家積三人來所，從事明實錄嘉業堂舊藏本的校對工作。在二十六年七月，中日戰爭爆發，這年秋，史語所遷往湖南長沙。……

黃先生的大文，歷述史語所在民國二十二年開始從事明實錄的校勘工作，以至民國二十六年七月抗戰爆發，史語所西遷長沙為止的這一段期間，此一工作的經過情形，清楚明白，歷歷如數家珍。這是因為黃先生是史語所遷臺以後負責主持此一工作，而且將它完成的直接負責之人，所以他能對這一工作的始末經過了解得最清楚。由黃先生的大文中不難知道，明實錄校勘工作之所以未能在民國二十六年以前完成，有兩項重要原因。一個原因是此一計劃愈往裡深入研究，會愈知道其工作量之繁重，並非如最初開始從事此一計劃時之簡單容易。所以愈實施到後來，工作的規模愈形擴大，相對的就拖長了完成的期限。另一個原因就是因為抗戰發生，史語所西遷，因人事及環境等等客觀環境的影響，致使此一計劃無法按預定進度貫徹實施，自然也延長了此計劃的完成時限。但在這兩項原因之外，還有一項原因，乃是黃先生大文中所未曾明白指陳的，似有加以補充說明之必要。是即李晉華先生之死，對於此一計劃因而長期拖延的影響的因素，亦殊不容忽視。

李晉華先生之死，據史語所檔案資料之顯示，實係因趕工過度，積勞致病而死。這在那廉君先生所寫的一份報告資料中可以看得出來。原報告存於元字四十二號檔的「李晉華卷」中，說：

承詢李晉華君在南潯病死事，茲謹據實報告如次。民國二十五年十月九日，廉君隨李晉華君同往浙湖南潯鎮之嘉業藏書樓校勘明實錄。潯地濱近太湖，氣候卑濕，抵此未久，李君即感不適。十一月初間，聞李君云，接得傅所長來函，囑其節省用費，加緊工作。時李君病益甚，乃往郁冠球醫生處診治，據謂李君之病，既因水土不服，又加工作過度，變為急性心臟病。十一月七日，李君有函致傅所長，函中有「生素不以病體自愛，然水土不服，亦惟有希望早畢工作，早日回來」等語，蓋意中頗有回京休養之意。嗣據李君言及傅所長覆函，囑其將工作加速告一段落後再行返京，以免再來。於是力疾留潯，勉強工作。此後病況忽重忽輕，或兩三日一往診治，或四五日一往。十二月十九日勢益不支，乃扶之返蘇州。（至於未完工作，廉君於二十六年三月下旬重來南潯完成之。）抵蘇後臥踞旅邸，不能起。休息一日，翌晨扶之勉強登車返京，車中曾一度昏迷。既抵京，亟由本所庶務吳亞農君延請中央研究院院醫沈銜書先生診治。以下由吳君報告。

書記那廉君二十六年五月三日

李晉華先生後來病故於南京中央醫院，中央醫院所出具的死亡證明，載明李先生所患的疾病是

「心房纖維震顫，心力衰竭」。中研院為李晉華先生請卹案中所敘述的李君因積勞致病死亡情形，則說：

李晉華，籍隸廣東省梅縣，於民國十八年在中山大學畢業，於二十二年夏在燕京大學研究院畢業，於同年九月到該所任第一組助理員。當於次年由該所所長及第一組陳主任以校刊明列朝實錄事委其專辦。此項工作繁重，又以急於竣事，以故日夜工作，三年之間，大致就緒，其進行之速，至堪獎許。復因公家所藏各本皆有闕遺，乃於去年八月派該故員前往浙江南潯嘉業堂藏書樓，就校該樓所藏之善本。該員在南潯不能覓得適當之住處，乃賃居於一穢濁之小客棧內，不服水土，一到即生疾病。徒以工作所關，不肯返所休息，復夜以繼日從事工作，歷時三個半月，工作大致就緒，該員遂不能支持，當地病倒。由同去之書記那君扶之返京……

上面所引的這件檔案資料，一則說李晉華在三年之內將史語所所藏紅格本明實錄與廣方言館抄本互相比勘的工作「大致就緒，其進行之速，殊堪獎許」，再則說，「徒以工作所關，不肯返所休息，復夜以繼日從事工作，歷時三個半月，工作大致就緒」，充分可知李晉華先生從事明實錄校勘工作的精神及效率，都十分可觀。如果不是他因心臟病突發而致死亡，則史語所的這一工作，應該是可以由他繼續主持，最後終底於成的。任何一件具有延續性的長期工作，最怕中途發生人事更迭。因為新換上來的接替人對前人所已做的工作並無了解，一切都需從頭來起，無形中浪費了許多花在熟悉工作環境上的時間，難免影響預定進度。如果不幸而此一計劃的主持人一再更迭，則因此而發生的脫節與真空現象更形嚴重，對於原預定計劃所發生的影響，更屬無可估量。史語所在李晉華先生積勞病故之後，所面臨的明實錄校勘工作，正是此一情形，其因此而造成的延誤，自不難想見。

前引黃彰健先生的大文，只敘述到抗戰發生以前的明實錄校勘工作人員更迭情形，其後的後文，則因文字篇幅甚長之故，未便引述。由黃先生大文的後來敘述中可以知道，自抗戰發生，史語所西遷之後，奉派從事明實錄校勘工作的三人之中，吳相湘君不久即離開史語所，姚家積君亦在此時前後不久離職，留下來繼續從事此一工作的，只剩下王崇武君一人。王崇武君曾隨史語所由湖南遷至昆明，再遷至四川南溪李莊，其後於民國三十七年赴英留學，未再返回本所工作，雖其在職時間長達十年之久，但因抗戰時間並無助理人員協助其工作，獨力從事，畢竟成績有限。在當時進行得十分積極的此一工作，至此時乃陷入停滯狀態，直到民國四十四年冬間，史語所業已遷設臺灣，史語所所長亦換由李濟先生擔任，此一工作，始在李先生之積極支援下改請黃彰健先生繼續擔任，以底於成。但距離當初傅斯年先生策動此一工作之時，則已相隔二十餘年了。史語所的各項工作，俱不免因戰爭原因而蒙受影響，此固是不爭之事實；但如不是因李晉華先生之死而在人事更迭上造成如此眾多的變化，史語所的明實錄校勘工作，一定會比後來所知的情形順利得多，當可斷言。這亦是我們在此時追述這一段往事之時，十分值得惋惜的。

丁、傲視世界的考古成績

中央研究院史語所在抗戰發生以前所從事的整理明清檔案及校勘明實錄，固然是當時學術界的兩件大事業，但若以工作成績而論，無論如何不能與安陽發掘及城子崖發掘的那幾項考古發掘報告相提並論。

史語所舊檔，元字第四五一號「中原博物館檔」，存有傅斯年先生當時所寫的兩封信，其中若干語句，最可以看出史語所對安陽考古及城子崖考古二事的滿意程度。兩信均寫於民國二十二年的十一月二十二日，地點在河南彰德，也就是史語所在安陽從事第八次發掘工作，傅斯年先生親自從南京前往彰德作實地勘察時，在彰德所寫的信。一封信寫給在南京的中研院總幹事楊銓先生，另一封信寫給「書詔」、「乙藜」兩位先生，因祇稱其字，又未冠姓，請恕筆者學識淺陋，暫時尚不能知道此二人之真實姓名。在寫給楊銓先生的信中，傅先生說：

弟於二十日到彰德，看他們的工作，真正羡慕得很。殷墟中宮室之地基，掘得已很有個樣子、待向煤礦上借得軌車一到，到了明春，可以全知其「宗廟之美」矣。此三件考古工作出版之後（原注：「城子崖的已編齊，殷墟總報告最費事」），中央研究院大可在世界上直起腰竿來矣。此皆濟之、彥堂諸公之功也。

在另一件寫給「書詔、乙藜」二先生的信中，傅先生說：

書詔、乙藜兩兄大鑒，久未通訊，想一切安好。現有一事與兄一談。敝所之考古工作，去年二月曾在南京陳列一次，當時曾邀兩兄一看。……目下計算，發掘已完者有山東城子崖，久掘未完者有殷墟，今春開工，現在已有極大結果者有濬縣。此等報告逐一印出之後，必可為中國學術爭得一地位，蓋此時已大出風頭矣。……

如果說傅斯年先生的這種近於自負自誇的說法只是他自己的「夫子自道」，史語所在安陽、城子崖等地所從事的考古發掘究竟有何價值，仍須拿出具體實在的證據來加以說明的話，那麼，石璋如先生所撰，「殷墟發掘對於中國古代文化的貢獻」一文，應該便是最有力的佐證。

石璋如先生服務史語所六十餘年，也是當年直接參與安陽發掘工作的現存人證之一。他所寫的那一篇「殷墟發掘對於中國古代文化的貢獻」，原刊於學術季刊二卷四期，民國四十三年十月出版，此文的開頭部分說：

河南安陽的殷墟發掘，在中國考古學上，是一樁值得大書特書的重要事件。因為它是中國人自己用現代的科學方法，首次的大規模發掘。也是東亞考古史上的一件大事，因為在東亞還沒有找到第二個地方像殷墟蘊藏的那樣豐富，歷史性那樣的重要。在世界考古史上更是一件炫赫的大事，因為中國是古代文明國之一，發掘殷墟不但為中國古代文化增加新材料，也是給世界古代文化開闢新的資源。所以在發掘的時候，尤其是第七次以後的發掘，國內的報章雜誌注意它，英、美、日、德、法以及瑞典等國的漢學家和考古學家沒有不注意它的。工作人員的一舉一動，當地的新聞記者莫不認為是重要的資料，殷墟出土的片甲塊骨，世界上均當作重要的珍品，每次出版的發掘報告，歐美學者莫不以先睹為快。它是這樣的一個惹人注意的地方。它的惹人注意的原因，乃是由於科學的發掘和珍貴的發現。……

石先生的原文甚長，全文共分為六節，分別敘述十五次發掘及其重要發現、史前期與歷史期在地層上的接榫、殷商文化層的構成與各種遺物的分布、甲骨研究對於殷史的貢獻、遺物研究對於古器物學上的貢獻、現象研究對於殷代禮儀上的貢獻等六項主要內容，第七節則是結論，總述殷墟發掘對於中國文化有何等樣的貢獻。因為結論正是前六節文字內容的總結，雖不便抄錄原文，似無妨抄錄其結論，藉以概見其一般。此文的結論說：

在沒有發掘殷墟之前，大家對於殷代的認識，可以分為三派。第一是遵古派，古籍上的史料都是真實的，無可惑疑。第二是疑古派，古籍上的史料，真的少，偽的多，不能全信。如果要用，須經過一番提煉的功夫。第三是曲解派，新舊材料全要，選其可用的，拿來硬填入從外國搬來的社會主義名詞的表格內，以曲解殷代的社會。從民國十七年起到現在止，已經二十七年了。經過十年的發掘和十七年的研究，對於殷代的認識和從前大不相同了。

從十一萬九千六百一十七片甲骨，我們認識了殷代的先公先王，認識了殷代的祭祀典禮，認識了殷代占卜的種類，認識了殷代的歲時曆法，認識了殷代的宗法禮制，使新的材料建立起一個新的系統。

從我們自己發掘出來的陶、骨、蚌、石、銅、玉等遺物為根基，建立了殷代器物學的標準，擴大了器物學的研究範圍，革新了器物學的研究方法，使器物學衝破了金石學的範圍而建立起新的體系。

從四萬三千平方公尺地下的種種現象，知道了殷代營建，有一套隆重的典禮和儀式；知道了殷代葬埋，有大批殉葬者與之俱死；知道了殷代的兵士，有車隊、有甲士、有階級、有組織。我們用照相、用繪圖，使那些不可復存的現象，變成了殷代最寫實最寶貴的紀錄。

此外，在地層上，認識了彩陶與黑陶兩者時代的先後，認識了史前期與歷史時期的接榫，使散漫而零亂的各史前期遺址，都能順序的排列起來。

以上種種，有的已為古籍所道及，有的根本為前人所不知。這麼多的新知識，不但為疑古者所夢想不到，即遵古者亦非初料所及，至於曲解古代者更無法置喙了。這不能不算是殷墟發掘對於中國古代文化的貢獻吧！

物有本末，事有終始，殷墟發掘對於我國古史研究能夠發生如此巨大深遠的影響，當然應該歸功於殷墟發掘一事之能夠順利進行及進行得法。前者應歸功於中研院院長蔡元培及史語所所長傅斯年二位先生之領導有方，後者應歸功於第三組主任李濟及各位工作同仁如董作賓、石璋如、高去尋、梁思永、郭寶鈞等先生之群策群力，辛勞不懈，而李濟先生策劃主持之功尤多。說到這裡，就應該將安陽發掘工作的全部過程略作介紹，一以明其梗概，二以表彰各工作同仁之功績。在這一方面，石璋如先生的大文中曾有敘述，不妨引敘其原文，以資簡捷。

石璋如先生所撰「殷墟發掘對於中國古代文化的貢獻」，其第一節所介紹的，就是「十五次發掘及其重要發現」，今錄其原文於後：

從民國十七年的秋季到民國二十六年的夏季，這十年間是殷墟的發掘時期，先後共發掘過十五次。

第一次發掘，是在民國十七年十月十三日至三十日，由現任國立中央研究院歷史語言研究所所長董作賓先生主持工作，所以董先生是殷墟發掘的開山。用工人二十名，作了十八天，開了四十個坑，佔地約一百三十二平方公尺，獲有字甲骨七百八十四版。這一次是試探工作。

第二次發掘，是在民國十八年的春季，由現任國立中央研究院歷史語言研究所考古組主任兼國立臺灣大學文學院考古人類學系主任李濟博士所主持。從三月七日至五月十日，作了兩個月又四天的工，開了四十三個坑，發掘面積約二百八十餘平方公尺。在遺蹟方面有灰坑十三處，在遺物方面出有有字甲骨六百八十四片，並有大宗陶器及若干件銅器等。

第三次發掘，是在民國十八年的秋季，仍由李濟博士所主持，由十月十七日到十二月十二日為工作時期，其間由十月二十二日到十一月十四日因事停工，前一段作了五天，後一段作了二十八日，兩段共作了三十三天。開坑凡一百十八個，挖掘面積約八百餘平方公尺。遺蹟方面：灰坑，有長方坑圓坑等十五處；墓葬有俯身葬隋墓等三十處。遺物方面：有兩大獸頭刻辭，大龜四版，有字甲骨三百餘片，石刀、石斧、石錘，花骨、白陶、銅觚、銅爵、銅矛、銅鏃等，最引人注意者，為惟一無二的一片彩陶及殘缺的石雕抱膝人像。這一次可說有空前的發現，而且工作的範圍向西擴展到四盤磨村東北的霸台。

第四次發掘，是在民國二十年的春季，仍由李濟博士所主持，本次為殷墟發掘以來最熱鬧的一次，河南省政府及河南大學均派員參加工作，雙方工作人員增加到十六人之多，所長傅斯年也特別到安陽視察工作。這一次的發掘，可以說是安陽發掘的劃時代工作，不但重新的測量地形，並且重新的分劃工作地帶為Ａ、Ｂ、Ｃ、Ｄ、Ｅ等五區。從三月二十一日起，至五月十一日止，共作了一月又二十日，開坑凡一百七十五處，挖掘面積約一千四百餘平方公尺。在遺蹟方面有夯土基址多處，長方窖、圓窖、及大灰坑等二十五處，墓葬等十八處。遺物有鹿頭刻辭，有字甲骨七百八十一片，銅戈、銅矛、花骨、白陶、骨器、石器、陶器等多種，又有極罕見之虎頭骨及鯨魚肩胛骨等。在隋墓中出有許多瓷器及土俑等。這一次的工作區域，東面擴展到後岡，西面擴展到四盤磨，這兩處也各有重要的發現。

第五次發掘，是在民國二十年的冬季，由董作賓先生所主持，此次分小屯與後岡兩處工作。由十一月七日，至十二月十九日共歷一月又十二日，小屯分別在Ｂ、Ｅ、Ｆ等三區發掘，開坑共九十三個，挖掘面積約八百十八平方公尺。遺蹟方面：有黃土基址及多處穴窖。遺物方面有殘石磬、雕石皿、金葉、花骨，並有字甲骨三百八十一片。後岡的工作也分三區，開坑凡二十個，挖掘面積約三百八十五平方公尺。最重要之發現，為小屯、龍山與仰韶三期文化層的清晰疊壓和三期遺物的獲得。

第六次發掘，是在民國二十一年的春季，仍由李濟博士所主持，由四月一日起到五月三十一日止，工作了兩個月。小屯的發掘工作集中於Ｂ、Ｅ兩區，開坑凡九十三個，開掘面積約八百十八平方公尺。遺蹟方面：有穴窖二十六處，墓葬五處，Ｂ區有用礎石排成的三座門遺痕；Ｅ區有清楚而完整的夯土址，周圍並有礎石。遺物有龍山期的細繩紋、條紋、方格紋、黑陶等陶片；小屯期則無新的發現，從甲骨文來說，此次發掘為最貧乏之一期，僅僅出了一塊有字骨版。此次工作範圍更為擴大，洹南擴展到王裕口及霍家小莊，在那裡開了九個坑，得到了八個殷代墓葬，洹北擴展到侯家莊西北地的高井台子，在那裡開了三十四個坑，得到了仰韶、龍山與小屯的三期遺存。並在小屯對岸的四面碑開了三個坑，那裡完全是殷代的遺存。

第七次發掘，是在民國二十一年的秋季，由董作賓先生所主持，因受九一八國難的影響，故此次發掘規模較小。從十月十九日至十二月十五日，工作期間不足兩月，開坑一百九十九個，開掘面積約一千六百餘平方公尺。遺蹟方面有穴窖三十二處，墓葬十六處。遺物以鹿角為最多，有鋸過的，有磨光的，有雕花的。更有象骨、石器、白陶、金葉等。最重要的為精美的銅笵，墨書的白陶及有字甲骨二百五十八片。

第八次發掘，是在民國二十二年的秋季，由郭寶鈞先生所主持，郭先生因兼主濬縣的工作，實際上由同仁共同負責。全力集中於Ｄ區發掘，從十月二十日起，至十二月二十五日止共作兩月又五日，開坑一百三十四個，開掘面積一千一百九十六平方公尺。遺蹟方面，有基址兩處，穴窖十三處，隋墓九處。遺物方面，有向所未見之銅礎數個，殘遺的柱燼數處及有字甲骨二百五十八片。最重要之發現，是地層上有極清晰的小屯與龍山兩期的層次。同時又在四盤磨的東地開了兩個坑，其中都是殷代的堆積。又在後岡開坑數十個，發現殷代小墓數處，其中有棺槨的痕跡，並出一完整的銅甗。發現大墓一處，棺穴呈亞字形，在上層的夯土中有殉葬人頭二十七個。可惜墓被盜掘，沒有遺存。但初次發現殷代大墓的形制，也是一個極重要的發現。
第九次發掘，是在民國二十三年的春季，由董作賓先生所主持，從三月九日至五月三十一日，在洹河南北共作了兩月又二十二日，洹南的小屯與後岡僅作小規模的發掘，在小屯開坑五十一個，開掘面積三百八十平方公尺，遺蹟方面有穴窖三處，墓葬四處；後岡開坑三十個，開掘面積約三百餘平方公尺。大墓已經清理完竣，墓室南北長七公尺，東西寬六公尺二寸，深八公尺七寸，亞形之棺穴下並有狗穴。南道為坡，北道為臺階。洹北工作的中心，在侯家莊南地，開坑七十八個，開掘面積約千餘平方公尺。遺蹟方面，有穴窖，墓葬共四十二處。遺物方面：有大龜七版，字骨四十餘片。其次在武官南霸台作小規模的發掘，開坑八處，開掘面積約百餘平方公尺，有龍山、小屯兩期的堆積，在小屯期文化層中，有大量的卜用甲骨，但無刻辭。自此之後，殷墟發掘的中心，便移到洹河以北了。
第十次發掘，是在民國二十三年的秋季，由梁思永先生所主持，工作的中心，是在洹北侯家莊西北岡，自十月三日至十二月三十日，差不多作了三個月的工作。以大路為中心分工作地為東西二區，開掘面積約三千餘平方公尺。東區掘小墓三十二處，計有㈠長二公尺左右，寬一公尺左右，深度由一公尺至五公尺的長方形墓。這種長方形墓，有全軀無殉葬物的；有全軀隨葬有精美銅器如方彝、卣、壺等；有無頭肢體的；有無頭肢體隨葬有刀、戚、礪石的。後二種每墓葬有十軀人骨。㈡方形墓的面積，僅當長方形墓之半，其中每埋著十個人頭。㈢無壙墓，多為俯身葬。大墓有方形、亞形兩種：方形墓，每邊約二十公尺，佔面積約四百平方公尺，亞形墓佔面積約四百六十餘平方公尺，均有東西南北四道。遺物方面：石器約千件以上，銅器約一百二十四件，最精美者有二十七件。高約三十六公分之大理石雕獸，紋飾精美，完整無缺，為此次最有價值之發現。同時又在同樂寨開坑六個，開掘面積約二百三十餘平方公尺。在地層上有仰韶、龍山、小屯、戰國、漢代等五層的堆積，是一個最有考古價值的遺址。

第十一次發掘，是在民國二十四年的春季，由梁思永先生所主持，全力集中在侯家莊西北岡，從三月十日開始，到六月十五日止，工作了三個月又五日。工作區域仍分東西兩區，開掘面積約八千平方公尺。東區挖掘小墓四百十一座。西區四大墓均到底，第一大墓是深十二公尺，棺穴之下又有九個小坑，中間一個，四隅八個，每坑中埋有一人一狗一把戈。第二大墓深十三公尺到底，被盜太甚，一無所存。第三大墓深十二公尺到底，亦被盜掘過甚，僅底部有無數之盾形殘痕，及南墓道有鯨魚肋骨一根。第四大墓深十三公尺到底，雖被盜掘尚保留一部，此保留之部分，即南部道室之交接處，就在這個地方，發現有每束十把的銅矛，柄長約一公尺之銅戈，另有牛鼎、鹿鼎、石磬、銅盉等。小墓有車坑、馬坑、獸坑、象坑、羊坑、猴坑、鳥坑等。遺物有銅器、玉器、石雕、花骨等多種，皆極精工。為器物方面收穫最多的一季。

第十二次發掘，是在民國二十四年秋季，由梁思永先生所主持，工作地區仍集中在侯家莊西北岡，從九月五日起，至十二月十六日止，共作了三個月又十二日。用工人約五百名，開掘面積約九千六百餘平方公尺，佔地約五十六畝，實際工作人員十一位，為殷墟發掘以來規模最偉大的一次，工作地點仍分東西兩區。東區獲大墓二處，其一深十二公尺，在東墓道底部有盂、勺盤、人面等一套銅器；在南道西上方，有尊斝、觚、爵等一套銅器。其一深八．四公尺，僅有南北二道，被盜無遺。小墓七百餘處，多與上兩次所得大致相同，其最重要者為人頭坑內隨葬有銅鈴十個，又有一象坑其中埋有一象一人。西區大墓四處，均被盜過甚，其中遺存很少，最重要者為儀仗，多在西道，其一有鼓、磬等，其一為用蚌石綴成龍虎饕餮等。有一墓內發現一貴婦人遺骸，頭上有雕刻精美的數百骨笄裝飾品，可惜因雨未能完成工作，雨夜被盜掘者所擾亂，殊可慨歎。殉葬者的頭，一墓係隨著填土打入夯層中，一墓係逐行的列於北道的臺階上。

此區亦有小墓若干，均為武士及馬坑，其排列係圍繞著大墓。兩區共有大墓六處，小墓七百八十五處。大墓在西，排列的先後有序，小墓在東，人獸車馬分類排列，各色人等行列整齊，可以認識殷代墓地之偉大。遺物方面有盤、盂、觚、爵、斝、卣、尊、鼎、刀、戚、弓飾、馬飾等銅器，坐獸、立虎、龍、牛、象、皿、几、臼等石器，並有玉器、花骨等。同時又在大司空村南地，開了一百十一個坑，得灰坑三十七處，墓葬六十四處，遺物方面以陶器為最多。又在洹南范家莊墓地，開坑二十一處，無重要收穫。

第十三次發掘，是在民國二十五年的春季，由郭寶鈞石璋如兩氏主持工作。此次發掘的地點又回到洹南的小屯，集中在Ｂ、Ｃ兩區。從三月十八日起，到六月二十四日止，作了三個月又七日。此次工作在方法上有所改進，以一百平方公尺為一工作小單位，以一千六百平方公尺為一工作大單位。每一工作大單位設平板儀一架，一有現象即直接測入總圖，實行歷次所希冀的平翻政策，開掘面積約五千二百平方公尺。遺蹟方面，有版築基址四處，穴窖一百二十七處，墓葬一百八十一個。基址之下並有水溝。基址上有行列整齊的石礎，穴內有可以出入的臺階，窖中有可以上下的腳窩。墓葬有殷及隋兩期，殷墓中有車坑、馬坑、牛坑、羊坑、狗坑等，車馬坑中出有極精工的銅器與玉器。隋墓中出有瓷器及土俑。第二十墓的戰車，第一六四墓的戰馬，在現象上為極重要的發現，從此可認識殷代戰車的結構與戰士的裝配。第二十七窖的龜甲，呈徑約一公尺六寸，高約一公尺六寸的堆積，整版約三百餘版，殘片約二萬餘片，為向所未有的空前發現，在卜辭上有極重要的記載。

第十四次發掘，是在民國二十五年的秋季，由梁思永石璋如兩氏所主持，由九月二十日至十二月三十一日，共作了三個月又十日。此次發掘除一面繼續小屯工作外，一面並向西發展作試探性的發掘。開掘面積約三千五百九十平方公尺。遺蹟方面，有基址二十六處，穴窖一百二十二個，墓葬一百三十二個，水溝曲折經過若干地帶。試掘之處一為工區之北，一為工區之南。在工區之南者，其情形與小屯北地即B、C等區大致相同。在工區之北者，則為一般代小型葬地，而墓內殉葬物多為陶器。在遺物方面，完整而精工者則有鼎、甗、觚、爵、斝、毀、壺、罐、罍、盤、方彝、弓、戈、刀、矢等銅器，鳥、獸、罐、盆、豆、鬲等陶器，戈、刀等石器，錐、魚等玉器。此外又在大司空村南地作第二次發掘，開坑三十六處，挖掘面積約一千一百平方公尺。遺蹟方面，獲穴窖二十九處，情形約與小屯相同，有圓的，有長方的；墓葬九十一處，可分為殷代、戰國及時代不明的三種。遺物方面，除少數的銅觚、銅爵、銅斧、銅刀外，大多數為陶器。

第十五次發掘，是在民國二十六年的春季，由石璋如主持工作。此次工作集中C區，由三月十六日起，至六月十九日止，共作了三個月又四日。開掘面積約三千七百平方公尺。遺蹟方面：有基址二十處，穴窖二百二十個，墓葬一百零三個，水溝長約一百二十公尺尚未到頭。基址周圍有礎石，南面有門跡，在門的左右前後，每有四個跪姿的人骨埋在旁邊，左右各一個，前面一個，後面一個。每人各持一柄戈。基址的中層，埋有牛、羊、狗等三牲，基址的下層則埋有狗。牛與羊合葬的，有一坑多至三十餘架的；狗與羊合葬的，有一坑多至八十餘架的。遺物方面：有尊、卣、鼎、罍、觚、爵、斝、盃、刀等銅器，白陶豆、白陶罍、石雕獸、玉佩器，最重要者有大龜四十餘版，大骨十餘版，均有重要刻辭。

民國二十六年秋季，因抗日戰爭興起，殷墟發掘工作遂告中止。

總之，由民國十七年起，到民國二十六年止，在這十年中間共發掘了十五次。在這十五次中間，共發掘小屯、後岡、四盤磨、王裕口及霍家小莊、侯家莊高井台子、侯家莊南地、武官南霸台、小司空村四面碑、大司空村南地、侯家莊西北岡、秋口同樂寨、范家莊等十二遺址。實際開掘面積約四萬三千平方公尺，其深度淺的約一公尺上下，深的至十三公尺。其間發掘、刷洗、登記、編號、紀錄、照像、測量、繪圖、包紮、裝箱等，純用在田野方面的人力總計約十五萬工。標本有人骨、獸骨、陶片、陶器、石器、骨器、蚌器、鹿角、銅器、玉器等數百箱。精品約數十箱。的確是世界考古史上一件炫赫的大事。

以上所述，乃是安陽發掘的具體成績；至於城子崖的發掘，則在上古史研究方面的貢獻，與安陽發掘殊有相輔相成之功效。

城子崖的遺址，在今山東濟南市之東方七十五里，乃春秋以前古譚國之舊城。

城子崖遺址之發現，事出偶然。民國十七年三月間，吳金鼎先生與其友人崔君同遊濟南以東之平陵古城。此城之規模宏大，周圍達二十餘里，惟其城墻已傾圮殆盡，惟餘南端之殘餘一段，長約四丈，高約三丈，峙然壁立，雖遠在十里之外亦可望見，鄉人呼其地為平陵城。附近有深溝，吳金鼎在其中發現五銖錢之錢范及陶片等物，因知其地必定蘊藏極多有價值之古物。其年四月，吳金鼎再往其地，就深溝之壁上掘得帶花紋之磚塊及陶片。其東有臺地，俗稱之為鵝鴨城，紅土堆積甚厚，試加挖掘，更發現甚多之陶片及石器、骨器等。因知其地當為古石器時代之遺址，具有考古學之探掘價值。其後，吳金鼎先生進入史語所考古組擔任助理員，參與史語所的考古研究工作。當史語所在民國十九年春、夏之間因河南地方人士之反對而致安陽發掘工作陷入停頓狀態時，吳金鼎先生向傅所長及李濟之先生提出發掘鵝鴨城古蹟的意見，獲得他二人之支持，乃一方面由傅斯年先生與山東省政當局提出合作辦法，一方面派遣吳金鼎及于道泉二人前往當地作更切實之勘查。十九年十月，李濟先生亦往其地履勘一次，認為確有發掘價值。遂由中央研究院與山東省政府合組山東古蹟研究會，計劃從事共同發掘。

由中央研究院及山東省政府合作組成的山東古蹟研究會，設於山東省之濟南市，雙方各聘委員二人至五人，負責推動山東省境內的考古發掘事宜。山東省推派的委員，是楊振聲（青島大學校長）、王獻唐（山東省立圖書館館長）、劉次簫、張敦訥等四人；中央研究院推派的委員，是傅斯年、李濟、董作賓、郭寶鈞等四人。民國十九年十一月四日，此會在濟南正覺寺街青島大學辦事處正式成立，雙方共推傅斯年為委員長，李濟為工作組主任，王獻唐為秘書。此會成立以後所作的第一件大事，就是從事城子崖發掘。其地點就在吳金鼎所試掘的鵝鴨城。根據後來的研究，平陵古城乃漢代所建，鵝鴨城遺址則更早於此，應為春秋以前古譚國都城之所在地，故其地下堆積物充滿了石器時代以來的古代遺物。

城子崖的發掘工作，前後共進行兩次。中央研究院十九、二十兩年度的總報告書中記有此二次之工作情形及大致結果，說：

山東古蹟研究會本擬以臨淄、龍山兩地為試掘之區。十九年研究會成立時，在十一月初，瞬屆嚴冬，可以田野工作之時間甚短，故決議先就龍山附近之城子崖，作小規模之發掘。工始於十一月六日，止於十二月十二日，為時雖僅一月，頗多重要發現。如古城遺址之版築形狀、古戰士遺骸、及與殷墟出土相類之卜用牛胛骨等，均有歷史上重要意義，古代東西文化之關係，於此得一線索。城基之下，復發現石器時代遺址，內有黑光陶器一種，其形式之美備，製作之精巧，實擺脫仰韶期彩色陶器之勢力範圍而獨樹一幟。此項發現，在中國文化史上堪稱一嶄新之資料。（民國十九年度總報告書頁二九一）

（二十年）十月初旬，開始籌備龍山第二次發掘工作。發掘團體由梁思永、吳金鼎、劉嶼霞、王湘等組成之。十月九日開工，至三十一日止，共掘一五二〇八平方公尺，結果除斷定城墻之形制及黑陶之分布外，並發現新類之陶、骨、石器等甚多，及灰陶時期之文字與燒陶之窰。（民國二十年度總報告書頁二三三）

史語所在城子崖發掘工作結束之後編成「城子崖」一書，列為「中國考古報告集」之第一種，民國二十三年出版。此書之卷前，有李濟先生所撰之序文，概論城子崖考古發掘之價值，引述其中之一部分如下：

這一本報告所記錄的城子崖文化的內容，有幾點是應該特別注意的：

(1)遺址內無疑的包含兩層文化，在地層上及實物內容上均有顯然的區別。

(2)上層文化已到用文字時期，證之古史的傳說，似為春秋時期之譚城遺址，其時代當即可由此確定。

(3)上層文化最著的進步為用青銅，有正式的文字，陶器以輪製為主體。其餘的物質均似直接承襲下層，略有演變。

(4)下層文化為完全石器文化。陶器以手製為主體，但亦有輪製者。所出之黑陶與粉黃陶，技術特精，形製尤富於創造。此類工藝，到上層時似已失傳。

(5)城子崖最可注意之實物為卜骨。由此，城子崖文化與殷墟文化得一最親切之聯絡。下層兼用牛、鹿肩胛骨，上層只用牛肩胛骨；故上下兩文化層雖屬兩個時期，實在一個系統。這組文化包含之意義，與仰韶、殷墟、及殷墟附近之後岡遺物比而更顯明。構成殷墟文化最緊要之成分——骨卜，遂得一正當之歸宿。

骨卜習俗之原始及其傳播，在現代民俗中仍為一未解決之問題。討論這個問題的，大概都追溯到中國三代的龜卜為止。但殷墟發掘已經證明，中國的龜卜還是從骨卜演化出來的；殷墟所出的卜用的骨，實比卜用的龜多。就那一切技術說，已到極成熟的時期，故殷商時代這種習俗必具極長期之歷史背景。這種歷史的背景，在那中國北部及西部分布極廣的石器時代仰韶文化遺址中，毫無痕跡可尋，但在城子崖遺址卻找了出來。因此我們至少可以說，那殷商文化的最重要的一個成分，原始在山東境內。

這是一個很重要的線索。這關係認清楚以後，我們在殷墟殷商文化層下又找出了一個較老的文化層，完全像城子崖的黑陶文化。事實上證明，殷商的文化就建築在城子崖式的黑陶文化上。在殷墟附近的後岡，我們已找到同樣的證據。故城子崖下層的黑陶文化，實代表中國上古文化史的一個重要的階段。牠的分布區域，就我們所知道的，東部已達海岸，西及洹水及淇水流域。繼續的搜求或可證明更廣的範圍。

殷墟發掘及城子崖發掘，在考古學上產生如此偉大的績效，其彼此間的關係卻又能如此相輔相成，自然值得傅斯年先生引以為傲。何況中央研究院到那個時候為止還沒有什麼具體的成績可以呈獻於國際學術界，史語所的這一份非凡成就，更可為中央研究院增光不少。打從那個時候開始，史語所在國際學術界的聲譽，蒸蒸日上。那當然都是傅斯年、李濟、董作賓、陳寅恪等前輩先生的勞績，功不可沒。至於史語所在語言學方面的成就，則當在下一節中加以論述。

戊、方言調查、語言音檔與語音實驗

傅斯年先生創辦歷史語言研究所，以語言與歷史並重。他深切了解研究方言為研究漢語之基礎，故在史語所創辦之始，即計劃從事全國方言調查。曾先後在趙元任、李方桂兩先生主持之下，大規模從事漢語及非漢語系統的方言調查，成果極為可觀。

民國十七年冬，史語所成立未久，語言組主任趙元任先生就先後前往廣東、廣西等地作漢語方言調查，其範圍東起潮汕，西至南寧，北起樂昌，南至中山，共二十二處。民國十八年，李方桂先生受聘為語言組研究員，到職不久，就遠道前往海南島調查黎語及當地漢語方言。十九年，王靜如先生曾赴河北省南部之大名一帶調查方言四五種。二十二年，白滌洲先生赴河南隴海鐵路沿線及陝西東部，調查當地方言，調查範圍共二十九縣。二十三年六月，羅常培先生赴安徽之皖南一帶調查各地方言。二十四年春，史語所重新擬訂方言調查之工作方針，規定各地方言調查之精密程度，以一次調查完畢之後，以後無須再做所做之部分為準。此年五月，曾由趙元任、李方桂二先生領導組內工作人員，赴江西之南昌、贛縣等地調查江西各縣方言，每處所記之材料包括單字音、字調、詞彙、讀文、自由會話等。同年十月，又赴湖南各縣作全省性之普遍調查，共得方言材料一百餘處。二十五年春，調查範圍轉至湖北全省，共得方言材料六十四種，編成「湖北方言調查報告」一種。至於其他地區所得之方言材料，亦曾在後來輯成「湖南方言調查報告」、「鍾祥方言記」、「龍州土語」、「臨川音系」、「廈門音系」等書，陸續出版，分別構成全國方言調查之一部分。

方言調查是語言研究所必需的參考資料，語音實驗則是要把調查所得方言資料用儀器灌製成永久性的音檔，以便隨時供給研究工作人員的聽、寫及整理之用。此計劃係與方言調查計劃同時進行。即語言組同仁一面在各地作方言調查，一面即由史語所向國外訂購實驗用之儀器。其內容有測驗音調及發音方法所用之各種儀器、發音部位之圖解、模型、及審音參考語料音片。自史語所遷至南京，更在新建所址中興建語音實驗室四間，裝置隔音及吸音設備，自設計、繪圖，以至興工建造，均由趙元任先生親自處理，其內部設置之完善，所用儀器之精密、測音效果之良好，在當時堪稱獨步亞洲。由於良好的設備及豐富的語言資料，史語所語言組當時所灌製的鋁片音檔，將近一千張。至於早期所灌製的臘筒音檔，則因其本身質地軟脆，不但容易破損，音質亦易變壞。故又將臘筒音檔所保存的資料轉灌於鋁片，使可永久保存。鋁片音檔所保存的漢語材料，計有湖北、湖南之全省，江西省之北部及中部，安徽省皖南六縣，陝西中部等地區的漢語方言，此外尚有客家語、廣州語、廈門、福州、涇縣、陽城等方言音檔。非漢語則有泰語、苗語、傜語等語料音檔，為數甚多。

己、增設第四組

史語所在籌備成立之初，原分為八個工作組。其後加以調整，改編為歷史、語言、考古等三個學術組，分別稱為第一、二、三組。這編制形態一直維持到民國二十三年的五月，由於社會科學研究所與北平社會調查所合併之故，院方決定，將原屬於社會科學研究所的民俗組劃出，歸入史語所，改稱為第四組，其專業範圍為人類學及民俗學，於是史語所乃由原來的三組增為四組，迄今未變。

當年傅斯年先生在廣州籌設史語所之時，史語所的八個工作組中，有一組名為「人類學民物學組」，其研究工作的範圍，很像是後來的第四組。由於社會科學研究所在當時已經設有民族學組，此組的工作與之頗涉重複，乃於史語所遷平改組之時，將「人類學民物學組」取銷，只設歷史、語言、考古三組，以明確劃定研究工作之範圍。設於社會科學研究所中之民族學組，其研究對象，係以我國邊疆地區之原始文化為主。自民國十七年成立以來，曾先後由德籍學者顏復禮（Fritz Taeger）與商承祖兩先生調查廣西凌雲縣之傜人，林惠祥先生調查臺灣番族，凌純聲、商承祖兩先生調查東北松花江下游之赫哲族，分別出版專門著作多種。民國二十二年，中央研究院基於經費困難之原因，計劃將社會科學研究所與歷史語言研究所合併，改稱為「歷史語言社會研究所」，由傅斯年先生擔任所長，李濟先生擔任副所長。此所之編制，計劃分設四組，除一、二兩組保持史語所之原來建制及研究專業外，在史語所之第三組中加入社會科學研究所的民俗組，另增設第四組，即由社會科學研究所的社會組及經濟組移設而來。此項編制計劃，後來因未能得到國民政府核准備案之故而並未付之實施，而社會科學研究所在合併北平社會調查所之後變更其原來的研究專業，將原設該所的民俗學部分劃出，於是乃有後來的改變——史語所增設第四組，專門從事人類學、民族學及民俗學等方面的研究，第三組的考古研究專業則保持不變。

上面所說的改組計劃，定案於民國二十三年的五月，此年八月，院長蔡元培先生聘請李濟先生兼任史語所新設的第四組——人類學組主任。至十二月，李濟先生請辭兼職。院方改聘英國倫敦大學人類學博士吳定良先生為第四組主任。至此，史語所的第四組人事安排及工作進行，纔算塵埃落定，一切進入軌道。

新成立之史語所第四組，研究工作範圍兼包人類學與民族學兩部分，人類學又分為體質人類學與文化人類學兩部分。新聘之第四組主任吳定良先生，其專長在體質人類學，文化人類學部分之研究工作，由編輯員陶雲逵先生擔任。至於民族學研究部分，則在社會科學研究所設置民族學組之時，原有研究員凌純聲、助理員芮逸夫二先生專任其事，該組歸併於史語所時，凌、芮二先生同時歸於史語所，此時仍舊擔任原來之研究工作。吳定良先生就任第四組主任後，在所中籌設「人類學實驗室」及「統計學實驗室」，前者供測量人體及測量骨骼之用，後者專供統計分析各種研究資料之用，備有各種計算機及測量繪圖儀器十餘種，粗具規模。文化人類學及民族學研究方面，傅斯年先生對西南邊疆地區之少數民族最為重視，在籌備處時代就打算對川滇邊境之猓玀民族展開研究，惜未能順利實現，此時就請陶雲逵、凌純聲二先生赴雲南，從事人種及原始文化方面的調查研究。

民國二十四年秋間，中、英兩國政府有會勘滇緬南段界務之舉，內政部商請本所派員參加勘界團工作，以期順便調查未定界區域內之民族資料。傅斯年先生仍請凌純聲先生前往參加，隨同凌先生前往的，則有四組的助理員芮逸夫、計算員勇士衡二先生。他們隨同勘界委員會人員在滇、緬邊界南段地區工作三年，調查之邊疆民族，計有苗、畲、擺夷、倮黑、傈僳、阿卡、撲喇、山頭、崩龍、佧喇、佧佤等十餘種，搜集標本六百餘種，攝得照片一千餘幀，收穫極豐。

與民族學研究相輔而成立的「民族學標本陳列室」，係在民族學組設立於社會科學研究所時代成立，民族組劃歸史語所後隨同改設於史語所。所陳列之標本，除由本院研究人員自行採集之臺灣番族、四川大涼山猓玀、及松花江下游之赫哲族等標本三百餘件外，復有德國漢堡大學但采爾（T.W. Danzel）教授所提供之歐、美、非、澳四洲各民族標本一百八十餘件。該組併入史語所第四組後，又增加連年以來在湖南、浙江、雲南各地從事民族學調查所採集之標本，陳列品陸增至一千餘件以上。在國內各學術機構的民族學研究方面，史語所第四組的民族學標本，是相當充實的。

史語所在河南安陽作了十五次的考古發掘，收穫極豐，其中有一項亦與體質人類學的研究有關，就是在歷次發掘中所得到的數百個古代頭骨。此一宗有確實時代可稽的古代頭骨，乃是研究殷商時代中國人體質情形的最寶貴材料。史語所擁有這一批珍貴無比的材料，在全世界的人類學研究單位中，可說別具一格。所以傅斯年先生特別將此一研究課題託付給當時的第四組主任吳定良先生，希望能以他的學識能力，好好運用這一批資料，作出一些傑出的研究成績來，俾使安陽發掘的成就更為圓滿。只可惜史語所在不久之後就面臨了抗戰發生以後的大動亂，工作地點一再播遷，生活水準每況愈下，難免影響到原定的工作計劃。所以，這一工作在後來還是躭延下來了。

庚、爭取補助經費

關於史語所的歷年經費情形，前文曾略有敘述，但缺乏有系統而全面的敘述，在此應稍作補充。

在籌備時期的史語所，每月經費祇銀幣五千元，另加一次撥付的開辦費銀幣三千元。此項經費自民國十七年一月份起支，至同年十月份止。

民國十七年十一月起，史語所經費奉核定為每月銀幣一萬元。十八、十九、二十，三個年度的經費預算亦照此數。至二十一年，因九一八事變及一二八事變相繼發生，時局危急，政府財政困難，各單位經費均奉令縮減，史語所經費只能按百分之五十五支領，即每月銀幣五千五百元，外加借用本院教育圖書費一千元，合計六千五百元。

自民國二十二年開始，史語所經費增為每月一萬一千元。二十三年，增設第四組，自十一月份起，再增第四組經費二千元，共計月支一萬三千元。

自民國二十五年起，史語所經費自每月一萬三千元減為一萬二千元。臨時費方面，則另撥第一組之史籍整理工作費全年共六千元，第三組之安陽發掘費全年共一萬二千元。二十六年之預算數與二十五年同。

以上述經費支用情形看，史語所自民國十八年以來，每月額設經費從未見有較大幅度之增加，中間更曾因時局影響而減至每月六千五百元。以這樣有限的經費數目，除了負擔薪俸開支及購置圖書、儀器設備之外，所餘工作費究竟能有幾何？實在大可懷疑。而自民國十九年史語所遷平以來，各項研究工作均積極展開，所舉辦的安陽發掘更是規模巨大，成效空前，這一切工作所需的費用究竟從何而來？更值得人們深長思忖。說到這裡，我們可以引用一段李濟先生寫給傅斯年先生信中的話，以略見其一斑。

史語所舊檔元字十七號「李濟之」卷中，存有李濟先生寫給傅斯年先生討論第三組工作問題的一封信。此信寫於民國二十四年的一月十日，信中的一段說：

㈢為三組添工作費的議案，弟一時衝動的提出，會中一時衝動的通過，不料竟是一件絕對的辦不通的事。弟為此事見了在君兩次，大碰了兩次釘子，聽那口氣，大約絕沒有一點希望。最近計算了一下考古組的正當餘款，連基金及本所在內，只有九千元上下可用，明春支出，即安陽一項，最低限度亦要此數，若稍加擴充，即不敷支配，若再加壽縣，更是一錢莫名。得兄通盤籌劃，或可勉強支持下去。然此種東挖西補，固可救急，明年如何，實不能不令人心焦也。弟固知兄必為此事負責（原注：「此實是弟數年來對兄最降心處」），惟究竟應如何辦？頗願兄有所指示也。

由這段話中可以看出，史語所考古組的工作經費，一直到民國二十四年時，還是陷於十分困難拮据的狀態，為了開展工作，所需要的錢，有賴身為史語所所長的傅斯年先生通盤籌劃，以「東挖西補」的方式支撐過去。但史語所本身的經費就十分拮据，要想在同一所中的其他各組間「東挖西補」地「通盤籌劃」，勢亦有其不可能，然則所需要的錢又從何而來？這就是傅斯年先生所最感到煩惱的問題了。

由史語所檔案資料可以知道，在抗戰發生以前，史語所得自中華教育文化基金會的補助費頗不在少，從民國十九年該會補助史語所工作費二萬五千元開始，史語所每年均曾得到該會之補助，自二萬五千元至三萬元不等，其用途分別為出版補助、田野考古費用、及音檔與方言調查。歷年之補助情形，約如下述：

民國十九年——二萬五千元（出版費一萬元，語音實驗室設備費一萬元，人體測驗室設備費五千元）

民國二十年——三萬元（出版費一萬元，田野考古工作費一萬元，音檔計劃工作費一萬元）

民國二十一年至二十三年——每年三萬元（用途同上）

民國二十四年——二萬五千元（出版費五千元，田野考古工作費一萬二千元，音檔及方言調查八千元）

民國二十五年——三萬元（出版費五千元，田野考古工作費一萬七千元，音檔與方言調查費八千元）

民國二十六年——二萬八千元（出版費五千元，田野考古工作費一萬五千元，音檔及方言調查費八千元）

史語所於民國二十六年向中華教育文化基金會提出的申請補助案，原為民國二十六至二十八年三個年度的補助費，經該會所同意補助的，亦為此三個年度中的補助費。但祇支領一年，抗戰即告發生，其後史語所播遷西南各省，一切正常工作均無法開展，該項補助費亦即停止撥發。但即使如此，史語所在抗戰發生以前的各個年度，得自中華教育文化基金會的補助，每年恆在國幣二萬五千元以上，相當於史語所全年經費的四分之一，其數殊不為不少。以這一筆數目幫助史語所解決其出版、考古工作、方言調查、灌製音檔等等業務需要所缺乏的經費，自可充分發揮其作用。在這一方面，中華教育文化基金會協助推展國內文化事業發展的美意固極可感，傅斯年先生的積極爭取補助，亦復辛勞備至，功不可沒。前引李濟先生寫給傅斯年先生信中所說，他對傅斯年先生最「降心」的，也即是最佩服的地方，就是他為了推展所中一切研究工作所付出的負責態度；這其中當然也就包括了傅先生到處奔走張羅金錢，用來應付實際需要的這種不辭勞瘁的精神。由於這幾句話是由當時感受最深的高階層人物所說出，其真實性無可懷疑，其意義也就十分的不尋常。

傅斯年先生對於爭取經費補助之事固然曾竭盡心力，與之同樣具有影響力量，又曾在史語所所從事的安陽發掘工作上出大力幫忙解決其經費困難的，由李濟先生的文章中可以看出，當時還有另一位極重要的人物，他就是民國二十三、四年時擔任中央研究院總幹事之職的丁文江先生。

史語所故所長李濟先生所撰的「感舊錄」，其中收有一篇懷念已故中研院總幹事丁文江先生的文章，題名「對於丁文江所提倡的科學研究幾段回憶」，文章中曾提到丁文江（在君）先生對安陽發掘一事的貢獻，說：

> 關於侯家莊的發掘，丁在君的很大的貢獻，外間知道的差不多沒有。原來歷史語言研究所雖設了一個考古組，但對於田野考古工作，是向來沒有特別預算的，每年的經常費，也只同別的工作單位一樣。最初幾年，田野考古工作經費，差不多全由中華教育文化基金董事會捐助，但每季不過三、五千元，還要再東拼西湊一下，史語所方能把田野工作的經費打發下了。到了第十一次安陽發掘的那一年——那時正是梁思永在侯家莊工作，田野工作的經費到了必須增加的一次。思永作了一個預算，數目在二萬元以上，比早期的要加多五倍至十倍。他說，不如此作，我們就等於毀了這一遺址，這責任可大了！據我的經驗，思永說的句句是實話，而所要的錢又是從最經濟處算；但同時，我更知道，除非總幹事特別注意，錢是無法出的。我把思永的預算送給總幹事看（那時傅孟真所長不在南京），他不加任何條件，就答應了。到現在中央研究院最為國際所欣賞的那一部分成績，就是思永用這筆款子得到的結果。
>
> 在君的決定，卻是有他自己的根據的。他有豐富的田野工作經驗，因此他知道得清楚田野工作的正當需要；他看見過考古組的成績以及思永對於考古的貢獻，他更知道思永的工作能力，所以他的這一決定，是一種科學的判斷。以後得到的結果，可以說超過了他的期望。

但是這一筆款子是從那裡來的呢？這問題的答覆，牽涉到在君提倡科學研究工作的另一計劃，而是沒有完成就被日本侵略所破壞的一件計劃。遠在楊杏佛作總幹事的時代，中央研究院就與英庚款會及教育部商量好了，中央博物院的籌備由中央研究院來擔任，代表中央研究院作這件事的，為歷史語言研究所的所長傅孟真先生；他的名義是：中央博物院籌備處主任。但是研究院與博物院具體的合作計劃，是在君到職後方才完成。合作的要點，為：(1)博物院不重複研究院的工作。研究院所採集的科學標本，研究完成後均交博物院保管及陳列。(2)研究院尚未成立的學科之研究工作，博物院可獨自或與研究院合作進行之。(3)博物院對於研究院進行中之採集工作，得派人參加，並補助其經費。中央研究院在侯家莊第二、三兩次發掘的經費，大半出自中央博物院的補助費。那時，在君是中央博物院的理事，我繼孟真之後為中央博物院的籌備處主任，所以這問題就得了這一種滿意的解決。

中央博物院出錢幫助史語所完成其安陽侯家莊的發掘工作，此事不見於史語所的檔案紀錄，若不是李濟先生寫出，還真無從知道其中之隱秘。由此不但可知丁文江先生對安陽發掘工作之貢獻，亦可知道，抗戰以前的史語所，由於經費工作而事業發展不易，有賴於各方面支援補助之一般情形為如何。

辛、十年有成

從民國十七年開始創辦的中央研究院歷史語言研究所，到民國二十六年抗戰發生為止，首尾恰為十年。十年的時間當然不算很長，但若要對一個專責從事研究工作的學術單位略作檢討，亦可以十年的時間作為尺度，衡量其十年中的成就如何，以作為此後發展的檢討標準了。

史語所最初十年的成績如何？看這十年中的出版品及發表論文數目，是一種較為簡單的測量法。史語所這十年中的出版品及發表論文數目，略如下述：

一、專著部分，共二十九種。

1. 敦煌掇瑣　劉復撰
2. 校輯宋金元人詞　趙萬里撰
3. 敦煌劫餘錄　陳垣撰
4. 秦漢金文錄　容庚輯
5. 慧琳一切經音義反切考　黃淬伯撰
6. 驫氏編鐘圖釋　徐中舒撰
7. 金文編（正、續）　容庚輯
8. 漢魏六朝墓誌銘　趙萬里輯
9. 元秘史譯音用字考　陳垣撰
10. 爨文叢刻甲編　丁文江撰
11. 金文世族譜　吳其昌撰
12. 北平風俗類徵　李家瑞撰
13. 廣西猺歌記音　趙元任撰
14. 宋元以來俗字譜　劉復、李家瑞同撰
15. 廈門音系　羅常培撰
16. 倉洋嘉錯情歌　于道泉譯注、趙元任記音

17.中國算學史（上冊）　錢寶琮撰
18.山東人體質之研究　吳金鼎撰
19.西夏研究（第一、二、三輯）　王靜如撰
20.中國俗曲總目錄　劉復、李家瑞同撰
21.北平俗曲略　李家瑞撰
22.唐五代西北方音　羅常培撰
23.松花江下游的赫哲族　凌純聲撰
24.說文闕義箋　丁山撰
25.金石書目錄　容媛輯、容庚校
26.韓非子考證　容肇祖撰
27.甲骨年表　董作賓、胡厚宣同編
28.城子崖　傅斯年、李濟等撰
29.東北史綱第一卷　傅斯年撰

二、論文，共計二百四十五篇

1.集刊第一本第一分至第七本第二分，共收論文一百七十七篇。
2.安陽發掘報告一至四冊，共收論文二十七篇。
3.中國考古學報第一冊，共收論文六篇。
4.慶祝蔡元培先生六十五歲論文集，共收論文三十五篇。

三、史料叢書，四種

1.延平王戶官楊英從征實錄

2.內閣大庫書檔舊目
3.清代官書記臺灣鄭氏亡事
4.明清史料甲、乙、丙編（每編十冊）

已出版的專著及論文集，是業已見於事實的工作成績；其尚未印行出版的某一些著作，或因印刷時間不及，或因撰稿未就，亦仍然應該視之為這一時期中的成績。屬於這一方面的，計有：

一、湖北方言調查報告——調查已畢，正撰寫論文中。
二、殷墟文字甲編——編撰已成，稿送商務印書館，尚未出版。
三、中國考古報告第二集——共收論文七篇，已撰成。
四、左氏春秋義例辨——陳槃撰，已撰成專著付印，未出版。
五、收入集刊第七本三、四分及第八本的論文三十七篇，待付印。
六、性命古訓辨證——傅斯年撰，已付印，未出版。
七、廣韻校勘記——周祖謨撰，已付印，未出版。
八、遼文匯——陳述編，已付印，未出版。

本書此一章的開頭部分，「培植後進」一節，筆者曾以頗長的篇幅介紹史語所培植基層研究工作人員及其具體績效情形，其中所開列的兩份統計圖表，頗可以看出史語所十年來所訓練培植的「助理員」級基層研究工作人員，在研究能力及研究成績上有何長進。根據此兩項統計圖表所顯示的數字資料，「助理員」級研究人員在史語所集刊上所發表的論文數目，最初只佔全部論文數目的百分之二十五，到最後已上升到百分之六、七十之譜。足見經過十年時間所訓練培植的助理員級研究人員，到此時均已具備獨立研究之學識能力，堪以擔當大任了。史語所在成立之初，為了積極展開研究工作及開始訓練後進人才之任務，必須多方延攬具有聲望而且有具體成就的專家學者，來充任史語所的研究員、編輯員。到了抗戰發生的前夕，不但這些高水準的研究員與編輯員依舊能精進不懈地創建其研究成績，即是當時未具獨立研究能力的低階層研究工作人員，此時亦能以接力的方式從前輩學者手中接過研究任務來獨力進行其研究工作，這纔是最可喜的績效表現。史語所建所十年，到此時能有此堅實的成就，以後的發展，當然更順利可期。只可惜民國二十六年七月蘆溝橋事變發生，整個局勢陷入極大的混亂動盪，以致史語所此後的十年，竟是在一連串兵荒馬亂及生活艱難中苦苦支撐，嚴重地影響了抗戰發生前夕的史語所順利成長趨勢，實在是任何人所意料不及的。

八、戰亂流離

甲、戰前生活如唐虞之世

史語所的舊檔中，存有一件傅斯年先生寫給董作賓、梁思永兩先生的信。寫信的時間是民國三十年的八月二十五日，傅先生當時在重慶代理中央研究院的總幹事，董、梁二先生則在四川南溪李莊的史語所戰時所址。此信的開頭處，是這麼一段話：

彥堂、思永兩兄：出醫院後，一看物價如此，回思昆明，如唐虞之世矣。……

史語所的永久所址在南京的雞鳴寺路，與中央研究院及很多研究所同在一起。民國二十六年抗戰軍興，史語所與心理、天文、氣象等所同遷湖南長沙，此年年底又再遷昆明。遷昆明以後，昆明地區物價猛漲，史語所同仁的生活大受影響，莫不叫苦連天。此後，史語所再由昆明遷往四川省南溪縣李莊鎮的板栗坳，在那裡一住五年多，直到抗日戰爭勝利，方由李莊復員還都。史語所同仁在昆明時期所嚐味的物價上漲之苦，比之後來在李莊時期之所遭遇，已如小巫之見大巫。傅先生在民國三十年下半年時眼見重慶地區物價漲幅之高，回憶昆明時期，已有唐虞盛世之感。如果再把這情形以抗戰末期的物價上漲程度為比，則抗戰以前的安定生活，就更成為值得緬懷憧憬的太平盛世了。

史語所於民國二十一年從北平遷上海，二十三年又由上海再遷南京，由此時直到民國二十六年抗日戰爭爆發，是史語所發展得最迅速也最安定的時段。在這一段時間裡，由於政局安定，建設進步，國內的一切都出現欣欣向榮的氣象，學術研究的發展也顯示出同樣的進步。政府對中央研究院的經費支援充裕得多，人員的增加和設備的充實也都較前此時為理想，史語所設在南京的永久性所址也已正式完工，凡是史語所的工作同仁，大家都有一種共同的想法，以為史語所業已奠定了穩固的基礎，從此之後，必定可在這一穩固的基礎上以踏實的腳步，一步一步地向光明遠大的美好前程邁進。史語所第二組主任趙元任先生的夫人趙楊步偉女士，前幾年寫過一部回憶錄，逐期發表於傳記文學月刊上，其中有一段描述他們抗戰發生前在南京時期的生活，最可以作為這一種想法的代表。

照楊步偉女士的說法，在抗戰尚未發生的前幾年裡，由於情勢安定，生活寬裕的緣故，當史語所終於在南京定居下來的時候，史語所的許多同仁，也都在作長久居住的打算。這裡面當然也有其他方面的影響因素，例如南京在當時並無足夠數量而符合居住條件的居家房屋，不論是租是買，找房子總是使人十分煩惱的事。當時的南京市長是馬超俊，為了加速南京的市政建設，撥出大批公地，經過規劃之後公開出售，鼓勵人民興建合於水準的住宅，如是公務員身分，還可以得到銀行的貸款。有此理想條件，趙先生夫婦與他們的很多朋友，都熱心於借貸款、買地皮、蓋房子的事。市政府所撥出來的公地就在郊外的中山陵附近，環境幽勝，宜於家居。自己請了建築師來設計圖樣，利用低廉的人工與便宜的建築材料蓋成房子，不但較建築商人蓋起來賣的房子便宜得多，而且其條件亦萬萬不是市售房屋所能比擬。於是，新社區中即刻出現了大批建築高尚的新型住宅，趙元任先生家的新住宅，即是其中之一。

趙元任先生家的新建洋房，房間寬大，室內的櫥櫃和書架都配合房間的布置而設計，不但極為實用，而且精雅別致，設計構想極為新穎，而開出窗戶就可看見鍾山，尤其令人心曠神怡。房屋外面，有寬敞的庭園，可以栽植各種自己所喜愛的花卉樹木。生活環境如此幽雅而富於情趣，當然對研究工作最為適合。這些，都是趙楊步偉女士寫在她回憶錄中的實際紀錄，其內容最為具體實在。當時也曾有人說，國難如此嚴重，而高級知識分子的生活享受卻如此華侈，未免近似不知國仇家恨的小資產家作風。不過這仍然可以反映出一些具體事實——在抗戰發生以前，身為大學教授或研究員之類的高級知識分子，他們的生活十分安定，其生活水準也都很不錯。以他們對社會的貢獻而言，維持這樣的生活水準當然十分應該。其所以特別要在這裡提到這一問題的原因，目的是在借此與抗戰發生以後的情形作一對比，藉以說明，在抗戰發生以後，高級知識分子因戰時物價上漲而遭受生活困難的威脅，又是何種情形？

歷時八年之久的對日抗戰，始於民國二十六年之七月，終於民國三十四年之八月。在最初的一年中，全國軍民因戰爭發生所感受的物價威脅，尚不嚴重。但漸到後來，其嚴重的程度就日甚一日。全國軍公教人員賴薪水之所得維生，在抗戰後期的幾年中，物價之漲勢有如脫韁野馬，一日千里，而公教人員薪給之調整，卻因限於政府財力，只能作有限的增加。於是，公教人員的實際所得，因紙幣購買能力之降低而日見減少，終於到了慘不忍睹的程度。在那個時候，純粹賴薪水維生的公教人員幾至衣食不完，三餐難繼，即使大學教授或高級研究人員亦不例外，回視抗戰發生以前之華屋美衣，安居樂業，豈不有如天堂地獄之比？趙楊步偉女士回憶錄中所記戰前生活之所以值得提出一說，無非旨在藉此作一對比，用來說明史語所同仁在戰亂期間所遭遇到的生活困難，至於何種程度，如此而已。

然而，史語所同仁在抗戰期間的生活雖然極端艱苦，他們在史語所所長傅斯年先生的積極領導之下，還是咬緊牙關撐持過來了。而且也不僅只是艱苦撐持而已，許多位有為有守的研究同仁，雖在生活極端艱苦的時間裡，他們一樣不曾放棄他們的研究工作，無論對國家對自己，都有明白的交待，這纔是更值得令人欽敬的地方。身為高級知識分子，即使在危急存亡的重要關頭，亦不會忘記他對國家與社會所負的責任，這種良知與理性的堅持，足以使人相信，史語所的將來一定是有前途的。在這種地方，史語所領導人傅斯年先生鼓舞眾心的卓越領導，功不可沒，尤其應當在此大書一筆。

由於抗戰的發生，史語所的發展受到重大的打擊。舉凡人才的流散、圖書文物之損失、與研究成績之降低質量，等等均是。加上抗戰勝利之後並沒有太長的時間可供休養生息，隨即又開始了播遷流亡之戰亂生活，史語所的前途，一度更陷入極度的黯澹之中。後一部分需要另闢一章加以敘述，這一章專述抗戰部分。

乙、西遷長沙

中日兩國間的外交關係，從「九一八」、「一二八」之後就陷入了極端危險的狀態，其間雖因我政府當局之多方容忍而暫且得以苟安一時，但因日本軍閥的亡華野心始終不戢，所以中日兩國之間亦絕無真正的和平可言。到了民國二十五年年底「西安事變」和平結束之後，日本軍閥眼見中國政府在蔣委員長的領導之下日益精誠團結，漸不可侮，乃決定加快他們的侵華日程。於是局勢愈來愈見嚴重，終於爆發了民國二十六年的七七事變。

發生於民國二十六年七月七日的蘆溝橋事變，揭開了抗日戰爭的序幕。中樞決定以武力與日本侵略者周旋到底，中國的全面對日抗戰於焉開始。八月十三日，上海戰爭亦告爆發，敵軍大舉進攻我方陣地，敵機亦以長江口的航空母艦及臺灣機場為基地，四出轟炸南京、上海、蘇州、杭州等地。南京與上海密邇，情勢極為危殆。何況敵機時肆轟炸，安全問題的威脅尤大。在這種情勢之下，中央研究院必須向後方安全地區疏散，以策安全。當時所擬定的疏遷計劃，除總辦事處必須隨同國民政府遷移外，各研究所的疏遷地點，初步決定如次：

一、物理、化學、工程三研究所遷往雲南昆明。

二、地質研究所遷往廣西桂林。

三、史語、心理、天文、氣象、社會科學、動植物等六個研究所遷往湖南長沙。（其後，氣象研究所由南京遷至漢口後即未再往湖南，到達湖南長沙的研究所只五個。）

史語所是決定遷往長沙的六個研究所之一，其遷移行動，與院本部及物理、化學、工程、地質等研究所無關，所以這裡只能記述有關遷移長沙的經過情形。

由於中央研究院決定遷往湖南長沙的研究所最多，院方為此，特別在長沙成立了一個「工作站」，負責辦理各所的疏遷工作。此工作站在二十六年十月間，曾經編過一本「籌設經過報告」，對於上述各研究所由京遷湘之經過情形，有詳盡完整之記述，可資參考。今摘錄其有關部分於後。

自滬戰發生後，本院既準備將天文等六所遷往長沙，乃與教育部合作，由湖南教育廳經手，租佃湖南聖經學校長沙韭菜園及南嶽校舍備用，月租國幣二千三百二十五元，二十六年九月一日起租。房舍及房租之分配，約定為教育部四之三，本院四之一。八月二十二日，本院派史語所助理員芮逸夫來湘，會同教育部代表舒楚石、鍾舒余，辦理接收事務。長沙房舍——課堂、辦公大樓一座，宿舍四座，附浴室、廁所、廚房等——於九月一日至三日正式接收完畢，本院佔用宿舍甲樓一全幢，大樓大教室一間，為辦公室及宿舍，大樓之地下室全部為貯藏室；南嶽房舍——全部樓房大小十二座——於九月十六日、十七日接收完畢，本院佔用宿舍貞字樓及中教員室。本院在長沙、南嶽兩處所佔房舍合計之最大容量，約為一百二十人之辦公室及宿舍。兩處房舍中，大部皆存有聖經學校原備之桌椅床鋪。八月二十五日，天文、氣象、史語、心理、社會、動植物六所所長奉院命組織「中央研究院長沙工作站籌備委員會」，其中除氣象所因暫留漢未參加，天文所因人數較少未派代表，史語所由梁思永代表，社會所由朱炳南代表外，其餘心理、動植物二所，皆由所長親自來湘負責。同日，心理所所長汪敬熙、動植物所所長王家楫、史語所代表梁思永，並奉院命為籌備會常務委員。梁思永、汪敬熙、王家楫於八月二十四日、二十九日、三十日分別抵長沙。九月一日，長沙工作站正式成立，臨時派定動植物所助理員朱樹屏兼任工作站文書，心理所助理員張香桐兼任會計，史語所助理員芮逸夫兼任事務。自八月二十二日起，至九月二十三日，陸續抵達長沙之本院同仁，共六十二人，長沙之房舍不敷分配，於是決定組織南嶽工作分站。九月二十四日，天文、動植物二所全體，史語所第四組全體、心理所及社會所一部分同仁遷往南嶽。九月二十五日，長沙工作站正式開始工作。十月一日，南嶽工作分站亦開始辦公。長沙方面之事務，由梁思永負責，並派定史語所事務員那廉君為工作站事務員兼理文書，心理所事務員董秉琦為會計員；南嶽方面之事務，由汪敬熙、王家楫負責，並派定史語所助理員芮逸夫兼工作分站事務員及文書，社會所技術員韓啟桐為會計員；另加聘聖經學校原有之庶務員黃勇義為庶務員，管理房舍雜務。至發件時止（十月二十六日），到湘本院職員總計七十二人，內天文二人，史語三十五人，心理八人，社會二十二人，動植物五人，在長沙者四十一人，在南嶽者三十一人。

此報告中說，史語所職員於二十六年十月二十六日以前抵達長沙工作站者，共計三十五人；而由史語所舊檔中所收藏的一份同類名單見之，則在二十六年十月十六日以前到達疏遷地點的史語所職員人數，共計三十四人，所差一人。這所差的一人，乃史語所第一組專任研究員徐中舒先生，因其到湘時間在十月十六日至二十六日之間，故而「工作站」的統計人數中已將他算了進去，而史語所自己的名單中則並未列入。根據這些資料，史語所到湘職員的姓名及其職務，可以列為如下一表：

專任研究員兼第二組主任　趙元任

專任研究員兼第四組主任　吳定良

專任研究員——梁思永、董作賓、凌純聲、岑仲勉、徐中舒，共計五人。

專任編輯員——陶雲逵，一人。

助理員——陳述、勞榦、全漢昇、姚家積、吳宗濟、丁聲樹、董同龢、楊時逢、石璋如、王湘、胡福林、高去尋、李景聃、劉燿、芮逸夫、李光宇，共計十六人。

技術員——楊廷賓、勇士衡，二人。

事務員——那廉君、王崇武、徐祿、吳相湘，共計四人。

圖書管理員——張政烺、傅樂煥，二人。

書記——林安國，一人。

計算員——胡紹元、李勤，二人。

史語所的職員總人數，在抗戰發生以前，原共有六十五人，經過這一場大變動之後，能夠由南京安全撤退到達疏遷地點的，已經少了許多。除了上開名單中所列的三十五人外，其餘各人，或因並未隨同疏遷隊伍撤退，或因未在南京工作，而在後來到達史語所的新所在地歸隊，尚有以下各人，其名單如下：

所長傅斯年——疏遷行動開始時，奉命兼代中央研究院總幹事，必須留京主持全院之疏遷及撤退工作，其後南京不守，即隨中研院遷往漢口。至辭卸總幹事職務後始返抵史語所。

專任研究員兼第一組主任陳寅恪——抗戰發生時尚在北平，平津淪陷，未及撤離。其後始由天津經海路至香港轉來後方。

專任研究員兼第三組主任李濟——押運標本儀器等物由南昌前往重慶，其後由重慶回至史語所。

專任編輯員郭寶鈞及書記潘慤——戰爭發生前原駐河南開封的河南省古蹟會，戰爭發生後，河南省政府將該會工作中止，郭、潘二先生乃將該會所存史語所文物設法運至後方安全地區，最後回至史語所。

書記尹煥章——原駐河南殷墟發掘團，戰爭發生後，始由河南輾轉抵達長沙。

助理員祁延霈——原駐成都四川大學理學院，在彼整理西康調查所獲資料。戰爭發生後仍在該地，未受疏遷影響。

助理員余遜、周一良、周祖謨、唐虞，及書記張文熊、李永年、王興春等七人——原駐北平，平津淪陷後無法南來，其後即因此而停止其職務。

事務員程霖——原駐北平，戰爭發生後奉派繼續留守看管史語所留平文物，未能隨史語所疏遷。

技術員王衍采、孫道楨、計算員石鍾、范承履、書記金葉、孫以芾、錢品嚴、耿魁倫、王兆芳、及臨時譯員召映品等十人——在疏遷行動開始時即表示不願隨史語所內遷，合於政府所定給資遣散之疏遷規定，列為「疏散離職人員」。

助理員陳槃、李光濤、李家瑞三人——在疏遷開始前請假返回原籍。其後陳槃、李光濤二先生仍返回史語所照常工作，李家瑞先生因病繼續請假。

書記鄧友雯——疏遷開始後行蹤不明，其後亦未回至史語所歸隊。

以上所列，除後來仍回所工作者不計外，因疏遷行動而從此與史語所脫離的職員人數，共計十九人，佔原有名額的百分之二十九。在這十九人之中，只有助理員余遜，因為在抗戰期間曾藉其留居北平之便，為史語所代辦採購圖書工作，歷時年餘，對史語所遷往西南地區之後，因無處可以買書的困難，提供了極大的服務性貢獻，深為所長傅斯年先生及全體同仁所感激，所以在抗戰勝利之後，仍為傅斯年先生所延攬，再回到史語所工作，其餘諸人，就不曾再與史語所恢復舊日關係了。

史語所在抗戰發生後，將書籍、文物、儀器等裝箱疏運後方。其中最先運出的是善本書及珍貴文物，其運往地點是江西南昌的江西農學院，總數一百二十箱，其後又由南昌運往漢口，輾轉運往重慶及長沙兩地。民國二十九年底，史語所由雲南昆明遷往四川南溪李莊，運往重慶的文物方得運回史語所。至於留在南京的圖書、文物及儀器等項，總數共有一千八百五十八箱之多。由於戰爭爆發後交通工具不容易獲得，能夠安全運達長沙的圖書文物儀器等，只有一千零三十三箱，其餘八百二十五箱中所裝的，乃是殷墟出土而重要性較次的發掘所得標本，因無法運出而暫留南京。由於安全運出的圖書文物及儀器等仍有一千一百五十餘箱之多，一旦環境安定，研究工作又可開始。所以，見於「中央研究院長沙工作站及南嶽分站籌設組織經過報告」中各研究所「遷移後工作恢復之情形及進行計劃」，屬於史語所部分的研究工作及此後計劃，大致仍沿戰爭未發生前的未完工作之舊，並未因遷離南京而有太大的影響。不過，儘管史語所的全體工作人員仍有其高昂進取的工作情緒，客觀環境畢竟是困難得多了。這可以從當時各工作同仁寫給傅斯年先生的信件中，看出此一趨向。試舉董作賓先生所寫一信為例，便可見及一斑。此信寫於民國二十六年之九月三日，董先生已在長沙，而傅先生尚留在南京兼代總幹事之職務。信中說：

> 孟真兄：白費了半個月的光陰，今天（九月三日）才把一個漂泊的家安插就緒，有一張桌子可以寫信了。由思永兄那裡借讀大示，深感吾兄維持大局之苦心。一切，弟當努力協助諸公刻勵進行，至少，自己是不敢貪圖苟安的。前日南昌消息不好，同仁極焦灼。及電詢，始知存件安全。弟等私計，擬派人前往照料，或者運湘，但均非易；因移動須有院中文件，往返需時，又運費浩大，恐此間存款不便動用。南昌存件之移動與否？或更謀安全辦法，一切，思永兄當有函奉商也。

運箱之船，一再拖延，今日仍未到，又推云明日可達。計二、三批均由此船（湘潭）裝來，來即分別存入地下室也。

關於本院本所工作，此時尚有所待。一、需待平大聯合辦公處來人商量分配房子各事。二、房子分配後，各所工作室再為分配。三、始能計及應作之工作。日來有本院或一部分遷南嶽之說，弟與思永兄覺無論如何，本所不便遷往；即本所他組可遷，三組必不可遷，因吾等材料太多，搬運費錢，且亦難保較長沙為安全耳。一、兩日內必有各項決定，容即另函詳陳。

濟之兄在京否？為言巽翁老伯暨其家人安健。此間無眷屬者較易安插，皆住聖經校宿舍，有眷者租房頗不易，朱經農夫婦為此頗費工夫。現弟覓得城內瀏正街七七號樓下三間，尚可暫居，押金百三十元，行租月十三元。思永、元任、濟之太太皆已租定房，同仁多已安定。惟勞榦君此來同行，因負擔太重，不勝其苦（其家大小七口吃飯），弟一路目睹，然亦愛莫能助耳。長沙屋多卑濕，不宜久居。所幸者，雖曾有警報三次，皆未果來。如此苟安旦夕，能將安陽報告粗成梗概，亦可稍盡一點自己之責任也。第三組工作之分配，及安陽報告編製辦法，日內有所擬定，即當奉聞。弟所租之斗室，已擺開書攤子，且先理未完成之一部分稿件（第五期祀典之未完稿）耳。

專此，即頌近安。濟之、籽原、毅侯、及在京同仁，祈為道候。弟作賓。九月三日夜。

這封信中隱隱透露出了一點戰亂流離中即將來到的生活苦難，此時雖尚未成為顯著威脅，亦已微見端倪，其內容則是物質條件之困難及生活水準之下降，此後即隨同抗戰情勢之日趨艱苦而日增其困難惡劣。由於低階層員工的薪水所得本極低微，一旦面臨這種情勢，最先感受到威脅與痛苦的，自然就是他們；如董先生此信中所說到的勞榦先生，即是其例。

勞榦先生於民國二十年畢業於國立北京大學，最初擔任中學教員，民國二十一年進入史語所為研究生，二十二年秋間任為史語所助理員，在抗戰發生時已在史語所工作了四年多。史語所的助理員薪給標準，戰前所訂為最低月薪八十元，最高月薪一百六十元，其晉升視每年成績而定，或晉薪一級，或晉薪二級，每級均為十元。勞榦先生在民國二十六年時的月支薪額是一百三十元，因抗戰發生，全國公務員普行減薪，五十元以下者可按十足數支給，五十一元至一百元者，超過五十元部分九折，一百零一元至二百元者，超過一百元部分八折，所以月支薪一百三十元者此時只能支一百十四元之數，比原來的薪數減少了十六元。十六元之數當然算不了什麼，可是一百三十元的月薪數在當時本只是中等以下的收入，若在平時，一家七口當然可以藉此以充仰事俯蓄之數，一旦逢到亂時，任何事都不能以常情衡量，這數目就未必能夠用了。如董先生信中所說，他家在到達長沙之後，在劉正街七十七號樓下租房三間，月租金十三元之外，尚須一次支付押金一百三十元。董先生是月支薪四百元的研究員，平時即有積蓄，此時自不感困難；若是在平時即無積蓄的中、下階層公務員，此時一旦面臨此頗為苛刻的租屋條件，恐怕就不能輕鬆容易的對付得過去了。租屋如此，其他諸事，亦可比例而推測知之。勞先生一家大小七口，平時不見得能有若何積蓄，此時不但須減少每月十六元的收入，還須增加各種意外的開支（俗語所謂「行動三分財」，逃難期間，事事花錢，自無法避免），則其捉襟見肘之情形自可想見。然而這還祇是一個開端而已。由民國二十六年底到民國二十七、八年之間，由於戰局不利，東南諸省大多陷入敵手，淪陷區的疏散人口大量湧入腹裡地區的湘、鄂、川、桂、滇、黔各省，使得這些省分的人口陡增若干倍之多。生活所需的物資供應不敷消費者之需要，交通住宿等等條件又遠為落後，一旦增加了數以百萬計的消費性人口，自然要促使當地各種物價急遽上漲。此時如公務員的薪水收入不能隨同物價之上漲作比例增加，則不但中、低收入階層的員工生活即將瀕臨絕境，即高收入階層的員工生活亦無法倖免，只是因為其薪得之數較多，而得以暫緩其最後困難到來之時間而已。這種情形，雖然要在抗戰進入第二、三年之後方纔具體化，但因其朕兆業已隱現於疏遷行動甫經開始之時，仍需在此先作簡略說明，庶不致在後來一旦面臨此一情勢之時，會有突如其來的感受。

丙、再遷昆明

史語所於民國二十六年九月抗戰開始之時，由南京遷至長沙，只在長沙及南嶽暫時停留了四個多月，全所員工，便須再度踏上征途，再往西遷至更為遙遠的雲南昆明。原因是當時的抗戰軍事情勢十分不利，日本侵略軍在攻佔上海南京及蘇杭各地後，正沿長江向西深入，安徽省的重要地區大半淪胥，寇燄逐漸及於江西、湖北省境，河南亦已成為戰區。長沙與前方的距離雖然還比較遠，但敵機對長沙之空襲則已日見頻數，聖經學校所在的韭菜園，且曾一度落彈。為了安全顧慮起見，中央研究院疏遷至長沙的五個研究所，自必須再向更遠的大後方遷移。

根據中央研究院的院史資料，民國二十八年三月十三、十四兩日，中央研究院首屆評議會第三次會議，在昆明國立雲南大學之會澤園舉行。會中曾由史語所所長傅斯年作業務報告，對於史語所當時由長沙西遷至昆明的情形，曾有頗為詳盡的敘述，可資參看。引述如下：

> 首都陷敵後，本所根據二十六年十二月十一日院務會議所訂原則，決將所址由湘遷滇。自二十六年十二月起，至二十七年四月十六日止，全體職員，除少數疏散解職，及押運公物赴渝者外，皆陸續離湘，分途向昆明集中。首批第二組人員於一月下旬到達，當即租佃城東拓東路六六三號樓房一座為辦事處，於二月初開始工作。此後一個半月中，第四、第三、第一組人員，亦先後到齊。因人數之增加，拓東路之樓房不敷分配，遂加租城北青雲街靛花巷三號大樓房之

> 一部備用。三月下旬，本所工作全部恢復。自三月下旬至六月終，第一、第二、第四等三組在拓東路，第三組在靛花巷分別辦公。自七月一日起，本所租下靛花巷樓房全部，乃將全部人員集中一處工作。又租到竹安巷四號之平房一院，全部作為職員宿舍，拓東路之房屋則於六月三十日退租。至是，本所一切事務皆進入軌道。
>
> 九月二十八日，昆明被敵機轟炸後，本所為謀工作安全，不得已再作遷移之計，幾經考慮，乃決定向昆明城北十一公里之龍泉鎮疏散，租佃該鎮棕皮營村之響應寺及毗連之龍頭書塢為辦公處，同鎮之龍頭村之東嶽廟前後大殿為職員宿舍。十一月一日由城中遷出，四日起繼續在龍泉鎮工作。城內竹安巷房屋，自二十八年一月起讓與社會所，靛花巷房屋則仍保留為城內辦事處，以維持與各方面之聯絡。至十一月中旬，本所全部工作又復進入常軌。
>
> 此次由湘遷滇時，本所人員皆將各人之研究材料隨身攜帶，故能於到達昆明後，短期內即恢復工作。至於本所之圖書、儀器、標本等件一千一百三十二箱，已運到昆明者有三百五十六箱。其餘七百七十六箱，三百箱存重慶，三十四箱存桂林，六十八箱存長沙，二箱存漢口法租界，五十二箱存香港，一百六十箱（圖書）借與西南聯合大學。（現在昆明。此項圖書現已派員前往點查，由聯大及本所雙方共用。）三箱借與資源委員會，一百五十七箱（本所出版品）售與商務印書館。

這份報告書的後面，附有史語所一、二、三、四各組研究同仁在遷抵昆明以後所做的各項研究工作及具體成績，藉以證明上文所說，「故能於到達昆明後，短期內即恢復工作」之不虛。這當然是一般官式工作報告或業務報告應有之體例，無可厚非。但在時隔數十年之後再來重讀這一份報告書，如果對當時的環境與背景都沒有太多的瞭解，便很容易使讀者產生一種錯覺，以為史語所在抗戰期間之一再播遷，祇不過像是平常時的搬家一樣，在挪動了一次地方之後，再重新擺設起來便和未搬家之前一樣了。惟其因為有此顧慮，所以必須將應該補充說明的地方擇要補充，以便讀者對此能有更為具體明白的正確瞭解。

史語所在抗戰發生以前，先後曾經搬過三次家。第一次由廣州遷北平，第二次由北平遷上海，第三次由上海遷南京。如果把抗戰發生後的遷移行動合在一起算，則民國二十六年之由京遷湘是第四次，二十七年之由湘遷滇是第五次，二十九、三十年間之由滇遷川是第六次。在這六次遷移行動中，前三次與後三次之難易程度，簡直不可以道里計；原因是因為前三次的遷移行動是在平時，後三次則是在戰時。

在平常時期，將整個機構由原來的駐在地遷往新的駐在地，搬起家來就很不是容易事。不過那時畢竟有充裕的交通工具可資利用。圖書、儀器、標本、檔案、以至一切的傢俱設備，全部裝箱之後交由鐵路或輪船運輸，到達新址之後前往提領，再運到新的辦公處，搬家工作便可告成，雖亦麻煩甚多，但是絕無困難。至於戰亂時期之大規模遷移行動，則不但麻煩而且甚多困難。民國二十六年抗戰發生之時，史語所由京遷湘，其時交通工具之交涉利用，已不如平常時期之便利。但由南京到長沙之間，畢竟仍有輪船可以直達，雖麻煩而不至太困難。到了民國二十七年之由湘遷滇，則湘滇之間只有公路可通，戰亂之時，不但無法順利獲得足夠之汽車與油料，長途運輸的安全性亦甚可顧慮。為分散運輸能量之龐大壓力，另一條可走的路線是由長沙經公路至廣西，再由廣西南寧出鎮南關至安南之海防，即可搭乘法國所建滇越鐵路上的火車，由海防直達雲南之昆明。史語所第二組工作人員，在趙元任先生率領之下，最先到達昆明，所取道的即是此一路線。其後，史語所的大批圖書文物由湘運滇，亦有很大一批數量經由香港轉道海防，利用滇越鐵路運至昆明。但因運輸途中須進出安南國境二次，手續甚繁，且滇越鐵路之運輸能量極低，一旦因敵機轟炸而致鐵路中斷，公物之損失便成為無可彌補之恨事。史語所檔案內尚存有〈31〉歷字〇一〇二之一號文稿一件，係民國三十一年一月二日發致總辦事處之函稿，可為此說之證，錄之如下：

敬啟者，查二十七年春季本所由長沙遷昆明時，以滇越鐵路貨運擁擠，又兼當時艱於運費，曾將第二組笨重儀器現在不用者，第三組古物標本之不重要者，及本所出版品等共一四七箱，運至香港，用商務印書館名義存入九龍堆棧，初意俟在昆明佈置就緒，再設法遷入。二十八年二月，曾託商務印書館將較為輕便之儀器四箱，運至昆明。二十九年二月，復趁助理員楊時逢君赴港滬料理出版品歸途之便，前往清理並改裝，本擬清理後全部運至昆明，嗣以當時滇越鐵路頻遭轟炸，為求公物之安全，未敢遽辦。其後滇越路斷，遂更無法啟運。最近香港淪入敵手，本所存件情形難知。計現存九龍者，係第二組語音儀器及書稿三十九箱，第三組古物標本及照相器具六箱，第四組人體骨及標本二箱，庶務處雜件三箱，本所出版品九十二箱，共計一四二箱。茲開奉清單，敬請轉呈院長准予備案。俟本院彙報香港損失時，當再依式詳為列報。此致，總辦事處。

由此可見，史語所由湘遷滇之時，僅只取道滇越鐵路疏運之文物儀器，就損失了一百四十二箱之多，其他經由湘桂、湘黔公路運滇箱件的損失，自更難免。這種因運輸條件困難而招致之搬遷損失，豈平時搬遷行動所可同日而語？至於因旅費昂貴而致若干同仁未能隨同史語所遷滇，更是史語所在人才方面所遭受的莫大損失，若是平時的遷移行動，何致有此？關於後一方面的情形，下文即有事實證明。

在此一章的第二節中曾經說過，史語所在民國二十六年九月由京遷滇時，於二十六年十月間陸續抵湘之職員人數，共計三十五人，其後又有因公務完畢回所及假滿回所的十一人，總計四十六人，其因各種原因離開史語所者十九人，約佔史語所戰前總人數的二九%。這在長沙時期的職員四十六人，其後是否悉數遷抵昆明？這在前述之報告書雖未提及，卻可根據其他方面的資料推算得出來。一是史語所舊存的民國二十九年度職員名冊，二是民國二十八年時的史語所所務會議記錄。

以史語所舊存之民國二十九年度職員名冊，與民國二十六年十月到湘人員名單作一比較，則二十六年十月間到湘，而後來不見於二十九年職員名冊的史語所職員，有下列三人：

一、事務員吳相湘（事務員名義從事研究工作）

二、技術員勇士衡

三、書記林安國

民國二十八年五月二十七日，史語所舉行二十八年度的第二次所務會議，會議記錄中曾有如下決議：

本所在二十六年尾、二十七年初，依 國府命令疏散或自行離職人員，將來返所辦法，定為㈠㈡兩項。㈠凡因目下工作進行之方便，曾經本所通知其早日回所者，應再通知其迅速回所。㈡於本所經費恢復，或折扣較小時回所者。以上兩項名單，見附件一。

見於所務會議記錄「附件一」之名單，亦分為二項。列入第㈠項的，是所務會議決議，請其迅速回所者。其名單為：

第一組助理員余遜、周一良、陳鈍、姚家積。

第二組助理員周祖謨。

第三組專任編輯員郭寶鈞、助理員劉燿、祁延霈、王湘。

技術員楊廷賓。

書記孫以芾。

以上共計十一人。

列入第㈡項的，是目前並不通知其回所服務，須俟將來經費情形轉好以後，再通知其回所的。其名單為：

第一組專任研究員徐中舒

第四組專任編輯員陶雲逵

技術員王衍采、孫道楨

以上合計四人。

將㈠㈡兩項名單合計，其總人數為十五人。

細查這列名於㈠㈡兩項單內的人員姓名，可以瞭解如下各項情形。

(1)余遜、周一良、陳鈍、周祖謨、孫以芾、孫道楨等六人，在史語所遷往長沙時，並未前往中央研究院的長沙工作站報到，故可視為史語所由長沙遷往昆明之時，並不在史語所現有人員中的離職人員。

(2)郭寶鈞原在開封工作，撤退後應可至長沙工作站報到。祁延霈原在成都工作，不在遷移人員之列。故而此二人實際應算入史語所遷湘以後的現有人員之內。

(3)姚家積、劉燿、王湘、陶雲逵、王衍采、楊廷賓、徐中舒等七人，已於二十六年十月間抵達長沙工作站報到。今既列入通知回所人員名單之內，當然表示他們後來並未隨同史語所由湘遷滇。

以(2)(3)兩項加上不見於民國二十九年史語所職員名冊中的吳相湘、勇士衡、林安國三人，可以知道，民國二十七年史語所由湘遷滇之時，未隨同史語所遷移的職員，共計有十二人之多。其中屬於研究人員的，有徐中舒、郭寶鈞、陶雲逵、姚家積、劉燿、王湘、祁延霈、吳相湘等八人；屬於技術及行政人員的，有勇士衡、林安國、王衍采、楊廷賓等四人。研究及技術人員直接對研究工作發生影響，故而民國二十八年史語所的第二次所務會議決議，要設法招致這些離開史語所的研究及技術人員回所服務。至於他們在史語所由湘遷滇之時，之所以要離開史語所，其可能原因約有二端。

當民國二十六年抗戰發生，史語所由南京西遷長沙之時，由於戰時財政的政策因素，不但全國公教人員普遍減成發薪，各機關經費預算亦一律縮減。史語所屬於中央研究院之一部分，中央研究院之經費，當時係按原預算之七折數減支。及至史語所由湘遷滇，額定經費又奉令在七折之外再按九成之數支領，等於只剩了六三折。史語所在抗戰前的每月經費預算，是每月法幣一三、六六六元，按六三折減支後只剩下八、六一〇元。每月經費預算削減，並不是只減事業費而不減人事費，則原有人員勢必要儘量減少，以求能符合預算經費所能容納之數。所以史語所在遷湘及遷滇之時，都不得不遵照政府之命令實行「疏散」，勸告那些不能隨同史語所西遷之員工離職回籍。史語所兩次西遷，員工人數一再減少，這是第一項原因。至於第二項原因，則大概是員工本身對於遷移以後之生活不免有所顧慮之因素了。

史語所舊存檔案，民國二十八年的所務會議記錄卷中，存有傅斯年先生為所中低階層員工加薪一事，與當時的總幹事任鴻雋、總務主任王毅侯二人間的來往信件數通，頗可看出其中之部分端倪。

傅斯年先生當時寫給任總幹事的信，其中有一封是信稿存底，並無首葉，但其旁有傅先生所加親筆批註，曰：「十二月一日致任書」。可知此實是民國二十八年十二月一日寫給任總幹事之信的存底。摘抄其中之一段如下：

同仁加薪一事，前經依照在兄處談話會中所決定，大致已整理出一個頭緒來，下星期二開會總解決之。惟近奉毅侯兄二十五日函，此事似有變動。弟深覺二十元之增加，在若干人實有所不足。目下此間生活程度之漲，以五、六倍論，加薪以二、三成論，事實上亦只是略表意思，希望大家弘濟艱難耳。故弟意仍以照上次談話會所談辦理為宜，蓋二百元以內之窮病生活，實不堪聞見也。（原注：「目下只米一項，一人須吃十六元。」）舉例言之，四組之計算員，只有一個大褂，而有幾條破口子，每日自己做飯，還須欠賬。二組助理員董君妻病，藥買不起，一家只有大哭而已。且有兩事應奉告者：史語所之薪水標準，遠比院中若干所為低，（原注：「如物理、化學等。」）而其工作之責成，遠比若干所為嚴。故弟以為上次談話會所說，仍以實行為是；若不然者，同仁之精神實不易於維持也。……

史語所的助理員、事務員、技術員、計算員、書記等，若按戰前的薪給標準而言，都不到二百元之數。所謂「二百元以內之窮病生活，實不堪聞見」，應該即是泛指這中、低所得的員工而言。其中助理員及事務員之月薪尚多超過一百元，計算員及書記之月薪只在五十元以下，其苦更甚。物價上漲的幅度以五、六倍計，等於是將各人的月薪在減成支領之外，再縮減了五、六倍，則原領百元月薪之人，此時之實際所得，只能值到戰前的十五、六元；月薪四、五十元者，更只剩下十元不到了。低階層公務員之所得，因物價之急遽上漲而致窘迫如此，自然會嚴重影響其生活。此所以月薪四、五十元的計算員窮得只剩一件破長衫，每月自做伙食，還須欠賬，而月薪一百數十元的助理員亦窮得買不起藥吃了。這雖然只是民國二十八年時的事，而在二十七年年初之時，必定已漸見端倪。雲南遠在西南邊陲，在戰亂之時，離鄉背井，萬里投荒，不僅需要相當勇氣，亦需要有此經濟基礎。中低所得之史語所員工，若是在史語所由京遷湘之時便已備感生活之壓迫，此時當更無足夠之勇氣再投奔向萬里迢遙的雲南，何況史語所當時尚因經費緊縮而鼓勵員工自行疏遷回籍?所以，這又可能是史語所在遷滇之初，員工人數再度減少的第二項原因。

史語所由湘遷滇之後，由於昆明地區物價飛漲，對同仁的生活威脅太大，尤其以低薪員工為最甚。當時的史語所所長傅斯年先生，除了策劃史語所的工作外，還得針對此一新增加的問題，設法為低薪員工解決其最感迫切的生活困難問題。在這一方面，有幾項事實是可以從檔案資料中看得出來的。

第一，是設法從額定經費中勻撥一部分款項，以「米貼」的名義發給低階層的員工，以幫助解決其生活困難。「米貼」的數目，在最初只是每人每月法幣五元，後來一再增加至十元、八元之數。最後則因院方另有統一辦法，改由總辦事處統籌辦理。

第二，是與中央研究院的總幹事任鴻雋先生交涉，請求比照本院其他各研究所之標準，將史語所的助理員薪額，從原定的最低薪八十元，最高薪一百六十元，提高為最低薪一百二十元，最高薪二百元，以資一律。此舉可以一方面提高工作情緒，一方面增加助理員之待遇，實於研究工作大有裨益。但因任總幹事認為所增加的經費總數太多，非中央研究院之戰時預算所能容納，致未能實現。

第三，是請求院方，在助理員與副研究員(按即原來之專任編輯員，於民國二十八年五月份起，改稱副研究員)之間增設一級，其名曰「纂輯員」，俾若干資序已深而暫時尚未能升為副研究員的資深助理員，可以得到升遷而增加所得。此計劃係傅斯年先生在民國二十八年的史語所第四次所務會議中提出，其內容如下：

討論事項第七案——副研究員及助理員間，應否增設一級案。

理由：查本所編輯員名稱，前經面陳總幹事廢止，業經面允同意，以後即用副研究員名義，用昭劃一。惟本所之助理員，有服務十年以上，成績優異，比之國立大學副教授堪稱上選者，如提升其為副研究員，或嫌其多，如久屈之為助理員，亦稍嫌未便。茲擬於副研究員下助理員上設置一級，以任年資已高，勤勞卓著，學力及成績優異者。謹擬辦法如下：

(一)設置纂輯員，在副研究員後，助理員前，由院長任之。

(二)纂輯員之薪給，由一百六十元至二百五十元，分為十級，每十元為一級。

(三)凡在本所任助理員已久，勤勞卓著，學力成績優異者，得由所務會議之決議，提請院長任其為纂輯員。

(四)凡所外學者，其資格與本所之纂輯員相當者，在初任時亦得適用此名稱。

(五)此為暫定辦法，待後來本院討論各項院章時，應提出審議。

敬乞公決。

當時所務會議的決議是：「本案暫付保留，以事關院章，待開院務會議時提出討論。」雖然如此，此案的立案精神已能得到與會同仁的一致贊同，後來且由繼蔡元培先生為代理院長的朱家驊先生所接受。到了民國三十年三月，朱家驊接任院長職務後，即將此案稍加修正，提出三十年度第二次院務會議討論通過，決定在各所的副研究員與助理員之間增設一級，其名稱謂之「助理研究員」，俾使若干年資已深而暫時尚未能升為副研究員的助理員，可以藉升任為助理研究員之法增加其待遇，鼓舞其工作情緒。此案之後來發展雖然與傅斯年先生之原擬辦法稍有變更，其主要內容，大致能維持傅先生原來之意見，應當可以認為傅先生意見之實現。

在增設纂輯員的意見未曾見諸實現以前，史語所亦曾根據各助理員之研究成績，作必要之提升——助理員丁聲樹，在民國二十八年升為副研究員，三十一年再升為專任研究員；助理員石璋如，在民國二十九年升為副研究員;助理員陳槃、勞榦、芮逸夫,亦在民國三十年同時升任為副研究員。三十一年以後,因為在助理員與副研究員之間增設一級之故,大多數的助理員都改任為助理研究員。史語所對助理員的要求一向非常嚴格,升等的要求更是十分嚴謹,此時忽然有許多助理員升為助理研究員及副研究員,是否意味史語所在戰時公務員生活艱難之時,稍為放鬆其升等管制?事實上當然不是如此。因為傅斯年先生在建議增設「纂輯員」名義的提案中就曾說過,「本所之助理員,有服務十年以上,成績優異,比之國立大學副教授堪稱上選者。」有這樣品質優秀的助理員,只因拘於管制嚴格之慣例,而吝予提升為副研究員,本來就是很不合理的事。現在因戰時公務員待遇低落,而不得不以升等為提高待遇之權宜措施,歸根結柢,則此名義又正是各升等同仁所早已應得之名義,其中又何嘗有放鬆管制的實質意義在內?由此看來,在那個時候到史語所來作助理員的研究同仁,吃虧實在太大了。

由於傅斯年先生對史語所研究同仁的要求與期望都很高,而史語所在由京遷湘、由湘遷滇的輾轉流徙過程中,又有十多位極有前途的研究員、編輯員、助理員相繼因「疏散」而離職,為了維持史語所的研究水準與發展此後的研究工作起見,史語所必須設法逐漸引進夠水準的研究人員。這事情究應如何入手?在當時實在頗費籌劃。

以當時的環境來說,平、津、京、滬地區各個有水準的大學,有的滯留原地未遷,能夠內遷到西南大後方的北大、清華、南開各校,則因其圖書設備並未隨校內遷之故,實在無法確保其畢業生的水準。比較起來,史語所能夠在戰爭一開始之時,就將全部圖書設備幾乎完整無缺地遷到內地,實在是十分難得之事。民國二十七、八年間,設在昆明地區的大學及學術研究機構雖多,若論圖書設備之完整,史語所當數第一。鑒於當時之實際情勢如此,傅斯年先生的打算,一方面是將史語所的圖書設備儘量向學術界公開,以便疏散到達昆明的北大、清華、南開諸校文史部門的師生,亦得利用史語所的圖書設備從事教學與研究，另一方面則可藉此培植將來可供史語所吸收引進的研究人才。為了此一緣故，傅斯年先生在史語所民國二十八年的第二、第三次所務會議中，先後提出了兩個議案。一是與西南聯大（即北大、清華、南開三校當時在昆明合併辦理的西南聯合大學）訂立「圖書閱覽及借用辦法」，以便聯大師生及北大文科研究所的研究生均可利用史語所圖書從事教學研究；二是與北大文科研究所合作訓練其研究生，並由傅先生兼代此研究所之主任職務。此二議案均獲史語所所務會議之同意實施，對於史語所在戰爭期間之人才儲備與訓練，發生了很大的影響力量。

史語所與西南聯大所訂立的「圖書閱覽及借用辦法」，原件尚存於史語所舊檔之中。閱其內容，不過是將史語所圖書對聯大教員公開，庶聯大文史部門的教授先生們不致無書可用。這對於聯大之能維持其教學水準誠然大有裨益，對史語所之影響，則尚是間接的而非直接的。不過，一個學術機關能夠以大公無私的精神對外公開其圖書設備，這種精神畢竟是十分可佩的；聯大師生身受其惠，其感激之忱，尤非言詞所能表達。抄錄西南聯大當時寫給傅斯年先生的感謝信於後，藉以見其一斑。

孟真先生惠鑒：貴所與聯大訂立之圖書閱覽及借用辦法，已由此方簽好，奉上請照簽後，按該辦法第十四條之規定，各方分別存據。聯大自遷滇後，圖書至感困難，教學研究，兩苦不足。貴所於聯大圖書缺乏之際，為此慷慨之舉，同仁等受惠多矣，謹表至謝。至若閱讀或借用之圖書倘有損污或損失情事，除在該辦法第三條及第十一條已有明文規定外，茲再聲明，其賠償責任，清華大學、北京大學、南開大學願完全擔負。若閱讀或借書人係三校教員參加聯大者，三校分別負其賠償之責；若係聯大教員，三校共同負其賠償之責。謹此說明，並致謝意。順頌公綏。清華大學校長梅貽琦，北京大學校長蔣夢麟，南開大學校長張伯苓。民國二十八年八月二十四日。

傅先生當時的覆信，檔案中祇存信稿，亦照錄如後：

月涵、夢麟、伯苓先生惠鑒，八月二十四日惠書敬悉。所示「圖書閱覽及借用辦法」，敬表同意，一俟原件到後，當即簽字奉上。敝所既有書在此，自應供之公用，所承推獎，愧不敢當。至敝所西文書室、善本書室之閱覽，一俟清理完竣，擬並設法供貴校同仁前來看書，容俟續告。專此，敬頌教安。中央研究院歷史語言研究所所長傅斯年。民國二十八年八月三十日。

至於史語所與北京大學文科研究所所訂立的合作辦法，由其後來發展情形看，對史語所研究人才之補充，關係極大。這樣一樁攸關史語所此後發展的重大事件。不可不載錄其原始文獻。今抄錄如下：

「史語所與北大文科研究所合作辦法」（原件見民國二十八年八月三十日史語所民國二十八年度第三次所務會議紀錄之附件三）

一、凡所錄取之研究生，其擬定研究之科目為北大所無，或工作有某種不便，而本所之一專任研究員或副研究員自願擔任其指導者，得提出本所所務會議，經通過後施行指導。

二、凡上列由本所研究員或副研究員施行指導之研究生，得來本所住宿舍，及利用圖書室。但其費用及借書保證，由北大任之。

三、本所之明清史料，如北大願參加整理，得予以同意，其辦法另行商定。

四、北大文科研究所研究生到此閱覽時，適用中央研究院歷史語言研究所與西南聯合大學訂立圖書閱覽及借用辦法甲項三條。

五、重複書非常用者，得向其出借。如有損失，由北大賠償原書。

由這幾條「合作辦法」的條文內容看來，無異是史語所提供其現有人力及設備，協助北京大學文科研究所代為訓練其研究生。雖然條文內容並無明文規定，這些研究生將來畢業之後，是否有義務留在史語所中工作，但事實亦十分明顯——既然這些研究生的研究計劃係由史語所的某些研究員或副研究員為其指導教授，則他們在畢業之後，為了繼續他們的研究工作起見，勢必以留在史語所中繼續研究，為其將來的最好發展，否則就不容易得到理想的成績。就當時的學術環境而言，史語所既有全國第一流的學術人才，又有當時全國碩果僅存的圖書設備，則這些研究生為了他們的前途著想，絕不會不願留在史語所中作研究工作的。後來的事實，很可以證明此一推想之正確性。

檢查史語所的舊存檔案資料，由民國二十六年底到三十四年八月抗戰勝利時為止，史語所新進的助理研究員共十三人，助理員四人，其名單如下：

助理研究員——周法高、屈萬里（先任助理員，後升助理研究員）、逯欽立、王叔岷、楊志玖、李孝定、胡慶鈞、何茲全、王志曾、王明、張琨、馬學良、劉念和。

助理員——黃彰健、周天健、王鈴、楊希枚。

在這十三位新進的研究人員中，出身於北京大學文科研究所者，共有六人。周法高、馬學良、劉念和，均民國三十年畢業；王叔岷，民國三十二年畢業；李孝定、胡慶鈞，均民國三十三年畢業。另外則王明、逯欽立、與楊志玖三人，係西南聯大的文科研究所畢業。抗戰期間的北大文科研究所所招學生，每一屆常常衹有研究生二、三人，又常常是在畢業之後全都進了史語所。此一事實，可以證明上述推想之正確性——傅斯年先生願意代替北大文科研究所訓練學生，事實上即是史語所自己在培植理想的研究人才。傅斯年先生辦史語所，對於新進研究人才之引入，向來採取「拔尖主義」，即專收各著名大學的優秀畢業生，他的這種作風，在戰前如此，在戰後亦復如此。祇有在抗戰時期，由於史語所僻處一隅，與各地間的往來不便，拔尖主義無法實行，而且戰爭時期的各大學水準遠不如戰前，於是傅先生乃設計出了這一套巧妙的辦法，藉由史語所親自教育訓練之法養成理想的研究人才，然後在他們畢業之後加以吸收，不但輕而易舉，而且成績十分理想。就此一點，我們不能不佩服傅斯年先生的宏謀碩劃，確實有其難以企及之處。

寫到這裡，需要引敘一件與此有關的信件。這是中央研究院代理院長朱家驊寫給各研究所所長的信，編列發文號〈33〉乙密字第一〇七·一號，發出時間是民國三十三年的一月七日，內容如下：

孟真吾兄所長大鑒。本院三十三年度經費預算有相當之增加，各所之經常費似可增百分之五十，惟一切仍須待三月初之院務會議決定。弟細懷本院之前途，當前之危機，無過於研究人員之逐漸減少，將來之困難，無過於研究人員之不易增加。本院之研究人員，過去已不為多，而今日比之戰前，為數較少；若日倭戰後復員時再為增益，則彼時人才未必即多，且各方待求，延攬必更不易。本院之所以能維持至今者，以舊有同仁之不忍舍而高就，為其主因。故若不於此時預備復員後之人才，一旦復員之時機到臨，必有不易措手之處。為此特奉函各所所長一商，甚盼在三十三年度中酌量增加研究人員，尤以青年之研究人員值得最先考量，例如助理員、助理研究員、副研究員等。至於三十三年內應否公開招考研究生或助理員，當於院務會議中討論；若因招考青年人員，不得不與鄰近大學合作，亦當並待院務會議商討。縱實行此項辦法，但絕不因之降低研究人員之標準，此固無待言者。專此奉達，敬希亮詧。順頌著祺，弟朱家驊頓。

朱家驊先生在民國三十三年之初所感覺到的中央研究院前途隱憂，傅斯年先生在民國二十八、九年之時便已有此同感，並及時採取了適當的補救辦法。所以中研院各研究所在戰爭面臨結束時所普遍發生的中層以下研究人才補充不繼的困難時，史語所竟然沒有同樣的困難，當然應歸功於傅斯年先生之高瞻遠矚，措施得宜。至於朱家驊先生信中所說，「本院之所以能維持至今者，以舊有同仁之不忍舍而高就，為其主因。」這一點，看傅斯年先生在史語所遷滇、遷川期間之多方照顧同仁生活，極多使人感動之事實，便可知道，這種向心力之維繫，尤其是中央研究院能夠在八年抗戰同仁生活極端艱困之時，能夠支撐到底的精神支柱，而傅斯年先生的表現尤為傑出。關於這一層，後文敘述史語所遷川情況時將再述及，這裡暫且停止。

在敘述史語所西遷昆明期間的種種情形時，有一件事情不可不在此一述；是即史語所當時雖遠在昆明，但仍透過各種關係，在北平設法購書之事。

傅斯年先生生前，曾經說過這麼幾句話：

> 無相當設備及不能繼續購置之研究所，不過是一噉飯之所。❶

這幾句話雖是他在民國十七年時所說，卻是他所一生奉行不渝的準則。史語所在廣州成立之時，圖書設備一無所有。但到史語所遷至昆明之時，圖書館的藏書量已達中文書十二萬六千二百九十九冊，西文八千三百四十二冊❷，雜誌全份二百餘種，金石拓片一萬餘份之譜。十一年之間，史語所的

---

❶ 傅斯年先生全集「文稿」頁二八，民國十七年上蔡院長書中語。

❷ 見民國二十八年史語所工作報告。

圖書設備就能夠積累到此一可觀之數目，當然出自經常費中圖書購置費的貢獻。但卻不會有人知道，傅斯年先生當年，運用這些購置費去選購入藏圖書之時，所耗費的精力有多少？

在抗戰發生以前，史語所所買中文圖書，百分之九十是木刻的線裝書。那時，中文線裝書的主要供應中心在北平的琉璃廠。史語所曾有三年多的時間設在北平，就近由琉璃廠各書肆送書來賣，十分便利。據史語所老一輩的先生們說❸，琉璃廠各書肆送書來賣，經常是先將書放在傅先生那裡，等他自己仔細看過，認為值得買，可以買，然後纔與書商「議價」。常常往返磋商數四，一定要到傅先生認為價目「合理」，纔能正式「成交」。所以傅先生當年為「選書」、「看書」所費的心血極多。這種「掌故」性的口述資料，當然十分有價值。但也許不免會有人認為口說無憑，難以盡信，則史語所舊檔中所存史語所由北平南遷京、滬以後，留在北平方面負責買書之人與傅斯年先生討論買書事項的來往信件，就有很多這方面的資料，可以提供參考。

史語所南遷京滬之後，北平琉璃廠各書肆仍然是史語所圖書供應的主要來源。當時，買書之最後決定權仍由傅斯年先生親自操持，在北平與各書肆聯絡，及負責了解所送書籍之可買與否，則由留在北平的助理員余遜先作初步工作。史語所元字第三十九號檔，收有余遜在民國二十五年七月至二十六年七月間為購書事所寫信件二十封，每一封都纍纍數百言，記敘極詳。摘抄其中之若干，即可了解傅斯年先生當時如何在買書一事上耗費其精力。

民國二十五年十一月七日余遜上傅斯年先生書，全書長達十頁，所談大部分皆為買書有關之事。中云：

❸ 本所故研究員李光濤先生未故世時，曾以此說告之作者。

二、邃雅文祿之書，江南經略暨士禮居叢書已送來。生今日持單往商趙斐雲先生，趙謂江南經略甚少見，士禮居叢書向來名貴，此二書均易售出，恐邃雅未必肯於七折之外，再事貶值。孤樹裒談書尚好，以時值論之，亦可值百數十元。此數書並西清古鑑，可先還五五折，徐徐商議，一面將樣本寄京，請師鑑定，由師示以最高價格，生即照此辦法辦理。其餘數書，趙謂于山奏牘、南州草堂集、安東縣志、正續滇南詩略則可不留；九家注杜詩，此本頗不易得，且紙張印刷甚好，定值亦不昂，以研究杜詩立場而論，亦在可留之列。趙言如此，敬為轉達。

三、續通鑑長編百八卷抄本，趙謂尚不難得。北平圖書館所藏，抄甚早，且有名家印識，亦祇以百數十元得之，此本自可不議。抱經堂叢書，趙謂通體不漫漶者恐不易得。（原注：其不漫漶者，每係以若干部單種配齊。）經典釋文印刷較多，更難免此病。擬囑文祿將其餘部分送來，細看再說。

四、寶銘堂送來元張鉉金陵新志樣本一本（元刻明印，有明補板。）索價三百四十元。趙謂此書甚難得，可值二百數十元，可先償以二百元，未審師意奚若？（樣本次日即取去，寶銘夥友謂所中如願購，當再送來。以書係他人託售，不肯久留故也。）

此信中所說之「趙斐雲」，即版本學家「趙萬里」，時供職於國立北平圖書館。由信中所說情形看來，則趙萬里在當時實為史語所之購書顧問，余遜屢往請教者。

民國二十五年十一月二十三日，余遜續有一信接談前事。似因前此所寫與傅先生之信已得回信指示，故繼續按照來信指示之情形逐一答覆。中云：

文祿、邃雅書，經檢查一過，士禮居叢書整潔無疵，江南經略缺圖三葉文一頁，生擬令其抄補，如無處得底本，則祇好任之。抱經堂叢書之經典釋文，已易以單印者，及檢視後，則最後一冊半，逐葉皆有蟲蛀孔一，傷小字二三字以至五六字，雖經補治繕寫，而書法不佳，生仍令其將原書換回。（即前言有爛板者。）而去其爛板之頁，換以此本者。其紙色墨色均相近，不細審不辨其有掉換之跡也。又全書尚缺三頁，方言有爛板二頁，文祿亦許以他單印本篇頁補換。其餘亦間有三數字未印上及蟲咬傷者，文祿皆允令善書宋字者描好或抽換，如補換後不洽意，仍可退書。生已允其所請矣。孤樹裒談及九家注杜詩均缺一頁，亦責令補抄。西清古鑑自第二冊以下，與第一冊相同，有印刷不清之字而無爛板，圖尚清晰，惟有一頁以水蝕後磨壞，圖中破一大塊，當令其以舊紙襯補，假底本景繪。……

寶銘堂金陵新志，為元刻明修本，且抄配一冊，而書目索值四百元。（前送書來時，索價三百四十元。）生因未與之議值。曹學佺大明一統名勝志，缺頁頗多。文友堂以傅沅叔盛譽其書，早已留置，冀得善價。生曾取此書檢視一二冊，亦不感覺其有若何好處。孫星衍雖甚贊其書，然所稱許者為體例而非材料，傅沅叔則謂其所引寰宇記頗勝今本，又所引明人通志甚多，皆今日懸兼金而不可必得者。然所引寰宇記是否足以補闕訂訛，此非比勘不能知，傅跋亦未嘗舉其佳勝之處也。至於明人通志材料，亦未嘗不保存於清修通志中，且原書大半可得，則此書所引通志中材料何若？是否有出於今存諸書之外者？蓋未易言，而定價則三百五十元，文友且據傅沅叔之言而居奇。故生曩時未與議價。傅註時盛贊此書者，亦以其難得，（時僅朱逖先先生有一部，傅僅有半部，餘則假朱本抄補，自謂抄費費八九十金。）今則北平圖書館，東廠胡同各有一部，而廠肆存書待售者復有二部，則亦不如曩時之名貴矣。此書若以百數十元得之，尚不為昂；若書肆奉藏園之言為圭臬，不肯輕易售出，則事恐難諧矣。稗史彙編係類抄明以前說部，且缺二卷，當遵示退還。遼雅所購書中，有晏公類要一部，索值四百餘元，已送往清華。

朱佩弦嘗以告趙斐雲，趙勸其留購，大約將歸清華。其書抄在北平圖書館藏本之後，趙疑其即四庫底本。此書為人所盛譽者，為地理門，以宋人地理書太平寰宇記、輿地紀勝諸書皆有闕脫，謂此足以訂補。然據高閬仙（步瀛）告生，謂嘗取地理門與寰宇記、輿地紀勝諸書校，則類要誤字太多，其地理門第一卷，尚可據諸書校訂，第二卷以下則誤字連篇，幾於不可句讀，雖欲校亦無從下手。則所謂足以補訂宋世地理書者，殆意必之談也。……

由余遜在北平代史語所選購線裝古籍之事，可以推測史語所在北平時期之選購線裝古書，必定懸有如下各項標準：

⑴其內容富有研究參考之價值，值得購買。
⑵價不甚昂，為史語所有能力所購買。
⑶書籍本身之品質良好，值得購買。

琉璃廠書肆送書到史語所，史語所根據此三項標準加以鑑定，然後方能成交。這其間的鑑定工作，負責採購的圖書館管理人員未必具備此項識力，則其工作負擔最後勢必大部分落於傅斯年先生之身，亦為勢所必至之事。由此可以證明，史語所老一輩同仁所說，史語所在北平時期的購書工作，耗費了傅先生甚多心血的「掌故」資料，有其可信之處。由於這些書籍在決定採購之前，都曾經過仔細的閱看、研究，其書籍本身之完整程度與內容之價值，都已達到一定的水準以上。所以史語所遷滇之時，其中文書籍的總數雖不過只有十二萬六千三百冊，在教學研究上的參考價值，卻是無可比擬的。史語所只是一個專門研究歷史學與語言學的研究單位，所購置的中文圖書，能夠在專門範圍之內儘量求其精美，自足以冠冕一世。這就無怪乎史語所決定對西南聯大文史科的師生公開其圖書設備時，自校長以至學生，無不萬分感激的了。

話雖如此說，史語所在遷滇之前雖已擁有宏富精美的圖書設備，畢竟尚不足以稱十分完備，為了提升研究成績的水準，圖書設備仍應繼續求其充實，然而這卻不能求之於當時的昆明。一方面是因為昆明本非圖書出版事業集中之地，夠水準的圖書根本無從購買，二方面是因為當時的史語所經費已經被七折九扣，每月僅有區區的八千六百餘元，實在也沒有十分充裕的能力可以買書。這纔是當時史語所所面臨的重大困難。

當民國二十八、九年之間，國立北平圖書館亦疏遷在滇。但是，北平圖書館雖然已從北平搬遷到了昆明，他們在北平仍然設有辦事處，並且可以透過北平大同書店的連繫，設法在北平購買書籍之後，直接從北平寄到昆明來。傅斯年先生一聽到這一消息，大為欣喜，立刻與北平圖書館館長袁守和先生磋商，要求利用北平圖書館的機構為史語所代收匯平款項及寄滇圖書，在北平方面的購書工作，則仍委託留平的助理員余遜辦理。北平圖書館覆函表示同意，傅先生乃呈請中研院蔡院長轉向財政部請求撥付專款，先後兩次共獲准撥發法幣二千五百元。惟為匯兌便利計，此款係由中央研究院總辦事處由重慶逕行匯寄北平圖書館上海辦事處，然後由該處轉匯北平大同書店。於是，余遜當時雖然已離開了史語所，仍能在北平為史語所義務作了將近一年時間的圖書採購工作。

由史語所舊存的檔案資料中見之，余遜在北平為史語所代購書籍，其時間起於民國二十八年之十二月，迄於二十九年之八月。由所附購書清單統計其數量，共計購書二六五種，用去書款及郵資共計法幣二千零八十二元三角六分。所購各書，冊數最多的清儒學案，一部多至一百冊。山堂肆考及罪惟錄二種，每部均多至六十冊。擇是居叢書及音韻學叢書二種，每部亦均有五十六冊之多。所以除了單開二十五種之書每部數量若干不詳者未予計入外，其他有冊數可查的二百四十種，其總共冊數為一一四七冊，總數目不可說不少。平、昆之間，相去萬里，書籍用打包郵寄之法先從北平寄到香港，然後再由香港轉到昆明，輾轉寄遞，亦不能不說是相當的麻煩。余遜以離職員工的身分能為史語所如此盡心盡力，實在很不容易。昆明在當時既然無書可買，如果余遜願意長此為史語所服務，此一郵購圖書的辦法，大可在余遜樂為效力的情形下長期維持下去。然而在後來卻不能繼續維持，除了滙款及寄書的兩項困難之外，另一項原因，便是北平方面的圖書日見其稀少而昂貴，以致後來竟到了不容易買也買不起的地步，這可以從余遜最後寫給傅斯年先生的一信中得知其中情形，信云：

振萬先生賜鑒：久未上書敬候起居，歉疚無似。前得光濤兄書，轉傳尊命，囑為代購舊籍，除已寄出者外，未寄之書，以報載香港情形不安，深恐轉寄遺失，暫停付郵。生於四日覆光濤兄書，已言及此事，計邀垂詧。光濤兄書謂，已將書款寄平，至今尚未收到。以後是否暫停採購，抑仍續交郵寄，悉聽尊命。舊書價格日增，上海尤甚。往時此間書肆恒赴上海採購書籍，故徐乃昌積學齋、劉式珩玉海堂藏書均為琉璃廠隆福寺書肆購送來平。近則上海已無書可買，來薰閣且在上海設書店，自此間運書赴滬求售矣。聞商務印書館近將印明實錄。商務新書，悉照實價加五成，北平分館又照上海售價加二成，合計照定價實加八成。此書卷帙甚多，將來印成後售價當必不廉，非寒窶所能購也。肅此布達，恭敂鈞安，受業遜頓上，七月十一日。

此信的受信人稱謂作「振萬先生」，顯係傅斯年先生的代名，因為傅先生在信末就有親筆批語，云：「繼續購買，暫存其處，俟有下信，再寄港。」當時，北平方面的圖書是寄到香港馮平山圖書館轉交史語所留港職員那廉君收轉，而那廉君從二十九年八月間即離開香港，回到昆明，香港方面無人可以收轉代寄，而北平方面又有書價日增及通滙困難等等因素，此一購書工作遂無下文。顯而易見的，傅先生雖希望維持此一管道繼續從北平方面購入所需要的文史參考書籍，亦因事實困難而不得不停頓下來了。這對於史語所之充實其研究材料的希望，誠然是極大的打擊，然而卻是無可奈何之事。

丁、三遷李莊

抗戰八年，史語所先由南京遷長沙，在那裡只停留了四個月光景，從民國二十七年一月開始，就再由長沙遷往昆明。到了民國二十九年十月，因日寇進佔安南，雲南遭受威脅，史語所不得不再作遷移之打算，其下一個目的地則是貴州或四川。遷移之決定。由於軍事委員會蔣委員長之親自指示。史語所舊檔中存有行政院秘書長翁文灝在二十九年八月十九日拍來的一通電報轉達此事，電云：

傅孟真兄：信密。行政院討論遷移在滇物資案時，介公座（？），中央研究院應全部遷渝，不能以僅設總辦事處為已足，等因。特奉達，並請轉告叔永兄。文灝。元。

「叔永」即是當時的總幹事任鴻雋。他在八月十日已得清華大學校長梅貽琦轉來的通知，知道教育部有電報轉達蔣委員長密令，在昆明各大學均應注意疏散至昆明以東地區，以防備日寇由安南侵入，所以定期於八月十三日召集在昆明地區的各研究所所長共商措置辦法。在這一個會議中，決定各研究所均應遷移至貴州省之威寧或其附近地區，由歷史語言研究所派員前往威寧一帶尋覓適當房屋，以備遷移。此時，行政院秘書長翁文灝發來此一電報，自更使遷移計劃加速行動。但是，就在史語所四出尋覓遷移地址，並得四川省第六區行政督察專員公署通知，已在南溪縣李莊鎮之張家大院為史語所覓得適當房屋之時，中央研究院的總幹事任鴻雋忽然辭職。朱院長擬聘社會所所長陶孟和繼任總幹事，而陶孟和堅辭不允。朱院長乃電請傅所長代為敦請，並詢問如陶孟和仍不允就時，是否可由傅先生偏勞襄助？就在這一件電報中，透露出另一消息：蔣委員長說，昆明除空襲外，並無大礙，然則中央研究院設滇各所，似乎並不一定需要遷移。傅先生覆電，除表示絕不能改任總幹事外，並以為遷移計劃仍以照舊進行為宜。於是史語所乃由滇遷川。這一決定，對史語所此後的發展，顯然有很大的影響，應將朱院長及傅先生的來往電文照錄於後，以保存這一段史實的重要史料。

史語所舊檔中的昆字十七號檔，其「雜件」項內存有交通部的電報一件，譯出後之電文如下：

傅孟真兄鑒：頃得孟和兄函電，堅辭不就，務希力為敦促，倘無可能，仍偏勞足下襄助，切勿再卻。昨孟麟兄向總裁請示遷移事，總裁云，昆明除空襲外，可無礙，並謂：不遷亦可。此事究竟如何？希兄與各所妥商之。總裁既有指示，理化工與天文自可暫留，歷史與社會兩所，則請兄與孟和兄酌定，弟無不可同意也。前託之件，請速辦擲下是荷。弟家驊，申敬印。

傅斯年先生的覆電，就在原電的尾端空白部分起稿，電文曰：

敬電奉悉：一、當力勸孟和。二、弟以所遷移，萬難改就，或兼總處職，院內外勝任者不乏人。三、叔永留或准，似當即決。四、委員長指示似以聯大為對象。本院前既奉命遷，在未奉命變更前，似當照舊進行。款太不足，必須另籌。六、來電已酌改後抄送孟和、叔永。函詳。弟斯年。□印。

朱院長稱委員長為「總裁」，而傅先生仍稱之為委員長，是因為朱院長具有國民黨黨員身分，而傅先生則否，所以朱院長可以如此稱呼，而傅先生則不能。至於朱院長之對遷移有躊躇之意，顯然是因為遷移的困難太多，希望能止則止，多一事不如少一事。而傅先生之堅欲以所奉遷移指示為準，亦並不是他對遷移一事並無畏懼之心，實在是因為昆明後來的空襲太多，史語所雖已遷至昆明郊外十一公里的龍泉鎮，但以昆明在當時的重要性來說，它既已成為敵機轟炸的重要目標，則在昆明市區被破壞至某一程度之後，必定漸次波及於郊外的若干次要目標，則史語所被轟炸的可能性便極多了。為了維護史語所所藏圖書文物的安全，自然以遷往安全地區為宜。何況此時的遷移地點業已擇定，遷移計劃亦在漸次進行，實不宜半途而廢。所以傅先生仍主張維持原議，仍舊進行原來的遷移計劃，惟一需要院方支持的，是奉撥之遷移經費不足應用，必需請朱院長大力設法增籌。

行政院通知中央研究院駐滇各研究所遷川，而由教育部將遷建之費轉撥中央研究院，其總數只有三十九萬八千二百九十元。中央研究院總辦事處根據各所需用緩急之情形分配，史語所分得二十萬元，社會所分得十萬元，其餘各所得九萬八千二百九十元。史語所根據川滇間之里程及運輸情形編製遷移預算，遷川之圖書文物以一百噸計，所需遷移費即達三九七、六五〇元；加上遷至新所址後所必需之房屋修理及倉庫建築費五五、〇〇〇元，全部遷建費預算共達四五二、六五〇元，與中央研究院轉撥之數相差二十五萬餘元，故傅電云，「款太不足，必須另籌。」這不足之數，後來由朱院長以管理中英庚款的董事身分與董事會洽商，承該會允諾，准將該會原撥予中央博物院的未用建築費先行撥借二十萬元，由中央研究院向中央博物院籌備處辦理洽借手續，而由中央研究院擔保償還，方纔解決了主要困難，尚有不足之數，則由中研院設法解決。至此，遷建的經費問題有了著落，遷移計劃即可按計劃進行。事實上則在經費問題尚未解決之前，史語所的遷川行動已經開始了。因為庚款會之同意借予遷建費二十萬元，事在二十九年之十月二十六日，而史語所之遷移行動則是在同年十月二日早就開始了的。

史語所由滇遷川，其全部過程極為艱鉅。民國三十年三月，中央研究院第二屆評議會舉行第一次年會，史語所所作工作報告中有一段文字，敘述此遷移經過極為詳盡。不妨照錄於後，以免抄撮檔案資料反有錯誤。此報告書之第一章，「遷移經過」，云：

㈠準備

二十九年六月中旬，本所鑒於滇邊緊張，而昆明又迭遭空襲，為保全海內稀有之善本圖書、殷墟古物、及增加工作效率計，不能不作萬一之準備。遂於六月二十日開臨時所務會議，決定：⑴向總處請五千元，為造木箱之用。⑵各組之研究報告，能於兩月內作一階段者，即照此期限迅速辦理。即一面雇工趕作木箱，一面加緊工作，期於兩月內告一段落。各組工作正在緊張進行之際，忽於八月中旬奉到本院總辦事處駐滇辦事處函知教育部轉來之委員長密令，於是遷移之事更不容稍緩。乃於八月下旬趕催各組辦理結束，即於九月中旬開始裝箱，其緊張情形，每至夜分不息。並經各組分別估計，約圖書、古物、儀器、標本等共九百六十餘箱，重百餘公噸。

㈡接洽

箱數及重量既經估定，即預備接洽車輛。但以軍運忙迫，一切統受限制，恐放行不易，遂決定暫以善本圖書、標本、古物、及重要儀器儘先運輸。其次要者容後再運。同時進行下列工作：

1.向貴州省政府及安順縣政府交涉安順華巖洞旁之房屋。因該省保安隊佔用，未獲成功。
2.派助理員芮逸夫入川，在川南一帶覓找新址。
3.向總處請求運費。
4.向軍委會後方勤務部統制管理局交涉放行事宜。
5.向昆明各運輸機關及商行接洽車輛。
6.向財政部請求公物免稅。

本所傅所長往返昆明重慶間，經兩月之奔走，始獲以下結果：

1.所址承各方協助，租定距李莊西行六里之板栗坳為所址。板栗坳房屋寬大，目標不著，較諸昆明龍泉鎮舊址更為理想。不過交通不便，房屋多破，日常生活稍感困難，修理費用較多耳。（房屋之租修情形，詳下節。）

2. 放行事項，接洽結果，將全部圖書、古物、標本、儀器等一百零四公噸分兩個月放行，自九月二十日起，至十一月底運完。

3. 運費方面，由本院籌撥。不敷用時，再行設法挪借，由本院償還。

4. 車輛，分卡車、客車兩種。卡車裝運箱件，客車運送職員眷屬。

(1) 卡車。甲、由軍政部兵工署出名，與本所合租利國運輸行車輛，以本所體大而輕之箱件與該署之鋼板合裝一百公噸，每噸運費三千元（由昆明運至瀘縣藍田壩），限兩月運完。乙、敘昆鐵路局允借車三十輛，由本所供給來回汽油，每車按二百加侖計算，每加侖以三十元計，合國幣六千元，另有租車費每車三百八十四元三角，但每車只允裝兩噸，亦以兩個月運完。此三十輛車之分配，則本院社會科學研究所八輛，中央博物院三輛，本所十九輛。

(2) 客車。甲、兵工署客車，允由本所借用，只出汽油費。乙、川滇公路客車，係柴油車，需購客票，商定由本所包租。

此兩處車輛，分兩次開行，每次均附西南運輸處卡車一輛，以便裝載行李。

5. 公物免稅事項，已由財政部照准。

(三) 運輸

各種手續既已完備，即開始裝運。第一批公物，於十月二日由龍泉鎮啟行。在運輸方面，各處均指定專人負責：

1. 在昆明者，如交涉車輛，分配重量、裝車、以及報關等事，統由石璋如辦理。

2.在瀘縣者，如下車、存囤，以及裝船、報關、及裝油（利國回程貨係由本所向復興公司代裝桐油）等事，統由潘慤負責辦理。並在藍田壩中國旅行社招待所由本所與社會科學研究所合組辦事處，本所並派李光宇等襄助工作。

3.在宜賓者，如卸船、報關、雇木船、等事，統由芮逸夫料理，並在水井街育英學校設立辦事處。

4.在李莊者，如卸船、抬運等事，統由王育伊負責，並在李莊張家祠設立辦事處。

計自十月二日開始運輸，至十二月十九日最後一批公物離昆止，為時兩月有奇。其中眷車兩批，貨車十批。此十批貨車之中，有利國六批，計三十七車，共運五十四公噸又七百六十二公斤；敘昆四批，共十九車。共運三十八公噸。總計共用車六十輛。搭乘眷屬大小七十四人，押運員二十四名，公物共九百五十箱，重九十二公噸又七百六十二公斤。其間利國、敘昆各翻一車，民生公司傾覆一船。翻車之損失甚微，而覆船則損失甚重，並組有水漬公物救護委員會，營救一切。其經過情形，另詳本報告第三節。計自二十九年九月十日開始裝箱，至三十年一月二十一日，水漬之公物由宜賓運回板栗坳本所新址後，遷移工作，始告一段落。

㈣結束

昆明龍泉鎮本所所址，計分觀音殿、彌陀殿、響應寺、普慧庵四處，經二年來之修理與建造，略具規模。自十月起，一面遷移，一面結束。將響應寺房屋商同地方，讓與歐亞航空公司；觀音殿、彌陀殿、及普慧庵房屋，則商同地方，讓與雲南財政人員訓練所；並將觀音殿之一部，讓與北京大學文科研究所，為圖書閱覽室之用。自十月中旬起，即陸續遷讓；直至十二月十七日，各處均已交清，而本所在昆明之一切工作，遂完全結束。

這一段報告書敘述史語所當年由滇遷川之整個行動，自開始策劃至全部遷移工作告成，敘次井然，有條不紊，不難想見當年傅斯年先生之部署此一遷移工作，必然亦是胸有成竹，按步就班地一一付之實施，終於大功告成的情形。史語所的老同仁，在抗戰時期都喜歡誇這樣的口：「我們的所長，對搬家最有辦法！」看了這一段由滇遷川的往事，不能不承認這話十分有理！

八年抗戰進入到民國二十九、三十年時，已經到了十分艱困的階段。由於沿海地區均遭日寇佔領，從外國進口的器材物資無法輸入內地，以致車輛與油料都得不到適當的補充，而鐵路復因轟炸、破壞而寸斷難行，交通運輸遂成為後方各省的最嚴重問題。民國二十九年以前，安南未被日寇侵佔，滇越鐵路還是一條極重要的物資補給線，至日寇佔領安南而此路亦斷。其後，政府趕修滇緬公路，少數重要物資暫時可以仰賴此路得到供應。其後亦因日本對英國的抗議威脅而遭封閉，於是一切對外運輸均告中斷。史語所由滇遷川，昆明至瀘縣藍田壩間的全部汽車里程為九一〇公里。由藍田壩至南溪李莊，則需乘輪船溯航長江，至宜賓後再換乘木船至李莊。水陸駁運，不但費時費力，更重要的，還是無法得到汽車與汽油，因為這些都是歸後方勤務部運輸統制局所管制的東西。傅斯年先生能夠在如此困難的情形下運用一切手段獲得搬家所需要的汽油，再設法用租雇和借用的方法取得汽車，順利解決這一問題，其手腕之靈活高明，實在非比尋常。大概就是因為他對這些問題都已成算在胸，所以即使朱家驊院長在當時告訴他可以不必搬往四川，他還是毅然決然地要搬！此時，他的打算十分明顯——搬家雖然麻煩，但如留在昆明，史語所這批寶貴的圖書和文物極有可能會被日本人炸毀。與其因怕麻煩而冒此重大危險，何如不怕麻煩而遷往安全地區之為宜。為維護國家的重要文物資產而作此決定，無論如何，其出發點絕對正確。由於史語所之由滇遷川，不但史語所所藏的十數萬冊線裝古籍得到安全，安陽發掘所得到的最重要標本，也得以平安無事的保存到現在。如果史語所當時不曾從昆明遷往李莊，又如果史語所因此而遭敵機轟炸，那後果真是不堪設想。雖然歷史不談「假如」，而且史語所也已經從昆明搬到了李莊，我們大可不必再為那些未曾發生的事操心擔憂；可是我們還是禁不住要為當時的史語所捏一把冷汗——如果當時不是傅斯年先生的堅持，史語所真的在昆明留下來，那後來的情形又會怎樣？那可當真是誰都不敢想像的事。

在上面所引敘的這段遷移報告中，還可以看到一項有意義的事實，即是在遷移行動中，史語所的很多工作人員，無論是研究同仁或行政同仁，都曾被派擔任極其繁劇的轉運或留守工作，而且都極能勝任。這對於培養各人的處事經驗或工作能力，當然都極有幫助。由史語所舊存檔案所見遷川運輸案中的押運人員名單中，更可看到，當時的隨車押運工作，連高級研究人員如李濟之、陶孟和、梁思成、吳金鼎等人亦不能規避，更可見到遷川行動之勞逸均等，尊卑無欺。今將遷川車輛分批出發之批次、車數、箱數、噸數、及押運員姓名等項資料列表如後，庶存真相。

批數	車數	箱數	噸數	押運人員	內容	公司	附註
1	4	62	6.074	潘愨 王文林		利國運輸公司（兵）	十月二日裝車，四日由昆明出發，十四、十八日到瀘縣
2	5	82	7.473	高去尋 王振鐸		同上	十月十四日裝車，十五日開出，二十五日到瀘縣
3	5	99	11.294	丁聲樹等二人		敘昆鐵路局車	十月十六日裝車，十七日開出
4	5	105	10.360	李光宇等三人		同上	十七日裝二車，十八日裝三車，十九日開出
5	6	140	9.064	王之屏等三人	古物 人骨 圖書	利國運輸公司	十月二十二日裝車

6	6	95	9.078	陳槃、鄧恭三、徐高阮	人骨圖書	同上	十一月五日裝車，七日開出，十二日到瀘縣
7	8	104	11.121	李光濤、張□□、吳汝庚、龔少青、王寶先、陳炳森、劉念和		同上	十一月十九日裝車，二十三日開出，十二月三日到瀘七車，五日到瀘一車
8	6	120	11.990	吳金鼎、趙青芳、鄧傳瑞、莫宗江、任繼余		敘昆鐵路局車	十一月二十八日裝車，二十九日開出，十二月七日到達
9	8	105	11.614	李濟、陶孟和、梁思成、王志維		利國二車 敘昆六車	十二月十二、十三、十五日裝車，十九日開出，□日到六車，三十年一月二日到二車
10	6	118	13.142	石璋如、傅樂煥、那廉君、張琨、汪和宗、魏善臣、馬學良	圖書及庶務室零物	敘昆鐵路局車	十二月十七日裝車，十九日開出，二十六日到瀘縣
合計	59	1030	101.299				

以上各項統計數字，與史語所在第二屆評議會第一次年會中所作報告資料略有不符。由於事隔多年，且均為檔案資料中所見的檔案文件。無法辨別其孰正孰誤，暫時只好以原來的形態保留，以待日後之考訂。

抗戰時期的西南交通運輸，設備落後，車況及路況均差，長途運輸，既須顧及沿途的食宿供應，又須顧慮各種可能發生的困難，如車輛拋錨及意外事故等等，故而押運工作十分辛勞。高階層的學術界人士素不習此，此時居然亦能面對現實，與低階層人員一同出力，實在非常難得。史語所舊檔案中存有每一批押運負責人的報告函件多份，摘抄其中之一、二，當可以瞭解押運工作的辛勞與困難情形，究竟是何種模樣。

一、民國二十九年十二月三日，副研究員吳金鼎在畢節途中發致石璋如先生函：

璋如兄：車輛雖屢屢拋錨，今天竟能全批到了畢節，可喜可賀。卡車今天也到了，同住中國旅行社。每晚上下車來，照例疲乏得很，昨夜因換車忙了一下午，所以昨晚未自威寧發信。有幾句亡羊補牢的話，現在一談。我們這一次所帶行李共三十件，實在不算多。到今天六輛車上所有行李，我們的以外，再加上黃魚的，司機的，約六十餘件。司機所以不要我們多放行李，並非嫌重，乃嫌佔黃魚地位也。下次敘昆車六輛再裝車時，弟有以下建議：一、車開到時，由全體押運員出面與司機盤盤交情，請吸煙、喝茶、吃午飯，此點至為重要。化幾十元請他們一頓，然後再把行李放上，約每車放八至十餘件，最好用繩子頂部兩旁，車後留油筒地位（即黃魚地位），自然不成問題，行李須綑牢，沿途可不動。一、押運長，次瑤兄外，務須派一位幹員相助，如魏善臣、王志維等。途中有外交及出力兩件大事，押運長擔任外交，押運員須不惜氣力。一、對付司機，不必用賞錢，除非一賞三、五百元，只在飲食、住店各種小事上給他們便宜，言談之間送幾頂高帽，足矣。一、夜間停車時，車輛之保管，在曲靖、宣威，有敘昆路的停車場，自無問題。到威寧，須預先請求司機停車在修理場，若他們嫌去旅行社太遠，即停在城外，可到縣政府要保安隊員負責守夜，到畢節可請站上小工守夜。無論是停車場的工人或武裝同志，守夜之報酬約每人二至三元，有時要加些燈油或烤火費。當司機，實在不錯！一飯數十元，一賭數百元，視為常事。鈎不盡的黃魚，喝不盡的老酒，花不完的銀元。押車實在是一件苦事，而押運頭尤然，弟今日已詳知之矣。睡不足，吃不飽，提心吊膽，不到李莊心不安也。今夜雖是雇人打更，是否得安睡尚有問題。

思永兄病，近中如何？請代問候，並盡力勸他不必押車，身心兩方面的過勞，恐不利於新痊以後。多少年的老朋友，希望他肯納弟言。最使人擔心者，即六輛車無法一齊開，萬一有一輛在荒山頂上抛錨，則難乎其為該車之押運員矣。同屋之人皆入睡鄉，周公雖未召我，惜全身骨架有些不舒服。得閒再談，此祝：多多跑路。弟吳金鼎，在畢節。

二、未署年月之事務員王崇武致那廉君（簡叔）函：

簡叔吾兄左右：弟等昨晨由昆明啟程，九點餘鐘過易隆時，曾上傅先生及兄等各一函，諒邀青鑑。午後兩點餘鐘到曲靖，原擬趕宿宣威，阻雨未果。事後始悉昨日傍晚曾有兩輛郵車在宣威附近被劫，弟等昨未趕路，亦可謂不幸中之幸也。今晨開車，十二時抵宣威。原擬打尖後續走，繼探宣威、威寧間除三十八里之平坦公路外，餘均爬山，車行極緩，而宣、寧之間可供住吃之地甚少，預計只能到杙江，其地共有住戶五家，在萬山中，不特不能供六車人吃宿，且伏莽尤堪虞也。因與昆華公司押車人張君商量，又多住一日。宣威以北土匪最熾，弟等初擬請軍警護送一程，繼向運輸中公、汽車站等處多方探聽，據謂凡搶劫等事多在夜間或傍晚。如六輛事不分散，一並進行，人多可助聲勢，絕無問題。因同張君共請司機人將各車整理完好，（輪胎共修好六個，一癟氣，即速換之。）俟明日早飯畢，購妥午間乾糧（中間無吃飯地點），即魚貫進發，甚願托天之福，不抛錨，不病車，俾下午三四點鐘安抵威寧，即算闖過危險也。又此次苦弟最甚者，為行李過多，司機嘖有煩言。（因行李佔空，不能帶黃魚，彼等不怕重，而怕大。）兵工署所派三人，兩為同濟學生，一為中央日報人，昨日上車時，即與司機人衝突打架，以是一路彆扭，並涉及我等，兩日來用種種方法轉圜之，始克平靖，據目前情勢論之，似無問題也。以上各情，並希轉告傅先生為禱。匆上，即請日安。弟崇武敬上，二十八日晚。

史語所由滇遷川，係取道川滇東路，經滇東黔西而入川境，故昆明至瀘縣之公路里程長達九百一十公里。既至瀘縣，全程已由山區而至平地，從此經水路可達南溪縣之李莊新址，迅捷便利，似乎已出險境而入坦途矣。但史語所的寶貴文物，在崎嶇險巇的川滇公路上並未發生重大意外，卻在長江水路運輸中遭遇到意料所不及的一次突然變故，實在大出想像之外。這一次突如其來的變故，就是發生在民國二十九年十一月十日的宜賓沉船事件。

關於「宜賓沉船」的有關資料，史語所舊檔中所存尚多。但如要把整個事件的經過始末，以簡單明瞭的文字作一概括性的全盤介紹，則仍以史語所向中央研究院第二屆評議會第一次年會中所作的報告，最為理想。所以後文先將此一報告中的有關文字引錄於後，然後再視必要，作較詳細的補充說明，庶見次第。

史語所向中央研究院第二屆評議會第一次年會所作報告，共分五節。第一節「遷移經過」，已見前述。第二節「新址房屋之租修」，第四、五節「研究工作」及「事務工作」報告，無需引述。第三節「公物落水經過」，所述即宜賓沉船事件，引述如後：

二十九年十一月十日，本所公物一百四十箱，委託民生實業公司由瀘縣裝運宜賓。當該項公物到達宜賓後，即卸裝於駁船上，不幸駁船傾覆，箱件遭受水漬，損失奇重。茲將落水原因救護之經過，臚述於下。

本所此次遷川，公物箱件，陸路由昆明至瀘縣，係用卡車裝運；水程由瀘縣至宜賓，委託民生實業公司用輪船裝運；其由宜賓至李莊一段，則由本所自行包租板船啟運。當本所第四批公物一百四十箱運抵瀘縣後，該公司於十一月九日指派民意輪裝運。是日午後，公物裝入該輪。押運員王崇武等隨輪照料。十日晨由瀘縣藍田壩開出，午後八時到達宜賓。當晚因海關辦公時間已過，本所不能提取箱件，即由民生公司卸裝於該公司之第五號駁船上。翌晨，本所押運員前往提取箱件，發覺駁船傾覆，公物落水，當即向民生公司質問。據該公司聲稱：此船原已裝有鋼鐵、水泥、銅絲等約六十餘噸，嗣因向內移泊，於夜間十二時左右與民楷輪撞擊。船身兩側，本已輕重失均，益以受損滲漏，至翌晨（十一日）二時許，船上管理人員發覺船艙中已有滲水。其後積水逐漸增多，至晨五時許，船遂傾覆，云云。按該公司管理人員於撞船時既未檢查受損情形，發覺滲水後亦未報告其公司當局，易船重裝，以致公物箱件除數箱外，餘均落水。當日上午九時許，始將全部箱件撈起，箱內物件幾盡濕透。本所押運員當即向昆明本所及本院總辦事處報告一切，及請本所已到李莊之負責人來宜賓商辦善後，並將該駁船傾覆情形拍攝照片。嗣由民生公司及本所邀同四川省第六區專員公署、宜賓縣政府、暨地方法院委派代表，組織「中央研究院水漬公物救護委員會」，於十一月十五、十六兩日澈夜開箱，共同作初次之檢驗，並將初檢結果，按水濕程度，分別登記存案，即開始救護工作。

為避免空襲與便利管理起見，公物一百四十箱，分存宜賓下交通街華懋倉庫、天全街禹王宮美豐銀行倉庫、及上會家園明德女子小學三處；以華懋倉庫存放人類學標本儀器書籍等十五箱，美豐銀行倉庫存放人類學骨骼儀器及古物等七十七箱，明德女子小學存放拓片及善本書等四十八箱。各處就工作上之需要，指派本所職員二人至七人負責救護清理，另僱工人輔助之；民生公司亦於上列三處各派職員協同救護，並由救護委員會請宜賓縣警察局各派警察分駐各處，以資看守。

書籍部分，恐受濕後餅結霉腐，先經揭開，然後晾曬。標本則晾曬使乾。照相電影片等研究材料，開箱後即延請攝影館技師重新漂洗整理。他若照像機、電影機、顯微鏡、照像鏡頭，受濕後霉損，因本地無專門工匠，未能修理。其因受濕生銹之儀器，先擦拭使乾，然後敷以機械油。至於古物部分，則主要為銅鐵器，大致尚無損壞。茲將公物經救護清理處之損壞情形統計於後，以明漬水受損之一般。(1)書籍——損壞者共計七四四冊，內係中文善本六八〇冊，人類學西文書六四冊，拓片一四九二份。(2)儀器——損壞者計三〇件，其中照相機居多。(3)標本——損壞者，古代體骨三十六箱，古代頭骨三箱，古代下顎六匣，苗衣標本一二四件。(4)研究材料——損壞者一八九件。其詳細情形，另製有「中央研究院水漬公物清理後損壞情形檢驗登記表」及報告，於本年一月十六日由民生公司及本所會同專員公署、縣政府、暨地方法院三機關代表覆檢，認為所載損壞情形確實無訛，共同簽押後，所有箱件，均運回李莊本所。……

史語所由昆明遷往四川時，史語所所長傅斯年先生適奉院令調往重慶，代理中央研究院的總幹事之職，所以當遷移工作開始之時，傅先生本人，並不能在昆明或南溪李莊指揮一切，只將各地區的工作分別託付給所內的幾位同仁負責，在昆明方面是石璋如先生，在宜賓方面則是芮逸夫先生。駁船翻覆事件發生後，押運隊長王崇武一面電達昆明及重慶院方報告經過，一面即請芮逸夫先生出面交涉，所以傅斯年先生當時雖遠在重慶，卻能在最短時間內得到消息，並立即決定處理辦法，分別通知各方面的負責人立即處理。如會同地方機關共同檢驗公物損失情形，及立即將浸水公物開箱晾曬，以儘量減少損壞程度。故而雖有此次落水不幸事件，公物的損失，總算還不致於達到十分嚴重的地步。但即使如此，傅斯年先生及負責押運的王崇武、劉致平等人，卻已飽受驚恐。王崇武及劉致平等人的驚恐，是因為他們身負押運之責而竟致發生意外，又深知這批箱件中裝有價值連城的書籍文物，一旦損壞，勢將影響到史語所此後的研究工作，故在震驚惶恐之餘，竟至「匝月以來，觸目神傷，冥思獨想，一如癡夢。」❹王崇武所受的精神刺激如此嚴重，在傅斯年先生方面，情形亦似彷彿。這可以在他當時寫給李方桂、石璋如二先生的信中看得出來。信係發於二十九年十一月十三日，亦即得電之翌日，信中說：

……弟當即連電前往迅速開箱曬乾，不能揭者，徐圖蒸治，交涉由此直辦，勿多時放在箱中。查此次損失之大，恐不可勝計。弟今晨精神，直「如喪考妣」矣。宋元刊本本自嬌貴，何堪落江？弟已電王育伊兄負責曬，同時乞告苑峯兄迅速去，弟當在蓉覓工蒸治之，但絕不如北平之手藝也，如在箱中多耗幾日，則不堪救藥矣，心中誠焦急欲死也。怕的是路上出事，不意事乃出於躉船自傾，此真夢想不到者也。……

此信中所說的「苑峯」，即圖書管理員張政烺，善本書是其所管，因宜賓翻船，善本書落水，故傅先生囑其迅速由昆明趕往宜賓，以便及時處理曬晾工作及善後問題。由於史語所同仁自所長傅斯年先生以次，對於這次宜賓翻船事件都極為重視，浸水公物立即設法覓地曬晾，善本書及拓片則僱請裱工揭開重裱，故而雖然花費了甚多財力與人力，實際損失尚未至十分嚴重的程度，尤其是善本書及拓片的損失，可謂微小，倒是第四組研究員凌純聲先生調查雲南邊界所作的報告稿件，因為是用藍墨水

❹ 二十九年十二月二十六日，王崇武報告宜賓翻船事件致傅斯年先生信中之言。

所寫之故，一經水漬之後，模糊一片，沒有辦法再加以整理復原，照相底片亦失去編記號數，且多損壞不堪使用，遂致其雲南邊界之調查報告無法撰寫，是為學術研究上的一項重大損失。除此之外，凡是可以用金錢買到的物質損失，後來均由民生公司賠償結案，所以這一次的意外事件，在發生之初雖似十分驚人，其後果則並不十分嚴重。而史語所同仁在搶救工作中所表現出來的團隊精神，則十分可佩。抄幾段有關係的信件文字，當可見其一斑。

二十九年十一月二十八日，凌純聲先生致傅斯年先生函第三、四兩頁，云：

……對於此次不幸事件，兄之觀點，可說與弟等完全相同。第十二日到敘，與同仁集議，曾有言：失事之責任，毫無疑問，當由民生公司負之；然搶救工作，應由我們負起速救，能早一分鐘開箱，將來即多一分成功。故立即決定分頭找房子，弟與逸夫去拜訪官府請其協助，一日之中找到三處房子，有空屋三十餘間，並多有一曬場。用一天半的功夫，完全開箱。有人謂弟等忙得如「當大事」也。……

二十九年十一月二十九日，丁聲樹先生致李方桂先生函，中云：

……到李莊之第二日，即聞宜賓沉船，書籍儀器全部入水。十三日，聲樹即與同仁奉派到宜賓辦理善後，組一救護會，由吳均一先生主持，即日將各箱分別抬入整理地點。書籍部分在明德女小，共四十八箱，由聲樹及勞貞一、王之屏等負責整理，照料裱工二十餘名開箱晾，迄今已近兩週。以透濕之書太多，幾無一箱倖免，古本抄本紙張脆者，揭葉甚難，其中碑帖十一箱尤麻煩，均上竹竿搭晾，現已乾訖，分別攤揭收存，結果尚不甚惡，一部分尚無恙，損壞自不能免，幸不過大，書籍則生霉者甚多，雖逐日晾，以陰雨之日太多，急切難乾，真焦殺人！其儀器標本之箱件在禹王宮及華懋堆棧兩處開晾，吳先生謂，照相顯微鏡頭九個，受水全壞，其他人骨等尚無大害。此次幸無二組箱件在內，不然較翻車一次為災更大也。……

戊、栗峯五年

從民國三十年一月份史語所完全由昆明遷到四川南溪縣李莊鎮板栗坳的張家大院之時算起，直到抗戰結束，復員南京，史語所的同仁整整在此耽了五年的歲月。當時，史語所的傅所長已被院長朱家驊拉到重慶去兼代總幹事之職，留在李莊板栗坳的史語所，由研究員董作賓先生代理所長職務。所以，對於史語所在李莊板栗坳的情形，董先生的了解要比傅先生多。民國三十一年八月間，董先生應「讀書通訊」雜誌社編輯之請，在該誌發表一文，名曰「栗峯上的歷史語言研究所」，以其生花妙筆，描寫史語所遷至李莊板栗坳以來的研究工作及生活動態，曲曲寫來，傳神之至。史語所同仁當年遷川時的生存人物，現在已經不多，除了董先生之大文外，也沒有再看見過類似的文章。所以，要希望了解史語所遷川以後的具體情況，董先生的現身說法，無疑是最有價值的第一等材料，非常值得保留。董先生的原文，長約五千字。不敢憚煩，引述如下：

栗峯上的歷史語言研究所　　　董作賓

從小山的李莊鎮向西南走，左手是一帶峯巒起伏的高山，右手是一條滔滔洪流的長江。沿著江邊的田埂和沙灘，壁直前進，五里之遙就到了「木魚石」。這天然的石頭的木魚，象徵著山深林密之中，必有古剎，必有隱者或得道之士。從木魚石向上看，是一條古道，石徑委蛇，鑽向山峽中而去，俗呼「高石梯」。在四川，這樣的道路，根本不算得什麼，可是住慣了大平原上的人，就不免望而卻步。七十三歲的「郢客老人」，當他第一次登山之時，就有「石級未升膽先碎」之感，長嘆一聲「蜀道之難，難於上青天」。從山麓到山頂，共有五百多個臺階。拾級而升，不遠就是一棵大黃葛樹，行人至此，須要憩息一下，然後鼓起勇氣，往上再爬。石徑經過一個兩壁峭立的山峽之間，風景異常的壯麗；有小橋流水之勝，有南天門之險。在這裡回首江干，便可見小小的漁舟，飄來蕩往，有如一葉浮萍。對岸桂嶺屏列，竹樹廬舍，掩映蒼翠中，儼然是一幅國畫。石徑的兩旁，也有不少的野草閒芳，山花爭豔，慰勞這向上掙扎的人們。好了，如果你已經爬過了四百五十個臺階以上，你就可以立定腳跟，深深的喘過一口氣來，掏出手絹，拭一拭頸項裡的汗珠子，慢慢的步入栗峯山村去了。

栗峯山村，是南溪張家的世業。他們的始祖張慶，是明朝從湖北遷來的。後來到了六世，分為兩房，到了八世，又分為十九支。在乾隆十二年，他們的第二房，第七支張瑤，從宋嘴分到這裡，現在又有六世，已擴充為七所大房子了。七所房子，靠著山坳的東北兩面，左右各三，中間是他們的支祠所在。中央研究院的歷史語言研究所，從南京出來，遷湘，遷滇，到這裡已是三遷了，所址租了四所大房子。張氏耕讀傳家，人多誠樸，尊重學術機關，都願把自己住的房子讓出來。因此，史語所得到了三院一齋的地盤，略加修理，很快的，很安全的，就能恢復了全部的工作。三院一齋，都在偏北的一排，背著栗峯，面著水田，周圍有竹樹叢茂，喬木參天，確是一個優美的境地。這寂默了將近二百年的栗峯山村，添了一百多口遠客，空氣為之一新，忽然間就繁盛熱鬧起來。

現在，我可以按著三院的順序，引著你參觀一趟。

這是第一院，是山村入口的第一所，而且是一所最大的房子。大門是一排九間，門內的大廳，也是一排九間。中間的七大間是漢籍書庫，這無疑是要算大後方惟一的文史圖籍最完備的圖書館。再後一進是西籍書庫，還有些善本書分存第三院。這裡共有中文書十三萬多冊，西文書一萬多冊，中外雜誌二萬冊。因此，除了史語所同仁閱讀之外，許多有關係的機關團體，都有人在這裡研究參考。北京大學文科研究所，有四位研究生僑居讀書；社會科學研究所、中央博物院、中國營造學社，也常有人來借書或閱覽；南開大學的研究員、東北大學的研究生、中英庚款會補助的研究人員，都曾常川的借住讀書；還有四川大學的畢業生，自費前來讀書，完成他私人的著述。這一座精神食糧的倉儲，中國文化的寶庫，到現在真算是能夠供應當前的需要而取之無禁、用之不竭，也不負傅孟真（斯年）先生購求時每冊書必經他親手審擇，和近年來數萬里輾轉遷運，愛護保管的一片苦心了。

圖書館之外，有所長辦公室、醫務室、庶務會計室、第二組、第四組的工作室等。第二組是研究語言學的，他們一部分人員現在貴州調查土語，雲南調查倮語，一部分在室內工作，有的研究訓詁跟古音，有的整理那雲南一百二十處跟四川一百一十縣的漢語方言調查記錄。有時候一進了後院，就可以聽見那鋁片上所演唱的迤西川東、南腔北調。第四組是研究人類學的，吳均一（定良）博士興致最好，他研究體質，不管死活，剛剛從貴州測量了許多男女苗民，回到研究所裡，馬上又去摩挲那三千多年的老友殷人的骷髏。只要有幾架計算機，不斷的花拉拉搖著，總會搖出他不少的重要論文來的。凌純聲博士卻忙著理他那新從川康調查的民族材料，同時他們也在作中國人額骨中縫、中國人髮旋、苗夷血型、畲民宗譜等等的研究。

第二院是一個堂皇偉大的建築物，上了二十四層石階，才到大門。大門好像一個牌坊，因此這座房子也叫「牌坊頭」。進了大門，再上，又是二十四層石階，才到了庭院，再上六層石階，這才到了大廳。大廳是一排七大間。中三間，現在是禮堂，也是飯廳，也是俱樂部。左首一連六間，是所長的官邸，右首是合作社，左右還有兩個院子是職員眷屬的寄宿齋舍。另外一個偏在角落的戲樓院，是第三組考古學研究的所在。三組，現在人是太少了。李濟之博士常川住在山下，專精竭慮辦理他的博物院，同時，那殷墟出土的二十五萬陶片的鑽研，也是他歷年的主要工作，不久，他會有驚人的著作發表的。梁思永，任公先生的哲嗣，現在是正正經經的躺在床上養病。他因為急於完成那偉大的侯家莊殷墟發掘的報告，那是殷代文化的菁英，殷代歷史的奇跡。他拚命去工作，以致積勞成癆，弄到個岌岌乎殆哉。其餘的人，有參加西北考古工作的，有主持彭山崖墓發掘工作的，也有請假離開的。因此，這裡的零金碎玉，斷蚌殘陶，都已深深的封存箱篋，只有那最後三次發掘殷墟所得的一萬八千塊龜甲，現在是在兩三個工作室裡活躍著。進得門來，就聽到案子上批批拍拍的聲響，那是在轉拓龜甲上殷代史官親手書契的文字，把它搬上紙片，搬上書本。一座裝璜雕刻精美的詠南山大舞臺，那是董彥堂（作賓）的工作室，他整天在那裡披覽、摹繪、抄寫，或者木坐呆想他的能力所不能解決的問題。他常常很起勁的告訴朋友：「我算出了文丁十三年六月二十五日丁亥，是一個恒氣的夏至，與這一片卜辭所記密合。」「帝辛征東夷的時候，在他的十年十一月十六日癸丑這一天，從亳往鴻，當晚就到了。這天是儒略周日的第一二九六二四〇日。」「商朝人用的是無節置閏法，到周朝才改用無中置閏。」諸如此類。聽的人都有點頭痛，唯唯否否，將信將疑。這也難怪，因為一隻牛角的尖，只有鑽在裡面的人才能知道其中的奧妙，牛角以外的人，又那能家喻戶曉？好在大家是「彼此，彼此」，互相諒解的。

從第二院再向西走，百步之遙，有一座「新房子」就在眼前。沿途左右修竹，門口一株濃綠如蓋的大龍眼樹，院內有兩棵大紅山茶，因此也叫「茶花院」。這茶花從秋冬之交一直開到暮春三月，麗得如此之久，所以佔著栗峯八景的第一。地靈人傑，於是乃成為名士棲止之所。

這是第三院，第一組關於史學和文學校訂的工作，都在這裡。第一組的工作，最繁重的是校過四遍，歷時十載的明列朝實錄。同時他們又作皇明本紀、奉天靖難記的校注工作。他們編著的各種史料及論文，有女真史料、突厥集史、古讖緯通纂集解、居延漢簡分類考證、宋遼交涉史、中古經濟史等。第一組主任，現在是傅孟真先生兼任著的，他名為回所來養病，實際上他一會兒也閒不住。他忙著督促指導各部分的研究工作，他忙著審核論文，編印集刊，他已編成了集刊五大冊六十萬字的論文；他忙著和同事們討論每個人跟他自己要研究的問題；他忙著替朋友和同事們買藥、請大夫、治病；他忙著和朋友們擺龍門陣，討論天下國家大事，或者寫信給朋友吵嘴；他忙著到大廚房去拍蒼蠅，或者叫人鋤路旁的野草，把毛廁裡多撒石灰；他忙著為同事買米、買布、買肥皂等等；他忙著一切的一切。有時似乎是清閒了，他又忙著找密斯特王下兩盤象棋。他的血壓如果下降到一六〇——一二〇時，他老是這樣的忙著。

平常，如果有三兩人相聚，總會談到物價問題。物價，只敢談吃的，穿的早就夠不上談了。合作社，是一個探詢物價的地方，如果魏老闆一搖頭，或者兩眼一瞪，必是物價又漲了。如果你問他「米」？他馬上可以告訴你：「中米，今場一百六。」是的，從雲南搬來才一年又八個月，你看，物價又上漲得多麼凶？柴五倍，米六倍、麵七倍，糖、肉八倍，肥皂九倍，餅乾十倍。這都是日用必需之品。至於布，以陰丹士林為例，初來時兩塊錢一尺，現在已漲到十八塊了。大家常說，衣食住行，人生四要。衣，是添不了；住，是可以將就的；行，根本談不上，一動也不敢動了；只有食，單身人，公伙每月要吃到二百多元；五口之家，一千元一月是不夠的，八口之家更不了，只好一天兩頓稀飯。薪津補助，谷裡包堆，誰能有千元以上的收入呢？肉，是飯桌上不常見的東西；如果有一家殺隻雞或買一條水鼻子，甚至大伙食團吃一頓炸醬麵，那簡直是山村裡的重要新聞了。因此，大家在鬧著營養不足，害「李莊熱」，每一個人都要減輕體重三、五磅，甚至於十五磅、二十磅。人是瘦了，而且個個面有菜色。於是大家在想：「菜色，大概是光吃素菜的毛病吧？不然，何以人們面無肉色呢？」

窮，君子固窮，除了小孩子想吃肉，想吃餅乾，太太們深感沒錢買她們想買的東西之外，大家卻滿不在乎。自然，都知道在這抗建的大時代，後方工作者應該要苦的。他們不但能安貧，而且能樂道。他們各人自己的牛角尖中，「別有天地非人間」，大可以怡情悅性，安身立命。於是鑽之不已，直到老夫子那樣的「發憤忘食，樂以忘憂，不知老之將至云爾。」

這一群書呆子，有時也過著整齊嚴肅的生活。每次紀念週的時候，大家在晨光微曦中齊集第二院，靜待鈴聲一響，便魚貫而入禮堂。肅立則鴉雀無聲，黨歌則高唱入雲，直待禮成之後，大家才肅然而退。國民月會，也曾有過，各項專題演講，尤其益人智慧不少。有時也想把緊張空氣和緩一下，開過幾次同樂會。一段崑曲，幾句二簧，「醉漁唱晚」七絃琴，「白雪公主」英語歌，蒙古雜耍，笑話連篇，「小白菜」老是作為壓臺戲，結果是異曲同工，皆大歡喜。謎語中「翡翠衾寒誰與共」一條，頗引得鰥身的朋友們感慨係之，及至有人射中是「蒙自」時，便又是一陣哄堂大笑。在這裡，娛樂實在太少了，運動，在山村也只有散步。一張乒乓球的枱子，久矣夫無人照顧了，因為如果拍子一著手，邦，打過去，贏也許贏一球，可是馬上就會有損失法幣五元的危險，這玩意太貴族了。小朋友們是可以運動的，庭前大香樟樹下，有的是秋千架、滑梯、翹翹板之類。大朋友們，就只有在工餘飯後，麕集於一張張刻劃著圍碁跟象棋盤子的長几之旁。這理由很簡單，因為碁子是永遠打不爛的。

散步，的確是山村裡最好的運動，而且富於詩意。每當朝暾初升，或夕陽西下，三三兩兩各覓勝遊。有的去登眺遠山，有的去俯瞰長江，有的去欣賞綠野田疇。在這些地方，都可以長吐一口工作室裡，牛角尖中鬱積的悶氣。詩人陳槃卻又大有會心，他的近作「雜詩」之一，可以代表許多人的心境和栗峯景色：「秀野當小園，涉趣日誰偶？偃息宜夏長，遠意落巖藪。鳳仙寂寞開，瓜蔓綿相糾。蜂喧花媚時，鳥窺人靜後。一雨生秋風，變衰諒難久。墻竹玉青姿，瀟灑絕塵友。漸來勞我心，商聲凌半畝。」吳史久莊夫人最會享受。他的近作「納涼」一詞，調寄「思嘉客」，也可以代表太太們生活的一斑：「雲白天青夏晝長，幽篁深處好乘涼。鳥飛密葉蕭疏動，風送幽蘭自在香。新浴罷，又斜陽，安排細簟小涼床。今宵更有中天月，莫把銀釭照洞房。」

總而言之，統而言之，栗峯生活，論個性是很強的。儘管有那些男的男朋友，女的女朋友，小的小朋友，以及先生怕太太，太太怕先生之類，形形色色，花樣許多，我這裡且不談他；但是也有一個共同之點，就是治學的興趣都十分濃厚，無論物質生活如何艱苦，精神生活總是愉快的。詩人說：「貧儒未餓死，國恩寧怨嗟！」不錯，這一群人縱然，確也還能夠維護國家學術文化於不敝，而保持著儒者絃誦不衰的精神。

董先生的大文，優雅美妙之外，更洋溢著一種旺盛進取的蓬勃朝氣，儼然有安貧樂道而窮且彌堅的古代讀書人的高風亮節，讀之油然而生敬佩之心。抗戰八年，到處都是疾病死亡、哀鴻遍野的戰亂流離景象，這一班避秦的讀書人，宛如過著桃花源記中的隱居生活，雖然患貧患苦，畢竟不曾面臨戰爭與死亡的恐懼，所以還能夠在這裡安身立命，繼續做文化學術的傳薪工作。但董先生所寫的，也祇是栗峯生活中比較美好的一面，其不甚美好的另一面，文人之筆不曾觸及，自然就不能為人所知。李莊生活是否亦有其不甚美好的一面？就以董作賓先生寫給傅斯年信中的內容來看，就有不少。最顯而易見的兩點，第一是板栗坳的自然環境不甚理想，並不是一個適宜居家治學之地；第二則是物價上漲與生活問題的困擾，即使大家都能「窮且彌堅」，也有無法忍受的時候。

關於板栗坳的自然環境，早在芮逸夫先生奉派前來實地勘察之時，就已寫信向傅斯年先生報告過。其大意說：「板栗坳之地位，東距李莊鎮約六里，完全在山坳中，似可不以挖洞而能避免立體的危險，是其優點。其缺點則在濕氣太重，因四圍皆山，不能通風也。」❺四圍皆山的一處山坳，不但濕氣太重，夏季的氣溫也高得可怕。這在芮先生來此勘察時尚無所覺，一住下來，而且遇到夏天，就會實際體察到其真正況味。民國三十年七月九日，董作賓先生寫信到重慶，向傅先生報告史語所在李莊之情況，其中就有如下一段話，說：

半月以來，此地極熱。上午猶可勉強工作（上午八時，院內陰處已八十五度矣），下午室內溫度在九十四、五乃至百度，故同仁多向漢籍書庫看書，辦公室熱不可耐，工作不能不受大影響。據本地人言，如此可有兩月之久，立秋後當較好。又因近數日不雨，故無所調劑耳。……

同信內又另有一段說：

度七、八月內皆極熱。由近半月來之經驗，每日晨起即手不停扇，汗流如洗，夜則尤甚，同仁多整夜不得眠者，扇一停揮，即汗如泉湧。三年來昆明氣候之享受，益不耐此苦矣。蚊蟲如雷，種類甚多，大者白日咬人。故弟覺兄如回所，在九、十月間或稍好。重慶之夏日，未必較

❺ 芮致傅書中語，見史語所昆字十七號檔第十八宗「李莊新所址」卷中。

此間涼爽，然尚可設法避暑或消暑也。❻

董先生信中所說到的「李莊之夏」，在李濟先生的信中也有類似的記述。抄一段如下，以便與董函相互印證。

李莊兩週來天氣奇熱，屋內溫度數次高升至一〇六度，為同仁等生平所未經。最熱時，弟全家在地下打滾者數小時。最近降雨一次，氣溫雖較低，但潮氣太重，由乾烤變為濕蒸，尤為難受。最令人感覺煩惱者，此尚為暑期開始，此活地獄之享受，至少尚有兩月，此一大難，尚不知如何方能平安過去？❼

據說李莊一帶夏季之氣溫，以板栗坳及迤東之門官田二處為最熱，因皆地處山坳之故；李莊鎮上次之，又其次則上壩較為通風，而江邊最好，晚間可以納涼。同濟大學在抗戰時亦疏散至李莊，其校址即在李莊附近之張家祠堂一帶。入夜以後，江邊低地，排滿茶座，同濟學生即在此處納涼，住家者亦攜帶草席，就地舖設，可以充分享受江上清風之涼爽，而板栗坳同仁則無此福澤也。由於天熱而且蚊蟲極多，其附帶效應則為瘧疾極為猖獗，對人體健康的為害極大。為了這個緣故，史語所必須自設醫務室為同仁治病，又必須在戰時藥品補給極為困難的情形之下多方設法購買大量的奎寧丸為同仁治療瘧疾。凡此種種，當是憧憬栗峯美好生活之讀者所無法想像的事。

❻ 李字十三號檔，本所同仁（二），董作賓先生函。

❼ 李字十三號檔，本所同仁（一），李濟致傅斯年書。

說到物價上漲對戰時公務員生活影響之大，一般讀者對此多能有大概的認識。由於通貨膨脹所引起的貨幣貶值，以及消費人口大量增加所引起的物資供應不足，這兩種因素造成了戰爭期間大後方物價上漲甚劇的事實。但物價上漲究竟如何影響公務員之生活？其實際狀況並不能為人所十分了解，以至終於無法使人得到一個具體的概念，了解到當時的公務員生活，究竟困難到若何程度？史語所舊檔案中存有一份資料，乃是史語所的會計蕭綸徽先生奉傅斯年先生之命而寫，將民國三十一年至三十四年公務員支領薪津及生活補助費之辦法列為一表，提供第三組主任李濟先生參考者。蕭函寫於民國三十四年之一月八日，對於民國三十一年以來，政府公務員實得薪津數目究有若干，當可得一具體觀念。再以此數目與當時之各種主要物價作一比較，即可知道當時的公務員生活水平，究竟能維持在若何程度？蕭函所列歷年生活補助費支領標準如下：

一、自三十一年一月至三月，不論薪額若干，一律加發生活補助費每人每月九十元。薪額在二百元以下者，另加發二十元。

二、自三十一年四至九月，生活補助費加至每人每月一百五十元，薪額在二百元以下仍另加二十元。

三、自三十一年十月份起，生活補助費改按基本數及薪額加成數兩項標準支領。三十一年十月至三十二年五月，基本數一百七十元。薪額加成數四成。（百分之四十）

四、自三十二年六月至九月，基本數增為每月三百四十元，加成數增為八成。（百分之八十）

五、自三十二年十月至三十三年四月，基本數增為五百元，加成數增為十五成。（百分之一百五十）

六、自三十三年五月至十月，基本數增為一千一百元，加成數增為三十五成。（百分之三百五十）

七、自三十三年十一月起，基本數增至二千元，加成數增至一百二十成。（百分之一千二百，即原薪之十二倍）❽

將上表所列數字折算成為實際數目，則以月支最高薪額六百元的李濟先生為例，其每月薪給及生活補助費所得之總數如下：

一、三十一年一月至三月，月支六九〇元。（戰爭開始時之公務員減薪辦法，在三十年一月時已奉令停止）

二、三十一年四月至九月，月支七五〇元。

三、三十一年十月至三十二年五月，月支一〇一〇元。

四、三十二年六月至九月，月支一四二〇元。

五、三十二年十月至三十三年四月，月支二〇〇〇元。

六、三十三年五月至十月，月支三七〇〇元。

七、三十三年十一月至三十四年一月，月支九八〇〇元。

董先生說，在民國三十一年八月時，史語所單身員工每月須伙食費二百多元。有眷屬的同仁，「五口之家，一千元一月是不夠的。八口之家，更不了，只好一天兩頓稀飯，薪津補助，谷裡包堆，誰能有千元以上的收入呢？」以此所說與上表互相比對，則在董先生作此大文之時，史語所月支薪最高的李濟先生，每月薪津所得，亦衹不過七百五十元而已，等而下之的副研究員、助理員、事務員、書記等等，其月入之微薄更可想見。月薪微薄又需面對增漲不已的物價，最使他們膽戰心驚的，自無所過於物價波動的消息了。這種情形，在初時也許還可以咬緊牙關，苦撐一時，但若到了私人積蓄已

❽ 李字十三號檔，本所同仁（一），「李濟」卷中。

至山窮水盡，而物價與薪水的差距又愈來愈遠，一家人的生活實在無法維持之時，即使最具有堅忍不拔之精神的人，恐怕也難以繼續撐持下去了。抄錄兩件見於史語所舊檔中的信件，藉以見其一斑。

一件是史語所第四組研究員凌純聲先生所寫；請求傅斯年先生准其辭職的信，寫信的日期是三十二年四月一日。信中說：

> 弟引咎辭職，承兄託彥堂兄前來慰留，盛意可感。但弟為生活所迫，遲早須離李莊另謀生路。目下月入僅一千三百三十七元，而子女教育費月需七百餘元，下學期又多一女入中學，勢非移家就學不可。……❾

一件是同濟大學校長丁文淵寫給傅斯年先生的信，時間在民國三十三年的六月二十二日，信中說：

> 前晤均一，聞彥堂有他就之意，不勝駭然，想吾兄亦必多方設法，以圖挽留。敝校現因教職員生活艱難，乃成立一教職員互濟會，凡教員人口多者，其子女每人可得米二斗三升，由互濟會供給，兼任者則得其半。如彥堂有意，能兼任通史或其他課程，如滿四小時，即可得此待遇，則一月可增米四斗六升，亦不無小補也。如兄以為可，則請示知，弟當再請兄向彥堂兄轉達。總之，凡弟可效勞之處，無不盡力。諸祈亮察，是為至盼。

---

❾ 李字十三號檔，李莊同仁（一），「凌純聲」卷中。按凌先生所云之每月薪津所入，似尚有研究補助費一項。

如果說凌純聲先生之辭職尚有其他原因在內，並非單純的由於生活壓力太重而生「見異思遷」之想，則董作賓先生之在此時欲謀離史語所而他去，可說完全沒有其他因素，純粹是因為生活負擔太重，不得不另謀他途的了。凌純聲先生在民國三十二年四月時月入祗一千三百三十七元，絕對無法維持一家人之生活，董作賓先生在三十三年六月時的情況，當亦彷彿。因為如照李濟先生的收入標準來說，董先生在三十三年六月時，每月收入不會超過三千元太多，如在三十二年四月時，更祗有凌純聲先生的收入之數。但如以當時的聯大教授待遇來說，其所得之數實遠過於此。史語所舊檔中存有姚從吾寫給傅先生的一信，發信日期是三十二年十月九日，信中說：

> 聯大教授待遇，自今年九月份起，已逐見改善。就九月末所發薪金言，教授薪額較高者，連房貼可得四千元。聯大同仁平均用費，房租一間約五百元左右，伙食每人約一千元，米貼隨市價增加。……

據此云云，則聯大教授此時的待遇，實比同一時期的史語所專任研究員高出很多；雖然說除掉房租支出之外所多不過一倍，而在生活普遍困窮的時候，能有增多一倍的收入，也還是許多人所迫切企求的希望。董作賓、凌純聲二先生俱是有成就的專門學者，一離開史語所，立刻成為許多大學爭相聘請的對象，所以，他們如果因生活困難而必須「另謀生路」，最容易的辦法，就是到大學裡去當教授，至少那邊的待遇會比史語所好得多。凌純聲離開史語所後，即至中央大學擔任邊政系教授兼主任，即其實例。董作賓先生，幸而不曾真的離開，要不是傅先生能把他拉得牢，他如一定要走，到那一個大學去謀職都很容易。諸如此類的情形，不僅凌純聲、董作賓二位先生而已，由史語所檔案中所見的事實，尚有周法高、吳金鼎、王鈴等好多位研究工作人員。所以，抗戰到了最後階段之時，由於公務員待遇遠遠落在物價後面，已經使很多有志學問的專門學者因無法維持生活而不得不萌生去志。他們之終於能在史語所堅守崗位，苦撐到底，只有兩個原因。一是他們對於學問和事業的興趣勝過一切，即使面臨嚴重的生活困難，只要能熬得過去，還是願意咬緊牙關熬下去。二是傅斯年先生對全體同仁無微不至的生活照顧和精神鼓勵，使他們覺得他們的苦撐到底是有意義的決定。這兩種因素所凝聚的向心力，纔是史語所能夠克服環境困難的最大力量。

寫到這裡，覺得還有一封傅斯年先生寫給周天健先生的信，應該在這裡加以引述，藉以了解傅先生當時所處困境之一斑。信係寫於三十三年之二月十八日，其時周天健先生於前一年之十一月間請假返回江西原籍，返家後即因父兄俱亡來函報告家庭情況，傅先生乃作此書覆之，曰：

天健兄大鑒：前信計達。弟深想兄家中情況，此時能否返所，似已成為一大問題。此間收入甚薄，兼以近來政府改章，凡不在任所之眷屬，均領米代金，而代金數目與事實全不相符。此地在疏建區外，生活補助費基數只五百元（疏建區為八百元），加成數為十五成（即薪水之一倍半），非如疏建區加成數為三十也。有此情形，兄近來已擔負家庭責任，能否於此時任此清貧之事，恐不無問題也。兄之好學不倦，至可欽佩，然親老路遠，如何策之，似可注意。若地方有收入較豐之事，或可暫維持一年，此間仍保留原職，似亦為不得已中之一法。如何？乞考慮及之。弟寫此信，深恐兄費一、二萬元而返所，返後更感困難，故不如及早熟計之。至於弟渴望兄之在所，自不待說也。專此，敬頌侍安，傅斯年敬啟。二月十八日。

此信之末，另有一段附加之語，曰：

今年物價高漲，政府聲言不改善待遇，且有許多限制之新章。今年研究所能否渡過難關，亦一問題也。

這一段話，正是全信最值得注意之處。民國三十三年時的物價漲勢，較三十二年時尤劇，而政府卻於此時「聲言不改善待遇」，勢必促使那些無法苦撐下去的人及早作「另謀生路」的打算，則身為研究所領導人的傅斯年先生，又當如何應付這愈來愈見困難的環境？這真是對傅先生的一大考驗，為了討論這個問題，必須在下面專設一節，以便能有充分的研究與了解。

己、傅斯年精神

所謂「傅斯年精神」，本來應該是「傅斯年傳」之類專門著作中的一章，乃是研究傅斯年先生生平歷史的專家學者們所作之事，此文亦以此為題，未免擬於不倫。但筆者之所以要以此作為這一小節的題目，亦自有其理由。

傅斯年先生的一生事業，範圍甚廣，創辦史語所並主持史語所幾達三十年，只不過其畢生事業中之一部分。但若以八年抗戰期間的傅先生而言，他所最耗費心力關注的，還是史語所。由於他的全力照顧，史語所同仁的生活困難，得以減低到最小限度。由於他的鼓勵與指導，史語所的許多年輕同仁方能得到充分的信心，雖生活清苦而毫無怨言，願意為學術文化而貢獻個人的全部精力。史語所同仁能夠在戰時生活極端艱困的情形之下絃歌不輟，安貧樂道，傅斯年先生的精神支持力量，影響極大。本文之所謂「傅斯年精神」，意指支持史語所於不墜的這一分精神力量而言。又因為這一分精神力量主要來自傅斯年先生，所以名之為「傅斯年精神」。這是對此一小節立題命意的界說，以別於傅斯年先生專傳中類似此題目的內容不同所在。

此一小節既以「傅斯年精神」為題，自當對「傅斯年精神」的具體內容有所說明，否則難免陷於抽象空洞。今先引述幾項信件中的文字作為例證：

史語所舊檔中，存有社會科學研究所副研究員丁文治寫給傅先生的一封信，對傅先生的立身行事有所讚頌，可以視為旁人對「傅斯年精神」的觀察與批評。丁文治的信，寫於民國三十年的八月八日，當時他亦在四川李莊。信中說：

> 先生係治認識之前輩中之一全人，常將自己的利益範圍縮至可能的最小，而將對他人的幫助推廣至可能的最大。社會上對先生深厚愛戴者，固不僅治一人也。……

丁文治以為傅斯年先生最樂於幫助別人，而並不顧及本身的利益，這在傅先生自己，也曾有此說法，民國十八年，史語所任于道泉為助理員，民國二十四年資送其赴英留學。于君於學成之後滯英不歸，傅斯年先生屢次去信敦促，均置不理，來信中且對傅先生甚表不滿。傅先生因此寫一長信覆之，甚多感慨之言，至堪注意。其中的一段說：

> 來書又以資本家比擬，所惡於資本家者，為其取工人之剩餘價值以自肥也。吾生平但求助人，盡力為人謀成學之便，而自己白費時間，一逢兄等，更無端招不白之冤。若資本家，肯為此乎？⑩

---

⑩ 李字十五號檔，本所同仁（三），「于道泉」卷中。

在這段話中，傅先生自己也說，他一生「但求助人」，「而自己白費時間」，其言與丁文治所云若合符節。若以為此不過是他自己的「夫子自道」，則還有第三者的客觀批評可以取證。如當年曾任傅先生秘書的史語所前任所長屈萬里先生，即是其一。

屈萬里先生在抗戰時期曾任職於史語所，由助理員升為助理研究員，抗戰勝利時離職，改任國立中央圖書館編纂。傅斯年先生出任臺大校長時，屈萬里先生是校長室的秘書。其後，史語所再度聘請他為甲骨文研究室的副研究員及研究員，李濟先生任史語所所長之職期滿，即由屈先生繼任所長職務。所以屈萬里先生在史語所的服務時間甚久，與史語所的淵源亦極深。他在傅斯年先生故世後，曾有兩篇文章悼念之，其中所述傅先生的軼聞掌故，目睹與耳聞二者，兼而有之，其可信程度極高，今錄之於後。

第一篇文章，是寫於民國三十九年十二月的「敬悼傅孟真先生」，其時傅先生剛剛病故在臺大校長任內。文章中說：

> 抗戰期間，八年艱苦的歲月，他為了維持史語所，真費盡了心血。他千方百計的來維持研究人員的生計，使他們能安心治學；他對於生病的人那麼關心，他想盡辦法來給病人弄錢養病。因患肺病而割掉七條肋骨的某君，假若不是孟真先生督著醫生治療，假若不是孟真先生想法子給他弄錢休養，那無疑地在九年前已經過去了。
>
> 他想盡辦法給他貧病的屬員弄錢，然而他卻為自己的生活而屢次賣他心愛的書。

第二篇文章，是寫於民國六十年的「傅孟真先生逝世二十周年祭」，文中說：

從抗戰開始，到他逝世時止，公教人員的生活非常艱苦。抗戰期間，史語所的梁思永先生害著嚴重的肺病；董作賓、勞榦兩位先生，都因家口眾多，以致三餐都成問題。孟真先生曾想盡了辦法替他們找些外快，甚至把他自己心愛的書籍賣掉，以貼補董先生的家用，他自己卻從不自謀。在臺大校長任內，一直穿著一件狹小的，早就褪了色的西裝上衣，到他離開人間的時候，依然是那件衣服。……

這兩段文章之值得引敘，因為它們所敘述的，正是傅斯年先生在抗戰期間領導史語所的那些光景。傅斯年先生在那一段時間裡，因為身任史語所所長的緣故，既然目擊全所的工作同仁因物價高漲、待遇低落，而致生活困難，以他那種勇於擔當而樂為人謀的性格，自然會義不容辭的挑起這份擔子，千方百計地設法為同仁增加收入，減輕負擔，以解決他們的生活困難。在八年抗戰期間，像傅斯年先生這樣的好主管，當然也大有人在，但如以熱心出力的程度而言，傅先生實為其中之翹楚。凡此事實，史語所舊存檔案中俱有成案可查，稍加翻檢，便可拾掇到很多件明顯的事例。前文曾敘述他設法為助理員加薪，即是其中之一。至於史語所在昆明、李莊的各時期中，都曾由公家出貲創辦合作社、醫務室、子弟小學等機構，以解決史語所同仁當時最感迫切的生活、醫療、及子女教育等問題，更是有目共睹之事，傅先生在這些地方所投入的精力不少。由於這些事看起來祇是生活方面的瑣細末節，不值得鋪張渲染，所以不打算在這裡詳細敘述。所需要特別在這裡強調的，乃是傅斯年先生在建所之初所特別堅持，史語所專任研究工作人員不得在外兼職之事，到了此時，不但不再堅持，反而主動的為若干研究人員設法尋求兼職，並多方安排為之求得院長之批准。這種基本態度方面的極大轉變，實在使人十分訝異，所以特別需要提出來加以說明。

傅先生在建所之初，極端反對專任研究人員兼任其他教學工作，當以朱希祖先生之事例最為明顯。今即以此事為例，作一簡單之說明。

朱希祖先生，字逷先，浙江海鹽縣人，在早期的史學界，甚負盛名，民國初年，當傅斯年先生還在北京大學負笈讀書時，朱先生就是他的老師了。民國十九年下半年，北大發生風潮，朱希祖先生深受影響，氣憤之餘，打算從此放棄教學生涯，改向學術研究工作方面尋求發展。陳寅恪先生得此消息，立刻建議傅先生積極爭取他到史語所來擔任專任研究員。民國二十年一月二十五日，史語所舉行第十九年度下半年的第一次所務會議，會議紀錄中載有陳、傅二先生對此一議案所表示的意見，可以參看。抄錄如下：

議案一，建議於院長，改聘朱希祖君為本所專任研究員案——陳寅恪提議。

說明：

陳寅恪——第一組工作，以關於近代者為最重要，如整理檔案是。朱先生關於近代史的知識既極其豐長，而十餘年所搜集之此項史料，在國內亦無有出其右者。現在朱先生倦於教授，本所正可藉此機會，俾得利用其所搜集之史料，為精湛之研究。此於朱先生、於所，雙方均大有裨益。現在學期開始時，朱先生所任各校功課，亦已結束，正宜在此時改聘為本所專任研究員。

傅斯年——關於此事，可以補充幾句。本所特約研究員，本有請求改為專任研究員之權利，而所方因研究上之需要，亦可請求其改為專任研究員。在本所常務會議中，曾邀約第一組同仁商議改聘朱先生事，在原則上均承認有改聘朱先生為專任之必要。而本所因此而增加之經費，在目前實覺困難。陳先生及同仁之意見，極當尊重。故擬在暑假前，一組少買書若干，以便對付，暑假以後，本所經常費當呈請本院增加，求其免於不能維持。

討論：

陳寅恪——關於薪給方面，朱先生資格學問，應以本院最高級薪俸待遇為標準。

議決：

建議於院長，改聘朱希祖君為本所專任研究員，並以本院研究員最高級薪俸（每月五百元）待遇。

所務會議所通過的決議案呈報到院方後，院長蔡元培及總幹事楊銓二位先生都同意照辦，朱先生聞悉，也表示十分高興。不過此事在不久之後即發生了變化，因為北京大學在學潮過後換了校長，新校長蔣夢麟先生到任後，朱先生曾向新校長去信表示他的態度，說，他的北大教授職務，現雖在請假期中，但他在北大研究所國學門所擔任的指導教授及編輯國學季刊二項工作，最近三四月來並未間斷。由於受他指導的學生希望他不要離開北大，而北大研究所亦別無教授擔任明清史的研究指導，故而不忍決然離開北大。希望能援胡適先生之例，以史語所專任研究員身分在北大兼教而不支薪給，懇予備案賜覆。蔣夢麟先生收到此信之後無法立即作覆，乃將原信交與傅先生研商。這一來，傅先生就十分惱火了。他認為朱先生既同意改任為史語所的專任研究員，就應當恪守院章，不得在院外尋求其他兼任職務，以免有妨本身之研究工作，不論此工作係支薪或不支薪者。所以他在奉覆朱先生的信件中，明明白白的表明了他的堅決反對態度。這封信足以表示傅先生在建所之初，所全力維持的紀律觀念，雖尊為師長的朱希祖先生亦不能破壞。由於這種關係，傅先生的這封信，十分值得重視。今特為之轉引如下：

逷先先生賜鑒：先生向北大表示復職一事，兩承清誨，感何可言。斯年為此，思之十餘日，澈夜不寐者兩夕。緬懷師生之誼，重想斯年此時所負之責任，尚有未能已於言者。敢為先生陳其綱略。

一、歷史語言研究所此時在創置期中，艱難至多。院中規定專任研究員之待遇，一面固優為俸給，一面亦詳為限定。蓋專任者必不抱東牽西掛之意，然後可以濟事，必以其自己之事業與研究所合為一體，然後可以成功。此意在先生決改專任之前，斯年為先生道之，非一次矣。

二、先生之為專任研究員，固由斯年等甘為贊助，亦由先生先表示自己決心於前。先生去年十二月二十一日書云：「希祖最近輾轉思維，決定此後專事研究史學，不作教員，不作任何校長主任及各項辦事員。故擬在年假後辭去清華、輔仁等校教課及北大研究所導師，使身體一無所累，集中精神，以從事於一史。惟生計問題不易解決。前日承兄談及研究院事，可以達我此志。年假中未識可以決定否？遲則事機一失，恐仍牽於舊累，不可能解脫矣。乘此機會，快刀斬亂麻，使永無糾葛，亦可謂畢生之幸。希祖前此十八年頗忠於北大，從來不休息一年，所作史學文章，皆在北大發表。今年對於史系，自己增加兩種新課，又作三篇新文章，亦可見不貪懶惰，肯負責任。而對於尊處允許出版之兩種拙作，亦未暇整理，顧此失彼，頗抱歉疚。此後願移忠於北大精神，以忠於中央研究院。」斯年等讀此，能無感動？所以於最困難之情形中，終成此事者，皆以報答先生之雅意也。

三、今觀先生致夢麟先生書，不忍舍去北大，則先生十二月二十一日函所云者，特一時感情語耳。研究所及斯年等個人竭力奉贊先生自己做學問之事業，而未獲換得先生在研究所之安心。斯年初看深疑何緣至此？豈有所開罪于先生，致先生在三四月間盡變其意向？繼更思維，先生在北大年久，在研究院日短，如此存心，亦是至情，敢不佩欽！此時先生對清華輔仁雖不支薪，亦未辭職，北大教授及國學研究所之指導又生此問題，斯年處此，實覺為難。想在高明洞鑒之中，無待多說。至於先生成一史於北大，或成一史於研究院，在斯年固以為同可欣幸，正不必爭其在彼在此也。聞暑假後北大教授之待遇當有所改善，當亦有可以著述之機會。斯年當敬從先生向北大復職之意。敢布區區，諸希亮察。敬叩著祺，學生傅斯年敬上。四月二十三日。

這件事發展到後來，由於傅斯年先生堅持專任研究員不能在外兼職的原則，彼此心存芥蒂，所以朱希祖先生最後仍然回到北京大學去教書，他在史語所的職務，亦仍由專任研究員改回原來的特約研究員名義。在這件事情中，陳寅恪先生亦曾表示過他的態度，說：

弟之意見，以史語所目前程度如何姑不論，但須作到外國 Academy 之程度，不獨學術上應努力，而其組織上亦必仿照，方可成一獨立自主之團體。蓋非如此則不能獨立，不獨立，學術亦不能發展，二者實有關繫也。⓫

照陳先生的看法，中央研究院如果希望建立外國式學院的獨立自主風格，必定要先建立獨立自主之精神。此獨立自主之精神為何？當然亦不難從中推知其一二，如嚴格之紀律，即是。為了維持史語所的紀律，傅斯年、陳寅恪等先生在當時不惜開罪史學界的老前輩朱希祖先生，其精神和毅力至可欽佩。但是到了抗戰進入極為艱困的階段時，為了顧及研究同仁的生活，傅先生竟然不惜自毀其立場。這種委曲求全地為研究同仁設處的苦心，實使人感動之至！

⓫ 史語所舊檔，元字四十七號卷，朱希祖與傅斯年先生來往函件粘存簿中之第七件，陳寅恪先生致傅函。

傅斯年先生在抗戰時期中，為了安定研究同仁的生活起見，不惜自行放棄立場，主動為研究同仁謀求兼職的實例，現在可以見到的共有兩樁。其一是為李方桂先生設法謀致燕京大學的兼職待遇，另一是為岑仲勉、勞榦等三、四位研究同仁謀求所外工作的額外收入，其目的皆在為他們增加所得，以解決實際生活困難。分述如下。

史語所舊存檔案李字第六十七號「借聘」案中，存有李方桂先生於民國三十三年由燕京大學借聘至成都該校任客座教授之原案。今抄錄傅斯年先生當時寫給燕大校長梅貽寶先生的信件原文於後：

貽寶先生左右。春間在渝小晤，何快如之！近想學校事日有進步，為禱為禱。寅恪先生就貴校事，弟本當為敝所反對；然其未反對而轉有贊成之姿勢者，誠緣李莊環境，寅恪未必能住下（彼處醫藥設備太差，一切如鄉村），故寅恪暫在貴校，似乎兩得之。然一經抗戰結束，我們還是要請寅恪回，住在研究所所在之地，此權絕不放棄，一笑，亦實話也。目下寅恪仍兼敝所第一組主任名義。此一名義，彼在香港時亦有之，其指導則以通訊為之也。

茲又有一事奉商。敝所第二組代理主任李方桂先生，其語言學在中國為第一人（元任所治為語音學，各不同也），天資學力，弟所知尚無人可與之比。彼在本院任職十五年，其間有兩年在耶魯為V. P.，曾由本院委託其往暹羅及中國西南各地調查，材料聚積之富，亦第一也。彼在李莊近日以私人某一情形，不願住下去。然此純是私人一時之事，並非與本所有所芥蒂，此外，李莊之悶，住久者亦真不了，故生精神衰弱者累累。彼頗有暫住成都或他處之意，就便兼習藏文。弟思之再三，其他學校，敝所與之合作，雅有不便之處。故擬與貴校合作，而以下列方式行之：

一、本所以方桂兼習藏語之便，由院長特許其住蓉。

二、方桂在本所之待遇（薪、生活補助費、米貼代金、凡三項），均仍舊付給之。

三、方桂兼在貴校作一類於V. P.之職務。李莊與成都生活甚差，方桂如以李莊入款在蓉生活，勢有不能。故除方桂在本所所領者外，擬請貴校再付以一數。其數即等於寅恪所領，減去敝所支給方桂之差數。

四、彼在貴校可任教五小時，亦願指導出幾個學生來，為本所及其他研究機關之用。此點乃弟造意之原由。蓋敝所治語言學之青年，其來源將斷，故擬擇一處培植之。而目下聯大與本所相距太遠，故久想到與貴校合作也。

五、方桂由李莊至渝轉蓉之旅費（一家夫婦四口），由貴校支付。

六、方桂在蓉住處，由貴校供給。

七、以上辦法，以一、二年為限。（憑尊便）

如此則貴校之語言一科可以超他校而特別發達，而敝所可因方桂教書得吸收青年也。此法未知尊意以為如何？乞考慮見復。專此敬頌道安。弟傅斯年敬啟。三十二年十一月二十六日。

李方桂既是當代中國第一人的語言學家，只要傅斯年先生肯放他出去到別校去兼課，任何一所著名的大學，都歡迎之惟恐不及。所以此事一經傅先生提出，燕大校長梅貽寶先生立刻覆函同意，對於傅先生信中所提出的七點辦法，亦都照單接受，毫無異議。燕京大學何以如此樂於接受傅先生所提出的「合作」辦法？那是另一個問題，不在本文探討之範圍以內；這裡所要詳為指陳的，是傅先生在前述信函內所言之不清或者簡直可說是有意隱瞞的那些內情；因為李方桂先生當時之所以願去燕大教書，乃是另有原因，並非如傅先生上述信件中所說理由之冠冕堂皇。

抗戰期間公務員生活之困窮，到了民國三十一、二年時，已經到了十分嚴重的程度。本章第五節

「栗峯五年」中曾引述第四組專任研究員凌純聲先生的辭職信，以說明當時的研究工作人員月入所得，雖等級高如凌先生者，亦經常苦於入不敷出之情況。李方桂先生與凌先生的地位相若，情況當亦彷彿。史語所舊檔李字七十一號卷中，就有李方桂先生民國三十一年四月三十日在貴陽寫給傅斯年先生的一封信，說明他因自己生病及家人住院，用度無出，打算翻譯一本暹羅文法讀本來賺取稿費，希望能得傅先生的准許，即為例證。亦就是因為戰時公務員的待遇太低，生活太苦，所以陳寅恪先生從香港脫險歸來之後，傅斯年先生就贊同他改就燕京大學之聘，到燕大去作專任教授，在史語所仍只維持兼任的名義。上引傅先生致梅校長函中所謂，「李莊環境，寅恪未必能住下」，及「寅恪在貴校，似乎兩得之」之所云云，其真正的內情，還是待遇問題。因為燕京大學是教會學校，其經費來自外國基金之支援，不致因政府經費支絀而強迫教職員束緊他們的褲帶。由於燕京大學的待遇高，不但像陳寅恪先生的權威學者樂為燕大所聘，即是傅斯年先生亦很希望利用燕京大學的優厚待遇，來養活史語所中的研究人員，只可惜他辦不到！筆者之作此說法，並非憑空瞎說，因為在當時傅斯年先生寫給李方桂先生的信中，就有這種說法，可以作為事實證明的！

傅斯年先生寫給李方桂先生的信，就附在李字五十七號的「借聘」卷中。原信係那廉君先生所抄存的抄件，由於文字甚長，只能摘錄其中有關係的部分作為證明。先摘錄有關待遇問題的一段如下：

> 關於研究所之待遇事，兄可不必慮及。此時與戰前情形完全不同，故杏佛兄當年所訂限制收入之事，在今日完全不能適用。燕京為私人所立，只要兄在彼收入不是米貼與生活補助費兩項名義，公私即無任何困難。假如本所在成都，弟尚當勸同事為之。（一笑）總而言之，有能力做學問之人而肯做學問，研究院只當以「待士」之方法為之。故此事兄不必關懷也！

這段話說得如此透澈明白，足證傅斯年先生之設法安排李方桂先生到燕京大學去做客座教授，完全是因為燕大的教授待遇高。他要燕大付給李先生的待遇，應以陳寅恪先生之待遇為準。但因李先生已在史語所支領政府規定之公務員待遇，故到燕大後，燕京大學仍應在此數之外，照陳先生所領之數補足其差額，其名義不論是鐘點費或是指導費，只要不是與公務員待遇相重複的「米貼」和「生活補助費」二項即可。從這些地方不難看出，傅先生讓李方桂先生到燕大去兼課，目的是要他得到較高的待遇，維持安定的生活，假使此法可行之於史語所其他研究同仁，他還贊成其他同仁也如法泡製哩。至於所謂就聘燕大可便於研究藏文云云，事實上也只是一種報請院方核准的口實而已；因為這在傅先生寫給李方桂先生的信中，就有這方面的說明。原信亦屬於同一信件中之另一部分，轉引如下：

> 往成都為習藏文之便一說，乃公事上不得不如此說。此事在去年初與兄談及燕京時已經提過，當時即說以此為一種公事說法，事實上絕無求此等成績之事。且習藏文亦僅為兄治語言學一般之需要，絕不是加兄一副業。其實成績一事，在初辦研究所時，弟看得很認真，亦因當時環境使然。近十年來，大體是祈求個人學問之成就，急功之心遠不如前矣，故此事全無所謂也。

將這些事實加在一起看，則傅斯年先生之安排李方桂先生往燕大教書，其動機不外兩點。一是為李先生爭取較多的收入，以安定其生活，二是希望因李方桂先生之教導而培育出新的語言人才，好為研究所將來的發展預鋪道路。至於他在寫給梅校長信中所說，李方桂先生欲往成都，乃是因為某種私人原因而不願在李莊住下去云者，究竟是否事實，實在難以判斷。

在李方桂先生兼職事件之外，另一樁由傅斯年先生主動設法為某些研究同仁謀致額外收入的事例，乃是他接受太平洋學會的邀約，同意由史語所的岑仲勉、勞榦、王崇武三人撰寫「中國疆域沿革史」，藉以賺取稿費之事。此事之始末，具見於史語所舊檔李字六十九號的「太平洋國際學會卷」中。此書全部字數十五萬字，分由岑仲勉、勞榦、王崇武、楊志玖四人撰寫，潘慤繪圖，王志維謄清。除楊志玖係西南聯大之教授，與史語所無涉外，其餘均係史語所之專任研究人員及行政、技術人員，他們從此書中所賺得的稿費及繪圖費、抄寫費數目，在原卷中都有數目可查，開列如下：

岑仲勉——稿費二萬元
勞榦——稿費一萬四千元
王崇武——稿費一萬八千元
潘慤——繪圖費三千元
王志維——抄繕費二千元

由檔案資料可以知道，編撰「中國疆域沿革史」的時間，在民國三十三年七月至三十四年二月，稿費標準每千字法幣四百元。民國三十三年五月至十月間的中央級公務員待遇標準，除實物配給部分不計外，生活補助費的基本數是每人每月法幣一千一百元，加成數照本薪之三倍半計。三十三年十一月起，基本數增至二千元，加成數增至本薪之十二倍。以月支薪三百元的副研究員為例，三十三年十月以前的生活補助費數目是二千一百五十元，十一月以後增為五千六百元。如果再加上薪俸及實物配給，則在三十三年十月份以前是食米一石之外外加法幣二千四百五十元，三十三年十一月份以後，是食米一石之外外加法幣五千九百元。以此為準，為「中國疆域沿革史」一書擔任撰述工作的岑仲勉、勞榦、王崇武三位先生，當時所得的稿費，約為其每月現金收入的三倍至八倍，潘慤、王志維二人所得的繪圖費及抄寫費則為數不多，約當一月之現金收入而已。戰時公務員的待遇本來十分菲薄，即使能照本薪及生活補助費之數目增加一倍發給，對於當時極其低落之生活水準也改善不了多少。但是我們也不可不知道，當每個月的薪給所得經常處於入不敷出之困境時，能有增加一倍之收入可以暫時挹注一時，該是多麼令人歡欣鼓舞之事？岑仲勉、勞榦、王崇武三位先生因撰寫此書而能得到三個月至八個月薪水的額外收入，無異在三個月至八個月中，每月都有雙薪可領，數目雖然仍舊不多，總比只領單薪的時候好得太多了。而且不僅此也，史語所在這一段時間內，還曾與獨立出版社合作，出版了「史料與史學」、「六同別錄」等書四冊，其中所收錄的論文，亦為史語所研究同仁所寫。這些書因係由出版商公開印售的書籍，並非「集刊」性質，照例應由出版商支付稿費或版稅，無形中亦與「中國疆域沿革史」之編撰工作屬於類似情形，撰稿人可由此得到一些額外收入，雖數目之多寡不可知，其屬於額外收入的情形則事同一類。凡此情形，在戰前的史語所均極不可能發生，至此時則一改常態，無非亦由於研究同仁當時所處的極度困難環境使然。前引傅先生在寫給李方桂先生的信中就曾說過：

關於研究所之待遇事，兄可不必慮及。此時與戰前情形完全不同，故杏佛兄當年所訂限制收入之事，在今日完全不能適用。

所謂「此時與戰前情形完全不同」，意即謂此時之史語所研究同仁，其生活困難情形已瀕臨於飢餓死亡之危境，非多方設法不足以拯救之。惟其如此，所以不得不打破一切舊有之限制規定，多方謀求紓困救貧之策，賺稿費即為其中之一。為撰寫「中國邊疆沿革史」一事，傅先生在寫給太平洋國際學會主任幹事劉馭萬的信中曾說：

圖表一事，由原起草者起草，敝所有人可畫，因此當稍增用費，但畫圖資料，敝所有者均可使

用，弟不敢受酬，其故在所中同仁皆窮，弟可為同仁找點 Price Work 而自己不可作也，盛意可感。

前引屈萬里先生所撰「敬悼傅孟真先生」及「傅孟真先生逝世二十週年祭」二文中曾經說到，屈萬里先生所知道的傅斯年先生，「抗戰期間，八年艱苦的歲月，他為了維持史語所，真費盡了心血。他千方百計的來維持研究人員的生計，使他們能安心治學。」「抗戰期間，史語所的梁思永先生害著嚴重的肺病，董作賓、勞榦兩位先生，都因家口眾多，以致三餐都成問題。孟真先生曾想盡了辦法替他們找些外快，甚至把自己心愛的書籍賣掉，以貼補董先生的家用，他自己卻從不自謀。」以上面所寫的這些情形對照起來看，見於檔案資料中的這些事實，正是屈先生大文的最好佐證，可以證明屈先生所說確是當時的事實。傅斯年先生在抗戰期間為了維持史語所而支付出了如此巨大的精神與心力，稱之為「傅斯年精神」，應該可以當之而無愧！

從傅斯年先生苦心維持史語所同仁的生活看，他宛如史語所這個大家庭的忠實褓姆；但是他雖然竭盡一切心力維持這個研究所，他對於研究所同仁在品德、學術各方面的要求，還是秉持其既有原則，絕不放鬆的。這在他對待當時因不能耐貧而求去的若干研究同仁的態度中，可以明白的看得出來。

民國三十三年三月，史語所第三組技正吳金鼎由成都致書傅斯年先生，請求辭職。傅先生作書覆之，於挽留之外，並以道義相規勸，情辭懇切，讀之使人感動。原信在當時曾複寫兩份，一寄吳金鼎而一存於檔案中，乃傅先生之親筆。今轉錄如下：

禹銘吾兄。惠書敬悉。此事弟早於半月前曾託作民兄代勸吾兄打銷原意，頃見回信，知未蒙諒察，故今自述其意，仍乞惠允，至幸。兄為本所最老同事之一，若於此時因研究所經濟困難（即國家經濟困難）之故，先眾人而去，在兄自必有所不忍。設若兄家累太重，自另是一種說法。然兄並無子女，夫婦共作事，二人所入，比弟為多，一家內外擔負，比弟為少。若與人比，則試看前線士兵之生活如何？若與後方貪官奸商比，則此輩中人，豈可與之比哉？此時所入，亦可勉強吃飽，一飽之外，即多幾千元，值得何事？故為公家計，兄不可以無家累之人先開此端；為自己計，亦全不值得。荷戈上陣，然後謂之抗戰；招待洋人，上海西崽之事，兄亦自言其為跳糞坑矣，此不得以服兵役論者也。再就工作言之，琴台報告未完，豈可捨之而去？彭山報告未寫，豈可半途而廢？大凡作田野考古，亦須作室內考古，否則如袁希淵之只挖不寫，與黃鼠狼搗洞何以異？此又為研究所之工作計，萬不可中斷者也。總而言之，大要的理由如下：

一、兄之家累不重，尚不致迫而他圖。

二、研究所不可開此例。（即研究人員因研究所窮而鬧改行。）

三、你要作的事並非抗戰。

四、工作未結束，前功盡棄。（編按：字旁之圈係原信所本有，下同。）

所以目下只有請兄繼續寫琴台報告、迅速寫好後即回李莊，目下只有此一法。所以請假兼事等等，皆恕不能同意。此事無磋商之餘地，兄必不肯迫弟做弟絕不願做，而有時為維持研究所最低格之紀律計，不得不做之事也。至於在蓉吃飯一點，弟初不知「川博」不供給了。既不供給，自三月份起，由研究所津貼兄在蓉寫報告時期中的伙食費，其數目不能超過李莊大廚房數。（目下約千元）此雖不等於出差支費，然在兄亦無失，仍當速了速反，萬勿兼事，如已兼了，須即日辭去。俟兩種報告寫好，兄如願「抗戰」，當為介紹真正與抗戰有關之工作，此時斷乎不可也。濟之先生與弟所望于兄者甚大，此時必須「苦撐」。尚祈吾兄慮及國家之艱難，為學術界存亡繼絕之事業中盡一分力，經濟上之困難，姑且忍之。此弟等之深幸，亦研究所之深幸也。書不盡意，即祝旅祺。傅斯年敬啟。三月二十九日。

吳金鼎之去成都，是因為史語所與四川省立博物館訂約合作發掘琴台古墓，由三組技正吳金鼎主持其事。吳金鼎在成都做完了發掘工作，由於四川省立博物館不肯充分履行合約義務——不供給史語所工作人員之食宿費用，以致吳金鼎憤而不肯撰寫發掘報告，又在滯留成都之時期中請人介紹，到美軍招待所去充當翻譯員，藉以博取美金待遇，最後乃正式來信辭職。傅先生在寫給吳金鼎的覆信中，以工作道德及學術文化工作者的責任感與使命感為言，希望吳金鼎不要為花花綠綠的美鈔而犧牲了自己的學問與事業，義正辭嚴，其言甚為沉痛。以傅先生的條件與吳金鼎相比，傅先生如果也像吳金鼎那樣地孳孳為利，他也大可以拋卻他的史語所所長職務，改行從事其他有利可圖之事，而且他的機會一定比吳金鼎更多。他之不肯放棄他的工作崗位，一心要在這個工作崗位上苦撐到底，無非因為學術文化乃國家民族之命脈，身為高級知識分子者，有責任也有義務來負起這一分存亡繼絕的責任，絕不可見異思遷，見利忘義。所以他不但要以此自律，也希望研究所的同仁也都能夠做到這一點。史語所同仁在抗戰八年的艱苦歲月裡，能夠堅持這種精神，直到抗戰勝利，傅斯年先生的精神支援之功不可沒。而且，像吳金鼎這樣見利忘義的人，也畢竟只是極少數的幾個而已。如其不然，史語所能否渡過抗戰八年的危難關頭，倒也真是一個很大的問題哩。

吳金鼎之外，另外還有一個類似的人物——助理員王鈴。此人之後來去向亦與吳金鼎一樣，辭掉現職之後去賺美金。史語所舊檔中存有傅先生致董作賓先生一書，其中所談即有王鈴之事。原信甚長，其末一段云：

> 王鈐來此，弟勸之返，不返，勸之作譯員，並允為之設法妥為安置，不做。昨天竟說出，他去美國新聞處做事，賺美金！今日已陳院長將之革除矣。此事仍乞辦一公事到院，彼之待遇，十二月份即不能領也。

此「十二月」當是民國三十三年之十二月，此時傅先生以參政員身分在重慶出席國民參政會，史語所所長職務，由董作賓先生代理，故信中所說如此。研究人員因生活困難而希望另外獲得較高待遇的工作，雖亦人情之常，但畢竟有違其獻身學術事業之初衷，而且與自己的學術生命有害無益。基於這一觀點，傅先生纔要以史語所大家長的身分，對青年後進之研究同仁諄諄勸勉，希望他們以本身學業及對國家社會所負的崇高責任為重，咬緊牙關，苦撐到底，以便保存學術命脈，達成個人之志願。在這些方面，也曾有頗多故事流傳，但只有一個人在檔案資料中留下紀錄，那就是後來在語言學方面卓有成就的董同龢先生。

史語所舊存檔案李字第十四號檔，中有「董同龢赴東大事」案卷一宗，係民國三十三年六、七月間東北大學文學院院長金毓黻來函徵詢史語所之同意，擬聘董同龢先生往該校中文系擔任語言學教授。董先生當時是史語所第二組的副研究員。傅斯年先生曾有信覆之，但原信並無底稿留存，不知其內容如何，只在金院長來函之信封上見有傅先生手書之如下各項：

> 擬內信大意：一、董君學績，在任何大學堪為教授。二、本所向取 laisser-faise 主義。三、我固不願董君去。

但在案卷中亦可看到董同龢先生當時為此事寫給傅斯年先生的兩封信，可知此事最初曾由傅先生表示可由董同龢先生自作決定，最後卻因傅先生的懇切勸導及李方桂先生之來函勸阻，而放棄了就聘東北大學的打算。由這兩封信中，不難看出傅先生對後輩學人的呵護與關愛，是何等的深切。為了存真起見，照錄其原函文字如下。

第一函，民國三十三年六月十六日所上。函云：

孟真先生賜鑒。承賜手諭，再申尊旨，讀至「共維艱難」之句，不禁黯然。同龢受先生厚恩，本無他去之念，生活雖苦，又實較一部分同仁稍裕，更無他去之必要。玆所以考慮東北之聘者，乃因方桂先生去後，二組同仁，有星散之勢，留此時有慘痛之感耳。聘約期限之為具文，今日始自先生知之，今日以前，固以為萬不可以背逾也。職是之故，去念一萌，即以就先生商討此點為其他一切之先決條件，不然諸事就緒，阻於成約，非惟前事盡廢，亦且失信於人矣。今早間同龢晤先生面談，其意在斯，如原無去志，自無任何問題發生，煩擾清聽，豈不無謂。今既得尊言，已作書前途，接洽旅費等事，俟得回音，即在先生放任主義之下，自行決定。肅此，敬頌道安。晚學董同龢鞠躬。六月十六日夜。

第二函，同年七月三日所上。函云：

孟真先生賜鑒。前蒙兩次賜談，諄諄教誨，近日思維愈深，愈見愛護後進之切。感奮之際，復奉方桂先生手諭，並堅囑潛心向學，勿作他圖。於三十之時，同龢如尚執意言去，將無以對兩先生矣。三台之約⓬，但能辭謝，當竭力為之，用符尊望。肅此，敬頌道安。晚學董同龢鞠躬，七月三日。

董同龢先生後來畢竟不曾往就東北大學文學院之聘，而且一直留在史語所繼續從事他的語言學研究。民國三十八年升為專任研究員，民國五十二年六月因肝癌病逝在臺灣。所著有「上古音韻表稿」、「鄒語研究」、「記臺灣的一種閩南語」、「中國語音史」、「語言學大綱」、「高本漢詩經注釋」等專書多種，及學術論文十八篇，在語言學研究方面成就卓著。董同龢先生在學術研究方面的成就，正是史語所同仁的一個實際例證。說明了一個在學術基礎上有根柢的人，只要他不放棄他的研究工作，在史語所這樣良好的環境裡，有優秀的前輩人才為之指導，有良好的圖書設備供其利用，只要能專志一念，「潛心向學」，沒有不能成功的。早期的史語所研究人員之中，像董同龢先生這樣從助理員做起，憑藉其點點滴滴的辛勤積累，最後都能在其研究範圍內卓有成就的，指不勝屈。但是他們假如在八年抗戰及後來的戡亂戰爭中無法茹苦耐貧，堅撐到底，就不可能有後來的成就。然則除了傅斯年先生對大家的照顧和鼓勵之外，各人自己的堅定意志，尤其是最重要的因素。傅斯年先生在抗戰時期如此惡劣的環境中，能以他個人的精神力量堅定了這麼多研究同仁的向學之心，實在太不容易。史語所在傅先生逝世後為他所出的紀念特刊，尚未能將如此重要的「傅斯年精神」特加表揚，非常可惜。特別在這裡揭而明之，或者也是很有意義的紀念方法吧！

庚、沙漠綠洲

⓬ 國立東北大學此時遷在四川三台縣。

八年抗戰，史語所同仁受盡了生活壓力的折磨與煎熬，物質上和精神上都痛苦不堪。在這段時間裡，能夠始終堅守在本身工作崗位上苦撐到底的，所過的都是苦行僧一般的日子。但是即使如此，由於他們在學術工作方面的卓越成就，許多嚮往於學術研究的知識分子，還是有人把史語所視為崇高的學術殿堂，不計較所能得到的待遇是如何的菲薄，還是願意奉獻出他們的生命力量，以參與史語所的研究工作為榮。也許，在他們的眼中看來，當時的國內環境如此激烈動盪，學術文化的傳續幾乎不絕如縷，史語所的存在，宛如浩渺沙漠中的一處美麗綠洲，有志於學術文化的知識分子，惟有投身於此一處沙漠綠洲之中，纔能得到一展其生平抱負的機會。然則當時的生活環境雖苦，又豈能遏阻他們這一股如飢如渴般的嚮往之心呢？史語所檔案中存有屈萬里、嚴耕望二先生當年所寫給傅斯年先生的兩封信，頗可以作為代表。

屈萬里先生之進入史語所工作，出於王獻唐、孔德成二先生之介紹。當時屈萬里先生正在中央圖書館擔任編纂之職，而史語所則因董作賓先生所作的甲骨文研究工作無人為之助理，以致其計劃中的「殷虛文字甲編」撰寫工作遲遲無法著手，急需增加助理員一人協助其工作，於是王獻唐與孔德成二位先生乃將屈萬里先生推薦給了傅所長。中央圖書館的「編纂」，職位相當於中央研究院的副研究員，而助理員則與副研究員相去二等，由編纂改任為中央研究院的助理員，降格甚遠，然而屈萬里先生居然不以為屈，看起來實在不可思議之甚。但如仔細推敲其中道理，便可知道，當時的屈萬里先生之所以寧願作此選擇，實在有其理由在。

屈萬里先生著述甚富，其中有一本名叫「書傭論學集」。在此書的自序中，屈先生曾經說到，他當時之所以要捨棄中央圖書館的「編纂」工作，改作中央研究院的助理員，實與其學問研究之趨向有關。今抄錄「書傭論學集」自序之前半段文字於後：

本集共收了二十九篇論文，都是曾經發表過的。計：關於周易尚書和詩經的各四篇，關於群經的二篇，關於文字訓詁的十篇，關於古代史的四篇，關於文字的一篇。……這二十九篇文章，雖然類別不同，但所討論的大都是學術資料的問題；尤其是關於資料產生的時代，和資料的解釋兩方面的論文，佔了絕大多數。這類的論文佔了這麼多的分量，自然是由於個人治學的興趣使然；而所以培養起我這個興趣的原因，則非片言可盡。

我幼時曾經讀過三年私塾，所讀的課本，除了百家姓和三字經外，其餘的都是經書。後來進入高等小學，雖然所學的科目多了，但那時候一般人的觀念都認為國文第一，因而我在學校和在家庭，一有空暇，就讀古文和閱綱鑑易知錄。那時對於所讀的古文和史書，雖然連一知半解都談不上，但我後來對文史之學發生興趣，這當是最基本的原因。

當五四運動之後的第三年，我進了初級中學。那時，大家都喊著要把線裝書丟到廁所裡。有一天，我看到上海時事新報的學燈副刊裡，刊登了一篇文章，題目是「八卦與代數之定律」。我在想，周易是最古的線裝書，應該丟進廁所去了，怎麼和代數會有關係？那時我雖然已學代數，但還沒讀過周易；因而那篇文章我反覆地讀了幾遍，總看不懂。到了寒假，我就發憤讀周易，父親用朱子本義作教本，給我講解。在二十多天的寒假中，雖然把它讀到能夠背誦了，但是它的意思，卻大部分不明白。以後的二十多年，凡是我能見到的注解周易之書，幾乎全讀了，但心裡所積的問題卻愈來愈多。

我所讀的高中，是以「發揚東方文化為宗旨」的私立東魯中學；它只有文科班，而教師則都是一時之碩彥。那時，疑古的浪潮已很普遍，而我那時的觀念則是信古彌篤。如果有人懷疑伏羲、神農、黃帝……等人的真實性，我必定攘臂怒目，和他們爭論。後來到北平讀書，以及到山東圖書館服務的初期，這觀念都沒有改變。

進入山東圖書館後，讀書較多，也見到一些以前沒見過的學術性刊物，因而眼界漸開。但涉獵的書籍雖頗廣泛，而主要的興趣還是在周易一書。直到在山東圖書館服務了三、四年之後，纔知道研究周易不能專靠古人的注解，而必需參考其他的比較資料。於是除了泛覽先秦的典籍之外，也開始注意考古學和民俗學等類的文獻，由於館長王獻唐先生是金石學的名家，我當時受他的影響，也讀了不少的金文書籍。這些書籍，對於周易卦爻辭的研究很有裨益。更因為讀了歐陽修的易童子問，和當時雜誌中幾篇有關周易的論文，而感到八卦是否伏羲所畫，和卦爻辭及十翼究係何人或何時所作等問題，確有討論的必要。也就是說，到這時我纔知道注意探討學術資料的真偽，以及其產生的時代等問題。

也是為了研治周易的緣故，在抗戰的末期，我進了中央研究院歷史語言研究所，研究甲骨文。在近乎三年的歲月中，關於周易的方面，收穫的並不多，但由於傅孟真先生的啟示，纔確切知道作研究工作必得靠真實的資料，纔知道原始資料之勝於傳述資料，纔知道鑑別資料的重要性。因而對於以前所篤信的遠古史事，纔知道很多是出於後人的傳說，而未可盡信。於是，從那時到現在，這二十多年來所從事的，大部分是鑑別資料和解釋資料的工作，而且是偏重於先秦時期的。

…………

由屈萬里先生的這一篇「夫子自道」，可以知道他之所以願意紆尊降貴，捨棄中央圖書館的「編纂」職位，而屈就史語所的一名助理員，實在是因為他自己覺得在周易研究方面的學問不夠充實，有必要到史語所來好好打定基礎；所以，中央圖書館的「編纂」職位雖尊，權衡之下，轉不如史語所一名小小助理員之可貴。就屈先生上引序文的最後一段來看，屈先生進史語所作助理員，名分上的犧牲雖大，實際上的得益則甚多，因為他由此始得窺真正為學的門徑，前此的私人揣摩費力雖勤，畢竟因未得名師指點之故，而未能摸索到正路。在這種情況之下，史語所之於屈萬里先生，豈僅是沙漠之綠洲而已，簡直可以說是唐僧取經的最後目標了。這並非是筆者個人的無據讕言，而是有屈萬里先生當時所寫的親筆信可資證明的。

屈萬里先生對於屈就史語所助理員一事的觀感如何？史語所檔案中現有其親筆信為證。史語所舊檔李字第三號，李莊文件（三）之二，人事卷第二卷，存有屈萬里先生此時寫給傅斯年先生的親筆信一封，發信日期為民國三十一年九月二十四日，信云：

> 孟真先生史席。十五日手教拜聆祇悉。里學殖荒陋，竟荷拔擢，欣感之情，匪言可喻。即當作辭職準備，靜候尊命。惟里近方整理新購之金文墨本，考訂甫半，未宜中途拋卻。預計再有三星期工夫，當能畢事。此外書物交卻，亦約需時十日左右。則里西上之期，最早當在十月杪，遲或需至十一月中旬。蓋里經手事件，擬一一交代清楚，然後離去，雖稍稽時日，想先生當能宥恕之也。蒙惠示致尊院總辦事處函，拜閱祇悉，敬謹遵命奉還，即乞詧收是荷。蔣館長處，蒙先生將為里解釋，度必無問題。里亦將即日上函，請其曲予成全里治學之志也。里自念此行，無異登仙，他日追隨我公及彥堂先生之後，不知能小有成就以仰副尊意否？要當竭盡駑鈍，以自奮勉也。肅此奉覆，敬叩撰安。晚學屈萬里謹上，九月二十四日。

屈萬里先生以「班生此行，無異登仙」的成語來譬喻他之能夠進入史語所當助理員，當可知道，史語所助理員的名位雖卑，在學問研究方面的發展卻無可限量；相形之下，中央圖書館「編纂」的職位雖崇，反而顯得無足輕重。屈萬里先生後來能夠成為甲骨文的專家，又在周易及先秦史的研究方面卓然有成，其奠基皆由於他在史語所當助理員及助理研究員的這一段時期；這不但有事實可證，更有他自己所撰的序文可證。以此而言，當時史語所研究同仁的生活環境雖苦，若以唐僧取經的故事為比喻，則在屈萬里先生固甘之如飴。比之為沙漠中的綠洲，想不為過。

另一個可以作為此一比喻作證的證人，是嚴耕望先生。

嚴耕望先生，字歸田，安徽桐城縣人，民國五年出生。國立武漢大學歷史系畢業，畢業後曾在齊魯大學國學研究所肄業，中途因該所停辦而輟學。民國三十四年八月，史語所因低階層研究人員缺額日多，欲在重慶、成都、昆明等地設法羅致，聞訊而來應徵者甚多，傅斯年先生所最欣賞的，就是嚴耕望先生。史語所舊檔，三十四年度的第三次所務會議記錄中，存有傅斯年先生當時寫給代理所長董作賓先生的一封信，中云：

> 今年請求入所之人甚多，凡無著作者，弟皆謝絕了。其有著作者，現有三人，其中嚴耕望一人似是一難得之人才，弟提議任其為助理員，並可在定薪水數目時參用初入所之助理研究員，因為他似乎在學校已經讀了十年書也。……

嚴耕望先生的任用建議案，由於傅斯年先生的推薦，就在三十四年度的第三次所務會議中通過，嚴耕望先生因此得以進入史語所第一組為助理員，開始了他此後四十餘年的學術研究生涯。此次所務會議記錄中還保存了嚴先生在此時寫給傅先生的一封信，字裡行間，充分流露出他對史語所及傅斯年先生的敬仰之心。因為嚴先生當時還只是一個客觀的第三者，他對史語所的觀察，很可以代表當時很多知識分子對史語所的觀感，因此轉錄其原信文字如下。

孟公前輩先生道鑒。曩讀宏篇，每驚創獲，欣羡無似。抗戰以來，學術陵夷，文史之學，尤見頹落。而貴所師生獨能研索不倦，每有書刊問世，仍保持戰前之水準，是皆先生領袖群彥之功也，渴慕之情，曷勝殷切。後學幼而頑鈍，竊好學問，逮入高中，略涉近賢史學述作，遂竊有志於國史之探索。民國二十六年入武漢大學歷史系，常思卒業以後再入貴所，從先生游，困學十年，厚植根基，庶有微望。第與先生既乏一面之緣，復以交遊甚狹，無人作介，宿志不遂，時用慨嘆。是以三數年來雖偷暇述作，續成大學畢業論文兩漢地方行政制度附刺史守相表都三十餘萬言，然既乏師長之指導，復為材料所局限，用力頗勤而未臻精審，乃益信讀書固須有師友與環境也。伏思方今仍惟貴所具此二條件，為國內惟一讀書處，而無由自進，一如往昔，瞻念前途，衷心甚苦。素仰先生提挈後學，惟力是視，爰不揣冒昧，為先生率陳，伏希鑒諒。倘能賜一讀書機會，誠銘骨之恩也。外附拙作四篇，皆前書中之用力較勤者，尚祈鑒審是正。本學期無書可讀，乃取往日搜集之材料，逐一整理。已完成者，有秦漢郎吏制度考一篇，約近四萬字，現正謄錄中。先生若以孺子可教，允面賜誨言，當攜此稿赴渝趨候。餘容後陳，恭候示教。肅此，敬請道安。後學嚴耕望謹拜上，七月一日。

嚴耕望先生指史語所是戰時中國具備師友與環境二項條件的「惟一讀書處」，這「惟一」二字，顯然並不完全正確。因為當時西南地區的公、私立大學之中，還是有少數設有文史方面的研究所，同樣具備師友與環境二項條件，可供有志向學的大學畢業生潛心研究，故而史語所在當時並非「惟一」的學術研究單位。但因當時的大學研究所只有碩士班而無博士班，碩士班二年畢業之後，仍無繼續深造之處。何況以學生身分從事讀書研究，所得之津貼補助極為有限，其生活問題更難解決，相形之下，就反而不如史語所助理員具有公務人員身分，既可有薪俸收入以維持個人生活，復無研究年限限制其研究發展之為優越了。惟有基於此二條件為選擇範圍，史語所方是惟一具備研究設備與師友切磋的最佳讀書環境。這一點，則是嚴先生大函中需要略作修正的地方。

傅斯年先生在民國十七年創辦中央研究院的歷史語言研究所，其目的就是希望利用政府的財力建設起一個適合學術研究的環境，然後藉此研究環境培養研究人才，向國家與社會貢獻其研究成績。經過二十多年來的辛苦耕耘，此一目標已初步達成。到了抗戰發生之後，雖因物價上漲及公務員戰時生活極度艱困之緣故而使其成效不彰，但是，史語所的研究環境及設備，畢竟仍是有志向學之人的最佳讀書處，嚴耕望先生的來信正可證明這一點。由於這一原因，史語所同仁在戰時雖備受物價上漲的生活壓迫，只要他們能夠在史語所撐得下去，又始終不因生活壓力而鬆懈他們的研究努力，則在日後都能有輝煌的成就。嚴耕望、屈萬里二先生於此時進入史語所，由他們後來的卓越成就，即可證明此說不訛。當時在史語所作研究工作的研究人員，地位較高的有研究員陳寅恪、李方桂、李濟、董作賓、岑仲勉、丁聲樹、及副研究員石璋如、陳槃、芮逸夫、勞榦、全漢昇、張政烺、高去尋、董同龢、夏鼐，地位較低的有助理研究員楊時逢、李光濤、傅樂煥、王崇武、張琨、馬學良、王明、周法高、逯欽立、及助理員屈萬里、嚴耕望、黃彰健等，多數在學術上都有所成就，很多人並且當選為中央研究院的院士，足為此說之明證。從這一方面來說，史語所在當時足可比喻為文化沙漠中的可愛綠洲，應該是不錯的。

九、由復員、還都到再度播遷

甲、抗戰勝利，告別李莊

早在公元七五五年時，唐朝發生安、史之亂，海內分崩離析，人民死亡流離。大詩人杜甫逃難在四川，忽然聽到郭子儀李光弼的大軍已經光復河北，大局戡定有望，杜甫也可以從四川返回他自己的故鄉去了。當時他高興之極，隨手就寫下了這麼一首七律，道：

海外忽傳收薊北，初聞涕淚滿衣裳。
卻看妻子愁何在，漫卷詩書喜欲狂。
白日放歌須縱酒，青春作伴好還鄉。
即從巴峽穿巫峽，便下襄陽向洛陽。

這首詩千百年來一直被人傳誦，在戰亂流離之時，使人感觸尤深，因為不知道自己將來是否有福消受這一份興奮愉悅的勝利還鄉之快樂？抗戰八年，史語所遷移到四川南溪縣李莊鎮板栗坳的一處山村中，一住就是幾年，因物價高漲而致生活困難之極。正在困苦之時，民國三十四年八月十日，因為美國人在日本的廣島、長崎投下了兩顆原子彈，日本天皇在廣播中發表聲明，接受盟國政府無條件投降的要求。消息傳來，不啻是一個晴天霹靂，使得西南大後方的軍民同胞在驚喜之餘，簡直不能相信這是真人實事。等到消息被證實之後，大家的狂喜歡快之情，頓時就像煮熟的開水一樣沸騰了起來。大街小巷中到處響澈了慶祝勝利的鞭炮聲，馬路上擠滿了狂呼大叫的興奮群眾。板栗坳僻處山陬，當然不可能有重慶、昆明、成都那種大地方的狂歡熱鬧場面。但在興奮之餘，再來吟味大詩人杜甫當年所寫的這一首詩，卻也多少可以印證此時此地的愉悅心情。何況當年杜甫也是逃難在四川，要從四川回到故鄉，也還得同抗戰時期播遷入川的史語所同仁一樣，坐船從巴峽巫峽而東向宜昌、漢口呢！只是，杜甫當年從四川還鄉，不知道是否曾經面臨過復員還鄉的交通困難問題；而在抗戰勝利之後擺在史語所同仁眼前的，就是這麼大的一個困難問題——日本雖已投降，而因交通梗阻，運輸困難，卻不知要怎樣纔能飛越千里長江，回到自己的家鄉？

在抗戰勝利的前夕，中央研究院的總幹事出缺，院長朱家驊先生力邀史語所所長傅斯年先生前往重慶，暫時兼代總幹事之職，一代就是幾個月。等到抗戰勝利，政府發表胡適先生接任北京大學校長，而胡先生遠在美國，一時無法到北平去辦理接收、復校，又挽請傅先生暫代北大校長之職，由重慶飛往北平代替胡先生辦理復校工作，這一去，拖的時間就更長了。在傅先生兼代中研院總幹事之時，所長職務由研究員董作賓先生代理，固然不會發生什麼問題。但一旦出現了勝利復員的大事，董先生應付起來，就顯得十分吃力了。幸好此時的傅先生尚在重慶，凡事尚可就近請教秉承。史語所李莊舊檔中有一宗「復員」卷，其中存有傅、董二先生此時為討論復員問題的往來書信數件，頗可藉此看出史語所同仁當時的一般反應態度。

民國三十四年九月二十四日，亦即日本宣佈投降之後的四十多天，董先生以史語所的名義發一通告，徵詢全所同仁對於復員回鄉時間早晚的意見，其內容如此：

頃傅孟真先生有信來，談及本所還都事。茲將原函節錄如下：

「勝利還都，著實麻煩，我們有下列兩路可循。

一、照中央機關，可以提早還都。

利——早走，早去，享受下江賤生活（不及四川五分之一），早得住房，早安定。

弊——不能多帶東西，每人只六十公斤，眷口每人三十公斤。其結果只有把破東西扔之大吉，而到了南京又無錢買。到了，搶到房子固好，大約搶不到，異常狼狽，又須轉重慶，旅費有限，更吃不消。

二、照學校

弊——恐必待至明年水漲，即五月節後，平空在四川多吃苦，又趕在人後。

利——從從容容，去包一船，在京住房，請救濟總署先蓋好（極簡陋的）。

總之，我們的書籍、標本、古物，是沒法子運的，必待江行穩當，水上大船直達，然後可。所以東西今年必運不成，問題在人之走與不走，此則我們可以自決。早走晚走，各有利弊，乞兄與同仁一商。」

茲按照傅孟真先生信中原意，徵詢同仁對此事之意見。其願照傅孟真原信中第一項辦法（即早走）或第二項辦法（即晚走）者，希分別簽名於後，俾轉寄傅孟真先生參考，是荷。

此通告之後附有登記名冊，願照第一、二項辦法辦理者，分別簽名其上。結果則贊成早走者，有游戒微、楊時逢、那廉君、周法高、何茲全、王寶先、王崇武、屈萬里、魏善臣、王文林、徐德言、楊志玖、高去尋、胡占魁等十四人；贊成晚走者，有芮逸夫、董同龢、勞榦、王叔岷、逯欽立、李光宇、傅樂煥、陳槃、李緒先、李光濤、馬學良、李連春等十二人；早走晚走均可者，有岑仲勉、蕭綸徽、梁思永、潘慤等四人。這一統計數字顯示出了兩項事實。第一是，希望能夠早日回京復員的人數約為史語所當時人數之一半；第二是，由傅先生的來信中可以看出，勝利復員，並不如大家所想像的那麼可欣可喜，因為其中的麻煩問題正多著呢！傅先生當時既在重慶代理中研院的總幹事，他所看到的與聽到的，當然即是當時一般的大局情勢。隨著時間的進展，漸到後來，這些麻煩問題一一具體化起來，其中的困難就更多了。

抗戰勝利來得太突然，日本人一投降，我國政府即刻就要調遣大軍進入淪陷區接管當地的防務，調派各機關人員前往接收敵偽機關所經辦的一切工作。而淪陷地區經過敵偽政府長時期的搜括之後，交通破壞、糧食缺乏，所見盡是哀鴻遍地的難民與乞丐，更必需立即展開善後救濟的工作。這一切的一切，都有賴西南大後方運輸軍隊、人員、糧食、物資等前往展開工作，並非僅只單純的「接收」而已。而在八年抗戰期間，交通建設所遭受的戰爭損害又極其嚴重：鐵路公路均被破壞殆盡，川江航路中的輪船又屢遭日本飛機轟炸，所殘存的不過只有一、二十艘數百噸級的江輪而已。至於民航用的運輸機，更是少得可憐，因為我國的民航事業在抗戰開始時正甫入萌芽階段，在遭受長時間的破壞之後，所可能殘存下來的，當然是只有極少數的幾架飛機了。以這樣殘破簡陋的運輸設備及工具，遽然應付數以百萬計的人員、物資的運輸工作，那裡能有這麼多的船隻、車輛、飛機可供調度呢？所以，一旦面臨到勝利復員的問題，所看到的便只是一片亂糟糟的局面。

中央研究院在抗戰勝利之後便立即成立了「復員委員會」，以便進行復員、接收等事宜。因為有鑑於抗戰時期同仁生活之困難，以及勝利後京滬等地復員接收之混亂情形，在三十四年八月三十一日第一次舉行的復員問題談話會中，便作成了「本院職員及眷屬，將來須一律有宿舍」之決定，以便徹底解決工作同仁的住宿問題，避免以後發生生活困難。到了翌年的四月十九日，亦即勝利之後半年，中央研究院復員委員會再在重慶開會，新任總幹事薩本棟先生報告，便有：「本院原定於五月初開始還都，現因京滬宿舍及後方運輸工具困難，事實上恐不可能」之語。可見中央研究院為了準備復員還都，此時正面臨兩大難題，一是還都之前必須建築完成職員宿舍的問題，二是因交通工具困難而無法順利還都的問題。宿舍方面的問題，暫且留在後面再說，現在先來看看當時的交通工具問題，究竟是何情況。

中央研究院成立復員委員會後，曾決定由每一研究所各派代表一人，先同院方代表搭乘飛機前往南京，協同辦理有關還都復員事宜。當時史語所所派的代表，是副研究員石璋如先生。石先生去南京之前，史語所的「還都設計委員會」曾交付他幾項任務，責成他前去辦理。這些任務的內容是：⑴清查尚存南京的財產。⑵與商務印書館接洽存書未印之印刷事宜。⑶調查寄存河南安陽、長沙聖經會等地的圖書、標本、儀器等物存毀情形。⑷辦理南京眷舍興建。⑸承轉本院南京辦事處之公文。由於工作太多，石先生應接不暇，要求史語所增派人員協助，史語所乃在三十五年五月間決定加派助理研究員周法高、王崇武、何茲全三人前往。這三個人由李莊到達重慶本院之後，候至八月間方能先後成行，原因就是買不到飛機票。這其間的困難，以及當時在重慶所見的混亂擁擠情形，在王崇武當時所寄回李莊的書函報告中不難見及一二。抄錄如後，以資存真而徵信。

一、三十五年七月十七日來信

彥堂先生道鑑。崇武等十二日赴敘，十五日始搭長虹輪東下，十六日上午抵渝。此行同事甚多（社會所及體質所人），頗不寂寞，沿途託庇亦安好，請紓注念。昨晤余又蓀兄，據談車船機票皆不易買，蓋川陝公路橋樑多衝毀，目下已不通車，輪船運糧，到下月底始有開放之望，其惟一快走之法為購機票，但最早亦須在下月底始能行。聯大教員滯渝者已百餘人，雖經最高當局批准先走，因無飛機（飛機皆調他處運兵），仍不能走。頃已託余君代為登記，並由諸多方面設法，促使日期提前，結果如何，尚不可知，容後奉告。總處聚興村、國府路、及生生花園，皆為北碚昆明各所同仁住滿，我等僅在飯廳角落覓一席地，晝捲夜鋪，較睡輪船統艙尤苦。……重慶酷熱，所居之室如蒸籠，作此數行，已汗流遍體。潦草乞諒。……

二、三十五年七月二十二日來信

彥堂先生道鑑。十七日曾肅一箋，計邀清鑑。連日來奔走接洽結果，機票已訂妥三張。一張為中國航空公司者，下月十三日起飛；二張為中央航空公司者，票面寫下月七日起飛，惟中央公司上月所售客票尚未運完，七月票須至九月始能走。而中國公司票不脫期。群議以茲全兄幹練多能，擬請其乘中國公司機先走，同璋如兄辦理京務，法高崇武乘中央公司機走。聞如蔣夢麟先生下一手條，認為有先行還都必要時，則可先走。頃正全力進行此事，成否未可知。目下飛機奇缺，在渝號稱以緊急公務候機還都者，不下四五千人，一般百姓更無法走。即併此兩張中央公司之延期機票，已盡九牛二虎力矣。孟真先生前有信致余又蓀兄，謂二十一日北飛，惟今日報紙未載，想尚在京。北碚昆明各所同仁及眷屬，分住城內各處及沙坪壩。公物原已裝國慶輪，臨時因政府徵用，遂又卸下；即此往返裝卸費用，已花去二千餘萬。河岸無存物處，因租用數木船裝公物，每月租費十四萬元，真驚人也。福邦輪原為本院以九百餘萬包妥，後因其船小，又不要，遂為郵政儲匯局以一千一百餘萬包去。該輪拖駁船兩隻，原定今日東開，但亦為政府搶去。大暑，汗流如注，潦草不恭，乞諒。

第三信，三十五年七月二十七日寄

彥堂先生道鑒。前寄各箋，諒承青及。關於機票事，茲全兄乘中航機，下月十三日飛。法高及崇武初訂中央機，較遲走。近經多方交涉，亦改乘中航機，下月八日走。在渝候機已登記者約萬人，如照順序先後，恐須明春始能行，似此結果，甚不易也。知注，特聞。

日本投降，是民國三十四年八月十日的事；而在相隔將近一年的民國三十五年七月，中央研究院的絕大多數人員和眷屬，竟然還在重慶及沙坪壩各處的中央研究院房屋中打地鋪，等輪船，而且還不能確定那一天纔走得成，這種苦苦等候的滋味，想來一定很不好受。史語所的同仁遠在重慶以西的李莊板栗坳，他們此時的心情，則因為有所長傅先生給他們服下的「定心丸」之故，比較起來，反而顯得十分沉著、篤定。傅先生有什麼「定心丸」開給他們吃？檔案資料中現有傅斯年先生當時的來信可證。這亦是極珍貴的文獻資料，到現在閱讀起來，還比報紙新聞更為有趣生動。不辭抄錄之嫌，也將它們轉錄在後面。

史語所舊檔，李莊檔案第十六號「復員」卷內之十九，「傅所長來信及批件」，所收共傅先生來信三件，另一件為董作賓先生信件而有傅先生之批示者。傅先生之第一信，寫於民國三十五年二月十九日，其時傅先生已在北平代理北京大學校長之職，信云：

彥堂先生並轉本所同仁惠鑒。弟自三月來重慶，一直未回，心中極度不安。惟有一事聲明者，即弟決不去做官，在任何情形下不為此也。亦不離研究所入北大，目下只是為人拉夫，而定非是短期也。適之先生下月可歸，所以我對北大的責任，四月也就結束了。我的身體，有絕對醫治休養之必要，承研究院給我此便利，甚感，然絕無錢在美多留，幾個月就回來，而且我在研究所搬家無著落時，也絕不走。研究院目下要統籌，故弟只能建議：①買地②蓋家庭宿舍③接洽船隻。均已開始，而情形複雜，目下尚無具體結果可告，然均在進行中也。南京的房子，我們決租不起，故非建不可，最困難在此。東南物價高漲，上海已比重慶貴，此又是大困難。目下同仁須準備夏間搬家，船太小，人太多，私人東西決帶不多。只好留下一部分，後來再說。（推人看守，公物亦不能一時走盡。）

趙元任先生今年九月返所，陳寅恪先生亦將自英返，在本院養病。周一良兄亦將來所。方桂先生有赴美意，否則返所。以後本所非無前途，然今後經濟復員、社會安定，大非易事，同仁是免不了準備吃苦的。

弟最後聲明一語：絕不舍研究所而做官，亦絕不於研究所不搬前自己去休息。敬乞尊察。

筆者所指的「定心丸」，在這封信裡就有。第一，是傅先生表示他絕不捨研究所而去做官，表示他將對史語所的一切事情負責到底；第二是他表示絕不在史語所未搬回南京之前，藉養病休息之名遠去美國，而把一切困難後果留給代理所長董作賓先生和所中其他同仁。這兩項都非常重要。因為我們已經可以很明顯的看得出來，傅斯年先生實在是最卓越的領導人，其辦事長才尤其高人一等。史語所在他的領導之下，任何困難都有辦法可以克服，遇到搬家，更得推他最有辦法。抗戰勝利，中央研究院復員還都，總辦事處和其他各研究所都弄得焦頭爛額，皮破血流，只有史語所最輕鬆，最後是在宜賓包雇了兩條川江輪船把全所的人員和公物一直送到南京，毫無等候、擁擠之苦，除掉傅先生，還有何人能具此神通手段？所以，只要傅先生對大家保證必定對搬家之事負責到底，史語所同仁就好比吃了一顆定心丸，可以放心舒坦地在李莊等下去了。這其間的變化，倒不是搬家的事出了問題，而是在要搬未搬之間，南京上海方面所發生的情勢變化太使人感到不安。實際情況如何，在傅先生的最後一信中可以很明顯的看得出來。

傅先生的第二信，信末的發信日期署「四月七日」，當然是三十五年的四月七日了；但如看信的內容，則可知前後兩段的寫信時間實不相同，前半段寫於三十五年二月，後半段寫於三十五年四月。信中交待之事，則全為史語所搬家之事。錄之如下。

彥堂兄：研究所可能在六月搬，亦須延至八、九月，到時方定。南京住房無有，正設法建築。

一、請即通知留職停薪者，一律停職。

二、在外兼事者（陳寅恪、李方桂二公）如願搭本所船，可先來李莊，但由蓉到李費用自出。由成都自赴南京，自己想法亦可。即照規定付款，須照規定，只能在一處領。盼望至遲八月底返所工作。（請那先生寫得客氣些）

三、張琨如返所，可適用同仁待遇。但須先定明。

四、兼職人員（思成）一同回京，薪給發至七月份。以後恢復本所在當時之辦法。

五、本地職員願去南京否？他們若去，乞先聲明，送弟一看。李臨軒、老彭、皆有用。無論如何，以後生活更苦，須先聲明。

六、行李。每人行李，以規定為限。過此以往者，如求帶運，須照下列辦法。

①公物已完，有空餘噸位。

②自裝箱子，自出運費。運費先付，研究所絕不墊付。

③輕物須免帶，或算體積。

七、裝箱，切實辦理，每箱須有表，由裝箱者二人簽字負責。

八、公物箱子中絕不得夾入私人書物。到南京時，由裝箱人以外者共同開箱。前自滇運川之弊，必須掃除。（弟非多事，因公家物尚運不完也。）

九、木器不得帶。惟公家之籐椅，如可帶，帶之，因在京買不起也。

十、研究所留下之物件，均不得自行送人，就其所在之屋送給房東。房東如要求門窗復原，當照辦，亦可折價。

十一、所餘板子，先儘公家。公家用之有餘，以市價抽簽賣給同仁。

十二、私人額外行李，裝入可存可運之箱子中。網籃不能用。不可太輕，輕則占地方，俟有空噸位再運。或須先留李莊一時。存處可在山下覓，共同出貲請人保管。

十三、房錢支付全年，不照月扣，一切務與房東維持友誼，因他們待我們甚好也。留下東西全送房東，全不出賣，無用之書亦然。

十四、弟如在五月將北大之事擺脫，即返李莊。

十五、趕快將同仁行李重量、公物重量與體積算好示弟，以便接洽何船。（估計必切實）

遷移復員注意：

一、時期　部定次序本院第七（共七十左右單位）。先本院者，有中央大學等共約萬五千人。故假如五月開始，本院似可在六月走，五月二十日必須裝齊，可以動身，以後或延一、二月，然只有人等船，無船等人之理也。

二、行程　目下擬定直達，即在李莊上船，南京下船，用包船辦法。雖主管機關與公司均已答應，但屆時誰辦事不可知，一有更動，即須重來。且復員人多，必有打岔搶船擠船者，故勿太樂觀。（勿貼，可在那公處看。）

三、船隻　假定船之大小如民文、民武、民聯，似乎一次本所可完，兩次李莊可完（同濟除外）。我辦的走兩次，然不敢保證，不妨各自去辦，弟當盡力而不能保證也。人類所名額無定，亦不敢保其不額外帶東西，似可請他自辦。

四、辦法及用費　一如政府規定，總處當隨時通知。

五、眷屬以直系親屬為限，在任所者為限。直系親屬外，受贍養並在任所者可援例（如梁家之外老太太），但須先開單由弟查明。

近檢文件，發現四五十天前寫而忘發之一信，該死該死。其中有事過境遷者，但適用者尚多，一併寄上。彥堂兄。

以「近檢文件……」所說，可知在這一段之前的全部信件內容，都是在四月七日以前的一個多月所寫而未發者。既是在此以前一個多月所寫的舊信，當然很多事情都已成為「事過境遷」的舊事。例如信中所說總辦事處及各所人員都可以在五月間開始東下，事後證明就全是未能實現的理想，而研究院所包定的復員輪船，居然還會在裝上器材公物之後仍被政府當局所徵用，迫得再將原裝之物卸下，另外再洽僱船隻。可見傅先生信中所說「打岔搶船」之事，在當時實在是層出不窮，無從預見。不過，此時已有較此更為嚴重的情況出現，即是京滬區之物價上漲甚速，公務員薪給已有難以適應之苦。加上南京的眷屬宿舍尚未建造完竣，即使去了也無處可住。有此二項嚴重問題存在，這纔逼得留在李莊板栗坳的史語所同仁們，非耐心地等候著不可。其中情形，看傅先生的第三信便可知道。

傅先生的第三封信，寄發時間也是三十五年的四月七日，但這確是實際寄發之日，與上一信之寫而未發，事後填上四月七日寄發的情形不同。信云：

彥堂兄：復員事，問題正多。

一、南京住家問題　本院正在大批蓋職員住宅，每人有處住，是不成問題的，但恐須八月方可完也。每家大約二間一廚房，在北極閣山之後弟舊寓之一帶也。弟在此，於此事不無助力。

仲濟兄能辦事，一切順利進行，實在虧了他，極可感也。（中央機關如此者極少，中央大學羡慕之至。然非可就此添人也，勿為院外人道之。）

二、京滬物價，三倍於李莊，如何是了？雖有調整，絕不濟事。弟初料今年六月可漲至李莊之倍，不意提前四個月，後來乃竟漲至六倍七倍，亦未可知。其故因交通不復，經濟破產之故。同仁前去，無異自投火炕。當年逃難，是向便宜處跑，猶不得了，今年向貴處跑，如何是了？此間各機關人，多不願遷，李莊同仁對此事感覺如何？如自願留一年（一留便是明年，因冬水涸也。）政府決可同意。濟之力持此說，弟亦漸有同感。只是弟有赴美之行，不敢發此論，以免同仁誤會耳。弟對整個大局看法，異常悲觀，以為經濟總崩潰，政治總解體，十九不免。流落在京滬，無法子，流落在李莊，亦無法子，設如本所在成都，弟即主張不搬也。弟當年頗悔不於大鬧血壓時死了，勝利後曾大高興，今又有「不如無生」之感矣。出洋治病，亦矛盾之行為也。看來李莊同仁興致頗佳（結婚者紛紛），須投一付清涼散，準備著受以前十倍百倍之苦也。

總之，中央大學暗中考慮緩搬，中央公務員東南無家者，大多不想搬。留下亦無好法子，真進退維谷也。復員補助費，不足為買鍋、碗、牀、几之用。同仁如決定搬而有餘貲，可寄璋如代買必須品，以後更不了也。

三、交通工具　江上交通工具，絕不夠。本院列在前，然恐亦非九月不可。事實上船不足三分之一，如此鬧還都，真是笑話。

照政府規定是這樣子的：每人有一百公斤（眷屬在外）。其中二十五自帶，餘託運。人用輪船，行李（自帶者外）用木船。公物除極重要檔案外，用木船。木船十個至少翻一個。輪船須在重慶上，宜昌、漢口兩換。

照此辦法，簡直要比逃難還糟。

四、於是不得不想特別辦法了。弟想以圖書、標本、古物為理由，接洽包船（包船之價甚貴）。公司與航政司皆許可（口頭許可），但船舶支配所未接洽。（其人宋子文之所用，不賣人之賬，文化事業不懂。）此不可早接洽，早則更吃虧，不若臨時應變。也許交通部換人後更可辦些。（俞大維兄繼任，已定，但中國事可隨時改變。）但此等船恐只是百噸內的（如民文、民武之類）。本研究所人是能搬去的，東西是搬不完的。如行兩次，全院三所的人是可搬走的，東西是搬不完的。但一次已難，兩次更不易，三次全無法也，然則其結果必是留下些東西，因木船恐無人肯也。所以在山下租張家祠繼續一年，公私以比例分攤，恐為不可免之事也。試一打聽，如何？

此一特別辦法，弟必竭力進行，為（？）做到幾許？未知（？）全定。

弟於搬家時返李莊一事，在弟當然有此義務。惟有一問題須先決者，即我們在京、渝、李必須皆有主持之人也。弟目下計劃如下：

一、在京與政府、船舶管理所接洽，弟去辦。此事未可託總辦事處，因他們人手太少，且弟辦此等事比較擅長也。一笑。

在渝，又蓀兄，再由本所加派一人，專與公司接洽在李上船事。（在宜賓恐亦須有一人）如李莊同仁能另推一人在京，弟當於船定後來李。若接洽船順利，可不致變更。……

專此敬候道安。弟斯年。四月七日

此信乞示寶三、君誼二兄

此信乞兄轉告同仁，並留在那先生處大家取觀，萬勿貼出。

傅先生在寫此信時所看到的國內政治情勢，已經是十分混亂的光景：復員工作尚未能順利完成，共產黨已在東北、華北、及蘇北等地點燃內戰的火焰，以致政府不得不調派大批軍隊展開剿堵掃蕩。戰爭規模擴大，則交通復員、經濟復員、及政治復員的工作都大受影響，法幣的發行數量與日俱增，物價上漲的速度超過抗戰末年。所以傅先生惄焉憂之，以為照這種情勢發展下去，經濟總崩潰，政治總解體的危機與日俱增，公務員的日子，要比現在還難過十倍百倍而不止，真不知道如何得了。當然，傅先生對整個大局的憂慮，看得雖然十分深遠，但說得未免太早了一點。因為當時全國上下都被抗戰勝利的興奮沖昏了頭腦，誰也不曾想到暗中所潛伏的危機竟如此之巨大深遠。所以儘管傅先生此時憂慮重重，在李莊的史語所同仁，不免也與百分之九十九以上的軍民同胞一樣，正因抗戰勝利的提前來臨而各自編織他們生活中的美夢，不但一心一意地渴望早日回到南京去過太平幸福的日子，沒有太太的單身漢也紛紛在此時締結良緣，以便開始此後的幸福人生。傅先生因李莊同仁紛紛結婚而說他們「興致頗佳」，無寧正是此時的真實寫照。

前引三十五年四月七日傅斯年先生第三信中曾經說到，由於復員運輸方面的困難與不便，傅先生因此不得不想用「特別辦法」來解決此一問題。特別辦法所用的理由，是史語所公物中的圖書、標本、與古物皆為價值珍貴的稀世文物，不能因輾轉搬運而招致不必要的損毀，所以要以包船直運的辦法將這些珍貴文物由李莊直運南京，以避免換船上下之煩。傅先生在信中說，他對於辦這類交涉最為「擅長」，其言並非誇張，因為史語所檔案中就存有這方面的檔案文件，可資參看。

史語所舊檔，李莊檔案第十六號「復員」卷中的第二十一卷，「船位」，藏有民國三十五年七月十六日總辦事處致史語所之箋函一件，轉達民生輪船公司董事長盧作孚之來函，所談即為史語所請民生公司派船之事。總辦事處之原函如下：

傅所長與民生公司盧作孚先生商洽運輸人員公物，頃接盧先生覆函：「孟真先生惠鑒。送到岳麓路之尊函，頃始奉到。囑運之件，於十月糧運減輕時當為設法派船運渝或逕運宜，頃已另函告敝公司鄭主任秘書洽辦矣。敬祝健康。弟盧作孚。如能直運京，固好，已再函商重慶。附及。」相應函達，即希參考。

這是來自民生輪船公司方面的答覆。另一方面，隸屬於交通部的「長江區航政局宜賓辦事處」，亦於此時轉來交通部部長俞大維先生的訊息。該處三十五年九月十六日致史語所的敘航技字341號代電云：

李莊國立中央研究院公鑒。奉交通部俞部長申元航務電開：「頃接傅斯年教授自北平來電，以中央研究院李莊部分復員事務囑部協助，租船直達南京等由，特電遵照洽辦具報為要。」等因奉此，自應遵辦。除分電民生重慶總公司暨宜賓分公司，並本局重慶辦事處協助辦理外，特電請查照，希隨時派員接洽為荷。宜賓辦事處主任林傑，申銑技印。

傅斯年先生分由俞大維、盧作孚二方面接洽進行，請民生公司派船直運，而又有交通部督促長江航政局從旁協助辦理，照理來說，民生公司沒有不願意幫這個忙的道理。但其中卻有一點事實上的困難，不能不加以顧慮。因為當時的行政院院長宋子文為了統一管制國內航運，曾經設立了一個「全國船舶調配委員會」主管其事。該會曾有規定，長江航路之輪船運輸應分為三節啣接運輸，即宜賓至重慶為一段，重慶至漢口為一段，漢口至南京又為一段，所用輪船，大小噸位不同，不能直航。民生公司的輪船，多在百噸以上，概歸該會統制調配，非民生公司所能自行決定。不屬於該會管制調配的船隻，雖有合眾輪船公司旗下的較小輪船可以租用，但因船位不足百噸之故，在長江水漲之時，即無法由下游駛回川江，所以亦不願意擔任直航之責。在這種情形之下，當然只有設法儘量利用秋冬之間江水將落，無洪水顧慮的關鍵時間，設法在合眾公司包租百噸以下的小輪船勉任其難，由宜賓直航南京的了。這工作在交通部長江區航政局宜賓辦事處的協助之下，總算交涉完成，合眾輪船公司先後調派了長征、長天、及永昌等三條小輪船，由中研院包租運輸在李莊的史語、社會、體質人類等三個研究所的人員及公物，從李莊直航南京。從三十五年九月二十五日起，三所人員及公物分批由李莊登船東駛，十月底至十一月初全部安抵南京，完全實現了傅斯年先生答應為史語所達成復員還都的諾言。在此稍前，在重慶的中央研究院總辦事處，亦已租妥國慶輪及小三北輪等二船，將集中在重慶的各研究所及總辦事處所有人員及公物，於八月十日以後悉數上船直駛南京。比較起來，史語所的復員還都時間自然是稍為延遲了一點。但若以研究院其他各研究所同仁及眷屬長期在渝候船的困難情形而言，史語所、社會所、及體質人類所三所的同仁及眷屬毫未波及，就不能不歸功於傅斯年先生斡旋奔走之功了。

史語所在民國二十九年年底由昆明遷至四川李莊，至三十五年十月復員還都，寄居在李莊板栗坳的時間，首尾將及六年。在這一段長遠的時間中，史語所同仁及眷屬們，與當地居民建立了深厚的友誼，一旦言別，中心不免戀戀。因此之故，史語所同仁在代所長董作賓先生的建議下，合建石碑一座，留於板栗坳的史語所舊址，以為永久性的紀念。碑上刻有「留別李莊栗峯碑銘」一篇，額題「山高水長」四字，意義至為深遠。碑文曰：

李莊栗峰張氏者，南溪望族。其八世祖煥玉先生，以前清乾隆間自鄉之宋嘴移居於此，起家耕讀，致貲稱鉅富，哲嗣能繼，堂構輝光。本所因國難播越，由首都而長沙，而桂林，而昆明，輾轉入川，適茲樂土，爾來五年矣。海宇沉淪，生民荼毒，同仁等猶幸而有托，不廢研求，雖曰國家厚恩，然而使客至如歸，從容樂居，以從事於游心廣意，斯仁里主人暨諸軍政當道，地方明達，共為藉助，有不可忘者。今值國土重光，東邁在邇，言念離別，永懷繾綣。用是詢謀僉同，醵金伐石。蓋弁山有記，峴首留題，懿跡嘉言，昔聞好事，茲雖流寓勝緣，亦學府一時故實，不為鐫傳以宣昭雅誼，則後賢其何述？銘曰：江山毓靈，人文舒粹，舊家高門，茅風光地。滄海驚濤，九州煎灼，懷我好音，爰來爰託。朝堂振滯，鐙火鈎沉，安居求志，五年至今。皇皇中興，泱泱雄武，鬱鬱名京，峨峨學府。我東曰歸，我情依違，英辭未擬，惜此離思。中華民國三十五年五月一日，國立中央研究院歷史語言研究所同仁傅斯年、李方桂、李濟、凌純聲、董作賓、梁思永、岑仲勉、丁聲樹、郭寶鈞、梁思成、陳槃、勞榦、芮逸夫、石璋如、全漢昇、張政烺、董同龢、高去尋、夏鼐、傅樂煥、王崇武、楊時逢、李光濤、周法高、逯欽立、王叔岷、楊志玖、李孝定、何茲全、馬學良、嚴耕望、黃彰健、石鍾、張秉權、趙文濤、潘愨、王文林、胡占魁、李連春、蕭綸徽、那廉君、李光宇、汪和宗、王志維、王寶先、魏善臣、徐德言、王守京、劉淵臨、李臨軒、于錦繡、羅筱渠、李緒先同建。陳槃撰文，董作賓題額，勞榦書。

乙、還都後的艱苦環境

抗戰發生以前，中央研究院歷史語言研究所的所址，設在南京欽天山麓之雞鳴寺路一號，乃是史語所在由滬遷京之前新建的一座四層樓鋼筋水泥建築物。此樓之第一、二兩層各有室十二間，三樓有十六間，此三層之面積大小相同；第四層祇七間，面積亦最小。經過八年抗戰，南京城內城外，因戰爭而被破壞的房屋為數極多，惟獨中央研究院建在欽天山下的各所房屋未遭破壞，史語所的大樓亦然。只須花費不太大的修理粉刷費用，便仍可使用。這並非由於日本侵略軍對中國的學術文化事業有偏愛，而是一個名叫「新城新藏」的日本學者大力保護之功。這在傅斯年先生所撰的「新城新藏墓碑」中可以見其端倪。傅先生此文，未見收錄於新、舊二版的傅斯年先生全集之中，所以特地將它抄錄在後面，一方面可藉以保存文獻，一方面亦可由此窺見史語所舊址得以在抗戰期間保存無恙的緣由。碑云：

日本新城新藏博士，以研治中土天文曆法名於時。曾任東京帝國大學總長。日本人得庚子賠款，以其餘貲在上海辦自然科學研究所，新城博士長之。一度來南京參觀中央研究院。時日本已武力侵略東北及長城，故我輩未之禮也。民國二十六年，倭人大舉入寇，南京淪陷前，中央研究院標本、儀器、圖書多已西遷，陷後各研究所駐倭軍，狼籍污穢。新城博士奮勇前來，說其暴酋，以無壞室宇，無折樹木。緣其名望，暴酋許之。又於設博物館，舉南京若干掠奪之品以實之。故東南文物雖遭浩劫，而南京故物未盡失者，君之力也。在南京病，旋卒，偽官葬之本院地質所前庭。日月重光，收京降虜，先來者遷其墓於此。夫國人之讀書而無恥者，於淪陷時不為宗國而為衣食，班爵寄生、諂媚於偽寮，誠不可恕其死，宜不許其占神州一尺土。然新城博士，敵國之人也，徒以景慕中土文化，於兵馬中來京，收集保存我之故物，則與其所謂合作之漢人迥異矣，其志誠足嘉也。斯墳不可以無識，故記之，以儆十年滔天之禍，且以明雖在敵國之人，亦宜分別玉石也。

中華民國三十六年五月，傅斯年記。

戰前的中央研究院，其經費預算只須用來建築研究大樓、延聘工作人員、購置圖書、儀器及其他設備，與其他研究工作相關之事業，如安陽發掘之類，其中並無員工福利及眷屬宿舍等等。自從經過八年抗戰之後，這種情況顯然有了變化。由於抗戰期間物價上漲，公務員待遇相對低落，為了照顧工作人員的生活，研究院的各研究所必須為工作同仁開辦診所、福利社、設置子弟小學、以及解決其住宿的問題。抗戰勝利後中央研究院復員還都，一方面由於物價上漲的趨勢方興未艾，公務員待遇調整的速度遠落於後，以致同仁的生活困難更甚於往日，一方面由於復員還都以後南京房屋奇缺，中央研究院的工作同仁絕對無法負擔高昂的房屋租賃費用。在這種情況之下，為了解決同仁的生活困難，以維持研究工作的效率，只有由研究院設法興建眷屬宿舍，方是解決問題的惟一辦法。因此之故，從三十四年年底中央研究院召開復員討論會開始，此一計劃便由開始提出進而策劃辦理，先後所耗經費，達當時法幣數目之五億元，其規模不能說不大。由於此一大規模興建眷舍的措施，遂使復員還京的工作同仁，得以安心從事於其本身的各項工作。其影響之深遠，不言可喻。

由檔案中所存「中央研究院復員談話會第一次會議紀錄」及「中央研究院南京部分分配宿舍談話會記錄」等項資料中可以看到，中央研究院在復員還都之前所趕造完成的眷屬宿舍，南京部分共計一百零四戶，分為甲、乙、丙、丁四種，分別位於峨嵋街及成賢街二地。甲種者每戶可住二至三人，乙、丙二種每戶可住四至九人；丁種較大，供給所長及組主任等高級研究人員居住。各種宿舍之數目分配，計甲種四十戶，乙種三十一戶，丙種二十五戶，丁種八戶。這些眷屬宿舍，以現在的居住標準來看，是既簡陋而且狹小，水準實在太低。因為甲種宿舍只有一間臥室，乙、丙兩種各有二臥室一客廳一廚房，只丁種稍大而已。其建築材料及建造方法，全係杉木間架竹笆糊壁，只比抗戰時期的臨時性建築略勝一籌，實在談不上堅固、舒適、美觀等條件。但若以研究院當時的財力而言，艱苦經營而有此成績，已經十分難能可貴了。傅斯年先生致董作賓先生信中曾說，中央大學對於研究院普建眷舍嘉惠同仁之事羨慕之至，正可由此看出當時南京眷舍之困難程度，然則研究院同仁之能有此待遇，亦應該說是難得之極。這批宿舍，在三十五年九月底前全部完工，每一戶皆有研究院購置之簡單傢俱一份，包括床、桌、椅、等項，雖然不夠充分，當亦勉強敷用。宿舍完工，傢俱購齊，史語所的同仁亦恰好在此時由李莊來到南京。有眷屬的同仁，早已在宿舍分配會議中配定了應住的眷舍，至時按號遷入，新房子加上新傢俱，一切舒坦順利，可謂皆大歡喜，各得其所。石璋如先生於三十五年八月五日從南京寫信回李莊，向史語所同仁報告眷房修建進度時，曾在信中說：

房子大半完工，傢俱正在趕造。你們若能新年趕到，可稱為新年新節住新房了。

史語所還都同仁於這年十月底、十一月初分批回到南京，恰好趕上新年住新房的好采頭，大家當然高興之至。八年抗戰，歷盡流離播遷之苦，這回總算可以好好的安頓下來，重新過幸福安定的生活了。中央研究院嘉惠同仁的德政，大概要數這一次最為美滿，也最能博得同仁的好感。根據檔案中的資料，史語所同仁復員還都後分得眷舍的情形如下：

丁種眷舍五戶——所長傅斯年、第三組主任李濟、第二組主任趙元任、專任研究員董作賓、勞榦。

丙種眷舍六戶——專任研究員岑仲勉、郭寶鈞、副研究員芮逸夫、全漢昇、董同龢、楊時逢。

乙種眷舍九戶——副研究員李光濤、助理研究員馬學良、張琨、逯欽立、王叔岷、何茲全、技士潘慤、管理員李光宇、蕭綸徽。

甲種眷舍十五戶——專任研究員陳槃、副研究員石璋如、高去尋、傅樂煥、夏鼐、王崇武、助理研究員周法高、助理員黃彰健、嚴耕望、楊希枚、技佐李連春、管理員汪和宗、事務員王志維、王寶先、謝振林。

（依照中央研究院當時所制定之宿舍分配辦法，甲種眷舍祇分配予低階層之行政、技術人員及助理員，副研究員以上人員配予丙種眷舍，助理研究員配予乙種眷舍。但因最初時所蓋眷舍數目太少，只能遷就眷口較多人員，眷口少者暫時配住甲種眷舍，以待日後調整。故乃有研究員、副研究員、助理研究員均配住甲種眷舍之情形；因其時彼等之家屬均尚滯留原籍，並未前來南京，故暫時配住甲種眷舍。）

經過了八年抗戰的一番大動亂之後，史語所於三十五年十月底遷回南京雞鳴寺路一號原來的所址，等於一切都已恢復了原狀。安頓既定，照理論來說，一切都應該按照舊時情況重新開始纔是。但勝利後的客觀環境顯然已與戰爭發生以前完全不同，史語所此後的工作開展，顯然必須要以新的尺度來作一番新的衡量，纔行。

抗戰勝利時與戰爭發生前的最大不同點有二。第一是國內的政局並未恢復安定，國共內戰，共軍於占領割據之外，還到處對國軍展開大規模的軍事進攻，凡是戰爭波及之地，地方秩序一片混亂，學術工作無法照常進行。如當年史語所在河南安陽所進行的考古發掘，在抗戰發生時停止之後，到勝利後仍無法恢復，即以此原因。第二是政府財政支絀，軍費開支必需靠發行通貨的辦法來維持，以致抗戰末期日趨嚴重的物價上漲問題，到了勝利以後反而更形嚴重。物價上漲的直接受害者，一是公教人員的生活水平愈趨愈下，嚴重影響其工作情緒；二是各機關的年度預算無法控制，通貨貶值的結果，使得一切事業經費的預算到後來什麼事都無法做得成。以這幾點重要因素來說，史語所還都南京之後，雖然很想恢復戰前的工作規模以求積極發展，無奈就是辦不到。

中央研究院及史語所的研究工作，受政府預算影響的實際情形如何？這需要檢討當時的各項會計資料。

民國三十六年二月十七日，中央研究院在南京舉行三十六年度第一次院務會議，討論政府通過的中研院三十六年度經費預算案各所分配數目。見於此紀錄中的中研院三十六年度全年經費預算，經常費為二億八八〇三萬元，事業費為十二億四千萬元。其中史語所分得的經常費預算是二一六〇萬元，事業費預算是六千萬元。這一預算總數，到了三十六年八月二十六日中央研究院舉行三十六年度第四次院務會議時，總幹事薩本棟先生提出報告，三十六年度的事業費預算，業經政府同意追加二倍，計二十四億八千萬元。合之原預算數則為三十七億二千萬元。事業費預算較原預算追加二倍之多，所顯示的意義，即是物價上升之速。這情形在三十六年時尚不甚明顯，一到三十七年，就顯得十分突出了。

民國三十七年二月五日，中研院舉行三十七年度第一次院務會議，院長朱家驊先生報告云：

> 本次會議，為本年度第一次例會。關於經臨各費，經政府核撥情形，另由總幹事報告。從國家總預算上，本院核列數目，雖比其他學術機關為優，然較諸本院研究工作必需之費用，相差過鉅。尤以不能使研究同仁生活安定，專心致力於學術研究工作，至為不安。乃至因經費過分短絀，使同仁感受工作上之痛苦，益覺惶恐慚愧。……

由朱院長的報告，可知中研院此時所感受的經費支絀情形，在研究工作上的影響極為重大。至於實際所編列的經費數目，則總幹事薩本棟先生隨即有具體報告，云：

> 本年本院經臨各費，國務會議祇比照上年度數額伸算，計列上半年度經常費為二十二億二五九三萬元，事業費四十二億六千萬元。……

因為這數目祇是三十七年上半年度的預算。所以到了下半年度又有新的預算資料。民國三十七年七月二十二日中研院舉行三十七年度第三次院務會議，院長朱家驊先生報告云：

關於編製三十七年度下半年經臨各費概算，期限至為短促，又無原則可循。而物價激增狀況，無從估計應伸算之倍數。不及徵詢各所意見，祇得參照本年度各所原送之工作計劃及中心工作事項暨預算，比照上半年實際奉撥經費情形酌量增列，計經常費約三五六億元，事業費國幣部分約二一四八億元。美金部分仍列為一三七萬餘元。……

以此一數目與前相比，三十七年度下半年的經常費預算，比上半年的預算增長了十六倍以上，事業費預算則增長了五十一倍以上。如再以三十七年下半年的預算數與三十六年的預算數相比，則經常費的增長倍數是一一八倍，事業費的增長倍數是一七九倍。預算總數的倍蓰增長，所代表的意義並非實際購買能力的增長，而是因通貨膨脹、物價激增而來的因應措施，其實際購買能力事實上尚遠不及最初所編列的預算數目。民國三十六、七年時的國內政治情勢，由於戡亂戰事之日益擴大其規模，通貨膨脹漸以幾何級數上升，物價則如脫韁之野馬，一發而不可收拾，縱有預算數字，在剛剛開始編列之時已備感捉襟見肘，及至到了後期，更遠遠落在物價上漲的倍數之後，毫無肆應能力。此所以院長朱家驊先生要在院務會議中痛切陳辭，深深以「不能使研究同仁生活安定，專心致力於學術研究工作」為歉疚，頻頻以「經費過分短絀，使同仁感受工作上之痛苦」引為個人之罪戾，讀之使人心惻。然而這乃是整個國家所面臨的困難，非任何個人能力之所能補救，朱院長對此，實感無奈。其影響所及，當然是整個研究院的研究工作無法推動，以致影響到研究成績的提升與開展了。史語所乃中央研究院之一部分，處此共同環境之中，自亦不能例外。

史語所在三十五年年底遷回南京之後，曾經草擬過一份工作計劃，所列工作項目計二十一項，其名稱如下：

一、明清內閣大庫殘餘檔案之整理
二、本所所藏碑刻之整理及編目
三、重校居延漢簡
四、歷代史事之專題及分代研究
五、史學專著之繼續編著
六、古讖緯通纂集說
七、諸子研究 ——以上屬於第一組
八、語言學一般原理之研究
九、非漢語之調查及研究
十、漢語之調查與研究
十一、漢語音韻史及語法之研究 ——以上屬於第二組
十二、歷年發掘所獲遺物之整理
十三、安陽殷墟發掘報告之編著
十四、殷墟文字乙編之編著
十五、恢復安陽殷墟發掘
十六、恢復河南古蹟研究會工作
十七、第二次西北史地考察報告之編著 ——以上屬於第三組
十八、永寧河源苗族之研究

十九、川南懸棺葬之研究

二十、民族標本之整理

——以上屬於第四組

二十一、圖書之整理及準備開放

——以上屬於北平圖書史料整理處

以上所列各項工作計劃，如以史語所撰寫於三十七年二月的工作報告內容作比較，則整理所藏碑刻及編目、重校居延漢簡、漢語及非漢語之調查與研究、恢復安陽發掘、恢復河南古蹟會之研究工作等項比較龐大的集體研究工作，皆未能按計劃進行；其中原因，除了地方不靖之因素外，顯然就是因為事業經費缺乏之緣故。不過，史語所遷回南京之後，有一項事情是表現得非常出色的：就是史語所在此一段時期之中，所出版的研究報告最為豐富。其中原因頗為特別，頗可附帶一述。

在沒有敘述此事之始末經過以前，需要先抄錄一件史語所的公文。時間，是民國三十六年的二月二十八日，對象，是國民政府的行政院。公文內容如此：

敬啟者：查敝所自復員還都後，本年度擬集中力量於出版工作，俾抗戰期間已完成之各種報告及論文大約二千萬字，得以早日印出，以作國際交換之用。蓋敝所歷年所出有關漢學之論文，極受國際上之重視，對外宣傳，有其用處，此時未宜中斷。而國家機關刊物近日不多，故漢學似較重要。惟此項論文及報告需用紙張不少，值茲紙價飛漲之際，敝所以限於經費，無力在市面上購買。為此專函奉達，擬請貴院轉飭輸入品管制委員會或其他主管機關，惠予配給白報紙六十五噸，六十磅道林紙二十噸，八十磅印圖紙二十噸，俾敝所今年出版計劃得以完成，國際文化宣傳，稍盡薄力。再，敝所此項刊物均係委託商務印書館代印，如承以上開紙張配給，當於紙張用完時，由商務印書館詳細呈報，送達主管機關。至於數字之估計，另紙附上，均係實情，並無虛擬，敢切實保證。並希望查照是荷。此致，行政院。

此一公函發出以後的效力如何？還可以再看傅斯年先生所寫的一封信。時間，是民國三十六年的四月十四日；對象，是行政院的輸入品管理委員會主任委員張公權。函云：

公權先生惠鑒。四月八日惠書敬悉。諸承費神，至感。弟當即照尊示辦法往行政院請求，則知此事仍多困難。蓋此項紙張輸入之外匯，若由本院自出，則須先經行政院之核准，而此時行政院對於若干軍費上之外匯，亦暫擱置；若在輸入管制委員會所定每季限額中列入，則其權仍操之貴會。故蔣夢麟先生致信李芑均先生請其在自五月份以後輸入限額中予以分配濟用。弟本欲親往上海接洽此事，惟以小病羈身，並以出國不遠，故託同事余又蓀、夏作銘兩兄代弟一行。此事仍盼先生多予協助，無任感荷。弟開始辦此事在三月之前，初聞係宣傳部所經管，即往接洽，云月前如是，目下由正中書局。即向正中書局，則聞歸經濟部。即向經濟部，則又回信係貴會辦理。承先生示以詳細情形，方知涯略，然已三個月矣。照尊示往行政院接洽，則又不簡單。蓋學術機關出版刊物所需之紙張，似乎無明文之規定。孟鄰先生云，如機關自有外匯，自甚簡單，如無外匯，則在貴處限額中分配，亦頗有其例。故今再請先生在五月份配額中惠予列入，敝所目下暫由商務印書館借紙印刷，亦一法也。先此預謝。敬請勛安，弟傅斯年敬啟。四月十四日。

由四月十四日上推三個月，則是三十六年之一月中旬。傅斯年先生由那個時候開始，就以史語所計劃出版抗戰時期歷年所積論文書刊的理由，向政府機關要求配售白報紙、道林紙、和印圖紙共計一百零五噸。這項交涉工作，由中央黨部宣傳部為對象開始，歷經正中書局、經濟部、行政院、及行政院輸入品管制委員會，交涉的辦法則或用公函，或用私信，或則專誠拜望，當面請託。如此來回折騰了三、四個月，到五月間總算定了案——由史語所委託商務印書館與瑞典商人茂孚洋行簽約，訂購瑞典製造的白報紙、道林紙、印圖紙如上數，所需外匯，由史語所預付法幣二億元以備結匯。於是，此一買紙的工作至此方算塵埃落地，一切底定。照傅先生開送給行政院及輸入品管制委員會的用紙數量估計清單，這一百零五噸紙張的用途如此：

一、印集刊第一本至第十八本，每本各印二千份，需白報紙四十五噸，加損耗百分之十，共需白報紙四十九噸半。

二、印專刊及單刊七種（居延漢簡雜考、明靖難史事考證稿、明本紀考證、兩漢地方行政制度、李莊方言記、水家話報告、倮倮語法），共需白報紙八噸半。印湖北方言調查報告，需白報紙五噸三十令。二項合計，需白報紙十四噸，加損耗百分之十，合共白報紙十五噸半。

三、印田野考古報告一至三期、兩城鎮發掘報告、小屯發掘報告、大司空村發掘報告、濬縣發掘報告、輝縣發掘報告、汲縣發掘報告、殷墟文字甲乙兩編、湘西苗族調查報告、及湖北方言調查報告中所附之各種圖表，共需六十磅道林紙十八噸，八十磅印圖紙十九噸。加損耗百分之十，即為每種各二十噸。

史語所的集刊第一本，出版於民國十九年。以後每隔一年出版一本，到抗戰開始之時，已經出了八本，抗戰開始後所出版的是第九本以後各本。在抗戰以前，史語所曾與上海商務印書館簽有合約，將一切出版品均交由商務印刷發售，所以在抗戰發生後所編的集刊第九、十兩本及其他專刊、單刊等書，亦將文稿交與商務排印，自民國二十七年以至三十年，積稿頗多，這些文稿，業已印妥出版的為數極少，大部分只是排校竣事後打成紙樣而未及出版，就逢到了太平洋戰爭爆發，上海租界被日寇占領，設在租界區內的商務印書館同遭兵劫，不但業已印妥的書籍損失殆盡，即文稿、紙樣等亦有很多遭到破壞，損失甚為嚴重。史語所復員回京後，即曾積極與商務印書館交涉，設法將紙樣及文稿均仍完整之各書，剋即印行出版，因損失而已有損壞者，亦設法補全後重新排印出版。同時，民國三十七年乃是中央研究院成立二十週年的「大慶」，院方準備從事紀念性的慶祝活動，史語所亦希望能將「集刊」編印出版至第二十本，以資配合。在這種情形之下，史語所除了希望能將各種未出版的專刊、單刊、考古報告等早日印行出版之外，集刊方面所需要進行的，乃是第九本以後的出版工作，並不需要將第一本至第八本亦再版印行。所以，傅斯年先生將集刊一至八本亦開列入出版項目之中，並向政府有關單位要求配購白報紙，顯然是另有目的之行動。

抗戰期間，大後方的物資供應條件極為緊張，加以物價飛漲，所以書籍的出版甚為困難。經常所遭遇到的情形是，夠水準的印刷工廠很難找尋。找到了這樣的工廠，又往往因各機關交印之件太多，以致工作常有積壓。影響所及，則是簽訂印刷合約之事不能迅速進行，交書不能配合預定計劃，以及原先估計的印刷費用到後來常常發生不敷應用的困難。另一項困難是印刷所用的白報紙購求極難，而且價格極貴。為了遷就這些限制條件，史語所在抗戰後期出版的書刊只好降低印刷水準，一是改白報紙為土造的熟紙或連史紙，二是改鉛印為石印。為了設法能控制預算之故，傅斯年先生後來更設計了一套辦法，當年度預算一經核定，新年度開始，法幣的幣值還比較高的時候，立刻把握時機購買足夠需用的印刷紙張，一則避免因物價增漲而預算不敷應用，二則免致印書時面臨購紙困難的問題。筆者此說，並非無根之讕言，董作賓先生在三十四年十月八日寫給傅斯年先生的信中，就有這方面的記述，可資參看。抄錄其有關部分如下：

……弟在渝曾言再印一冊六同別錄，歸來因勝利搬遷問題，未進行。現大致決定明年搬，在此長期間，似仍多再印一二冊書。已分別接洽，約印書一冊（六同別錄中或下），百二十葉，二百份，需印費十二萬元，二冊則二十四萬元。若三四個月印成，尚可出售也。所中現存連史紙約四百刀，帶走又無甚用處，出賣則無受主，印書為最好之一法。印刷費如籌不來（即假如事業費項下不夠用」，則：一、可用出版品收入之款，二、可用哈佛補助款。若兄以為可行，弟即著手辦理之。

史語所編印的「六同別錄」，共印上、中、下三冊。據此云云，則中、下冊當是三十四年年底前後在四川李莊所印，其動機則是因為要設法消化掉此時囤而未用的這一批連史紙。有如此明白的事實證據，足證傅斯年、董作賓諸先生當年都曾用購囤印刷用紙的辦法，來解決出版品印刷的困難問題。民國三十六年雖已在抗戰勝利以後，但由當時輸入管制之嚴格，白報紙申購之困難等情形來說，如能掌握一大批官價廉購的白報紙在手中，必定可對當時計劃大量印書之事，有極大的幫助。就是因為這些緣故，所以傅斯年先生纔不惜編造此一龐大的計劃數字，甚至於把早已出版的各本集刊，也算進一份。這一大批白報紙與道林紙、印圖紙共計一百零五噸，後來當然順利購得，交由上海商務印書館保存，作為印刷史語所各種刊物之用。在未曾動用之前，商務也儘不妨稍事挪用，以便利其本身書刊之出版，對史語所之寄存當然歡迎之至。不過，亦正因為有這一大批照官價採購的低廉白報紙，史語所積屯未出的各種書刊，乃能先後印行出版，造成了十分輝煌的出版業績，對於史語所的聲譽，當然大有發揚光大之功。

根據出版資料之顯示，史語所在三十六、七兩年中出版書刊之多，堪稱空前，其名稱及數量約如下述：

一、集刊部分

集刊第九本一至四分

集刊第十本

集刊第十一本
集刊第十二本（以上均為舊稿新印）
集刊第十三本
集刊第十四本（以上係以三十四年出版之「六同別錄上中下三冊合併後重印」
集刊第十五本（以「史料與史學」上下二冊合併重印）
集刊第十六本
集刊第十七本
集刊第十八本
集刊第十九本
集刊第二十本（中研院成立二十週年紀念專號）
集刊第二十一本

二、專刊

1. 中國考古學報第二、三、四冊
2. 左氏春秋義例辨
3. 湖北方言調查報告
4. 唐代政治史述論稿（再版書）
5. 隋唐制度淵源略論稿（再版書）
6. 唐宋帝國與運河（再版書）
7. 明靖難史事考證稿
8. 莊子校釋

9. 明本紀校注
10. 奉天靖難記校注
11. 元和姓纂四校記
12. 兩漢太守刺史表
13. 列子補正

三、單刊

1. 龍州土語（再版書）
2. 臨川音系（再版書）
3. 湘西苗族調查報告
4. 上古音韻表稿（再版書）

四、考古報告集

1. 殷虛文字甲編（再版書）
2. 殷虛文字乙編

以上這些書刊，其總字數雖然沒有二千萬字之多，也總在一千四、五百萬字之譜，其數量之大，蔚為巨觀。抗戰八年，史語所輾轉播遷於雲南、四川等地，最後在李莊一住就是四年多。由於戰時物質困難，以及印刷條件之限制，在後方時期的史語所，只出版了幾本土紙石印的莫話記略、殷曆譜、居延漢簡考釋、六同別錄、史料與史學等書。印刷之窳劣與出版數量之少，幾乎使世人忘記中國的學術界還有這麼一個漢學研究之大本營存在。如今在勝利復員之後，忽然推出了這麼一大堆研究報告及專門著作，無異向世人昭示，史語所的研究同仁在抗戰八年期間的生活環境雖然異常艱苦，其研究成績及工作精神仍舊是不同凡響的，不信可看眼前的成績展示。傅斯年先生的此一舉措，事後證明其十分明智而正確。史語所在戰前戰後，始終都能在漢學研究的領域中占有崇高的地位，具有成績可證。而傅斯年先生的這一招，正是使世界學術界予史語所以事實肯定的極高明作法。

丙、北平圖書史料整理處

中央研究院歷史語言研究所自民國十七年建所以至現在為止，其內部組織，始終只有按研究性質區分的幾個學術組，從無其他附設機構。而在三十七年所擬呈的史語所工作計劃書中，在一、二、三、四組之後，竟然多了一個「北平圖書史料整理處」，看起來不免使人感到突兀新奇。這一個「北平圖書史料整理處」在現在當然早已消失不見；但是，它之由出現而至消失，其中著實有一段重要淵源，不可不知，所以需要在此提出一說。

要說到這一個「北平圖書史料整理處」的由來，需要抄一件檔案中的現成公文，比較簡捷易明。史語所舊檔京字第四號「復員後在南京，平處(一)」卷中，存有傅斯年先生親筆撰擬的文稿一件，邊上註明的發文日期，是民國三十五年六月二十三日，發文字號為中歷字第十六號，其內容如下：

為呈報調查北平舊日人東方文化研究所各節，並擬具意見事。查日人之東方文化研究所有房三百餘間，中國舊書十六萬餘冊。此事前由行政院核准，由本所接收並接辦業務，目下仍由沈特派員為甄審及整理圖書之用。斯年到北平後，深覺此事甚為複雜。如本院不接辦其業務，則依政府法令，即應由敵偽產業處理局拍賣；如接辦其業務，在本院又是一大擔負。茲權衡輕重，擬請准設歷史語言研究所北平圖書史料整理處，以接辦其業務，同時並將一大部分房舍借北京大學及沈先生所主持之華北文教協會應用，但須確定本院產權。擬整理處之辦法，及北大、文教會租約，一併上呈，敬乞鑒核。再，東方文化研究所圖書館外，尚有近代科學圖書館書七萬餘冊，沈先生主張，應併由本院接收。此外尚有搜集日人各方圖書四十餘萬冊。似可由本院先繼續沈先生之工作，加以整理，然後由本院、北平圖書館、北大、清華共分之。並擬辦法，呈請鑒核。現在覬覦此項書籍及房舍者，大有其人，如不早作合理穩固之決定，後患難測，應合併陳明。謹呈

院長

總幹事

歷史語言研究所長傅斯年

六月二十三日

草擬中央研究院歷史語言研究所北平圖書史料整理處規則

一、中央研究院歷史語言研究所暫設北平圖書史料整理處，其任務如左：

甲、繼續本所明清史料整理之工作。

乙、將北平漢文圖書，援北平圖書館善本圖書辦法，公開閱覽。

丙、清理前日人所辦東方文化研究所之續四庫提要。

丁、保管房舍。

二、在上條工作完成或變更之時，本整理處即應廢止。並應不於上項任務之外增加任何工作，以免本所工作之分散。

三、明清史料整理之工作，恢復戰前之辦法，不得擴充。

四、為圖書之整理及閱覽，得設專任人員，包括書記在內七人至九人。

五、本整理處設主任一人，由歷史語言研究所所長兼任之。副主任一人，由專任或兼任研究

員、副研究員任之。事務員二人，書記三人。

與北大借約草稿

一、此項房舍，其產權確定為本院歷史語言研究所。

二、所借房舍，如圖上之界線。

三、中央研究院因工作擴充欲收回自用時，應於前一年通知北大。通知時期，應在每年暑假前或暑假中。

四、全部房舍之修理費用，由北大任之。

五、北大不得於本院未同意時，建築或改修房舍。

六、在借用期中，歷年修理費由北大任之。

（與華北文教協會之借約，大致相同。）

抄了這一件檔案文件之後，對史語所北平圖書史料整理處之由來，大致可以得到如下之瞭解——史語所之所以要在北平臨時設置此一「圖書史料整理處」，乃是因為日本人設在北平的「東方文化研究所」存有大量圖書及擁有三百餘間房屋之龐大宅院，如果史語所不願承擔接管之義務，勢必要按敵產處理辦法實行拍賣，則不但這一大批珍貴圖書將流散四方，這一所大宅院也將歸他人所有。在抗戰勝利之初，北平的房荒亦如南京、上海，擁有三百餘間房屋之大宅院，乃是極可重視的珍貴資產。何況日本人利用庚子賠款所設置的此一「東方文化研究所」，由於經費充裕之故，三十餘年以來費重貲在平津各地所蒐購的我國古代文籍，數量極多，價值極高，更萬無任令拍賣流散之理。當史語所在抗戰發生時由南京西遷之時，留在北平未及撤運的公物，尚有數百箱之多的明清檔案，存放於北海公園中的蠶壇舊史語所所址內。抗戰期間，北平陷敵，蠶壇房屋為偽政府所占用，檔案移置午門城樓。到了抗戰勝利之後，史語所向北平市政府交涉索還原借之蠶壇及靜心齋兩處房屋，蠶壇房屋已破損不堪，靜心齋房屋則為駐軍所占用，交涉迄無結果。在這種情形之下，東方文化研究所所遺留的龐大宅院，無疑正是最理想的房屋。為了這雙重理由，所以傅斯年先生纔在反覆考慮之後「權衡輕重」，毅然決定接下這一份擔子。因為這不但是接管東方文化研究所的財產權利，亦同時須負擔另一項義務——在當時北平文化界人士的心目中，東方文化研究所所遺大量書籍，乃是我國的珍貴文化遺產，需要與北平圖書館一樣地加以整理陳列，公開閱覽，以便利學術文化界人士之利用。在幾經權衡考慮之下，權利固然不可放棄，義務亦非不能承擔，因此傅先生還是決定要接受，其辦法就是請院方撥給人員名額及經費，以便設立北平圖書史料整理處從事此一工作。

日本人以庚子賠款設置的東方文化研究所，赫赫有名。他們不但有足夠的金錢可以高價收買中國古籍，更出重貲聘請中國的學者專家，為他們所買的古書撰寫「提要」，以供編纂「續修四庫全書提要」之用。抗戰發生前後，北方局勢混亂，舊時文人的生活普遍困難。賴有東方文化研究所的此項挹注，為中國文化界保存了甚多元氣，頗可稱道。亦因為有此淵源，所以當教育部所派來擔任接收工作的「平津特派員」沈兼士接收了這個研究所之後，還必須設法成立一個「華北文教協會」，以便安頓照顧這些文化人的生活。華北文教協會沒有產業，會址借用前東方文化研究所房屋。便是平津特派員沈兼士自己所住的房子，也在東方研究所中。於是，在史語所接收東方文化研究所之同時，還必須繼續將一部分房屋借予華北文教協會及沈兼士先生。不過，因為東方文化研究所的房子實在太大，借一部分給華北文教協會及沈兼士先生之外，還是用不完，而修理費的負擔又不勝其負荷，所以纔有借房子予北京大學，而責成北大負責修理之事。這些當然都是細枝末節，無關閎旨，在這裡大可以略而不提。可以在此提出一說的乃是：傅先生當初之決定接收東方文化研究所，除了看重其所藏之珍貴圖書外，對於該所之龐大房舍，是否亦存有利用為史語所將來發展之構想否？史語所舊檔，「復員後在南京，平處(一)」檔卷中，存有傅斯年寫給北平圖書史料整理處負責人余遜之一件信函抄稿，發信日期是三十七年九月六日，抄存者那廉君。此信稿中有一段說：

> 沈先生房子逐步收回後，即由北大文科研究所使用，只作北大文科研究所研究室之用，北大絕不能以此擴充其教員、學生之宿舍。因此，逐漸收回後，必與原房相連，而仍走一門。俟大致收回後，再與北大定約，已與薩先生商妥。北大文科所之房本不足用，而目下本院在北平不能有所設置，故此法兩益也。將來局面好轉，中央研究院可能遷一二所或其部分於北平，但目下則絕無此事也。……

由這一段話的最末後幾句，可以使人猜想，傅斯年先生與當時的中研院院長朱家驊先生也許都存有這麼一個想法，中研院將來必須在北平設置研究機構，很可能這一預想中的研究機構，即是史語所的一部分，或如戰前所曾一度設置之史語所北平分處，都極有可能。因為傅先生一直認為北平是中國古書的集散中心，無論買書求書，都以在北平為易。史語所中既有一個專以研究史學之第一組存在，為了蒐求材料之便利，史語所應在北平設置一個分支機構，何況東方文化研究所還有如此大量而現成的書籍可資利用呢？這雖然只是一種猜想，後來因大局之急遽惡化而無法求得證實，而由此信中之結末數語，似乎亦可稍微窺見其端倪。

史語所的「北平圖書史料整理處」，在如此這般的背景之下終於成立，主任一職，由傅所長自兼，副主任則聘請史語所兼任研究員湯用彤擔任；湯先生的主要幫手，則是抗戰發生時因北平淪陷而未能隨史語所西遷的原任助理員余遜，其餘專職人員，皆是專為整理圖書而延請的事務員、書記等行政人員。這個整理處的主要任務，是整理所接收的大批中、日文圖書。在登記、整理、編目、製卡、貼好標籤之後公開供應研究者之閱覽。此外則在傅先生所擬呈院長、總幹事的「整理處設置規則」中也曾提到此一單位的另一項任務是整理史語所舊藏的明清檔案。事實上則此事在「北平圖書史料整理處」的工作項目上只是聊備一格而已。實際情形，可以參看後文所附傅先生擬呈院長、總幹事的另一項意見書。因為事關明清檔案之來龍去脈，不可不記，故亦予轉錄如下：

敬啟者：本所北平北海蠶壇舊址所藏內閣大庫檔案（以下簡稱檔案），北平淪陷後，因蠶壇所址被偽北京臨時政府教育部撥歸偽機關，檔案橫被遷出。日本降服後，本所派員接收北海公園內舊址，擬將檔案移回。惟以事實困難，迄未辦妥。茲將淪陷期間本所北海舊址及檔案被劫奪情形，及勝利後辦理接收交涉經過，以及斯年最近觀察情形，所擬處理辦法，分三項陳明，即希垂詧。

一、本所設立在北平時期，原借用北海公園內靜心齋及蠶壇兩處辦公。二十五年秋，本所大部遷京，遂將靜心齋交還，北海公園僅留蠶壇，所藏未經整理之檔案，任職員數人司整理、繕寫、編輯之事。逮抗戰軍興，北平淪陷，本所留平同仁自行解散，留書記及工友各一人看守檔案。逮二十七年一月，偽臨時政府教育部派偽科長來接收，將本所書記及工友逐去，封閉蠶壇，留一工友看守。是年十一月，偽教部將蠶壇撥歸偽北京大學，設立內分泌研究所，遂將檔案遷於端門，置於門樓上及門洞內，由歷史博物館保管。其後，偽北京大學因內分泌研究所須裝設瓦斯管及自來水管，蠶壇無此項設備，重新裝置，需款過多，乃別覓實業部地質調查所為所址，而將蠶壇交還北海公園。其後，偽華北政務委員會成立，又指定蠶壇為糧食倉庫。於是電燈電線悉被拆卸。逮王逆揖唐任華北政務委員會委員長時，又將前門箭樓之國貨陳列館移往蠶壇，始於廊上及西屋辦公室內裝設電燈數盞，其陳列室十餘間俱付闕如。去歲日本歸款，國貨陳列館由北平市政府接收，所有各商店寄存陳列品仍置蠶壇內，以迄於今。

二、本所去歲派定接收人員後，即著手收復所址。先由本所北平辦事處函北平市政府及北海公園董事會，請將靜心齋及蠶壇交還本所，以便恢復工作。北海董事會得本所平處公函後，即由董事會集會，原則上接受本所所請，惟須請市政府核准。旋接北海董事會十一月六日覆函，附錄北平市政府祕字第二十六號指令，謂靜心齋房屋應俟收回後借與中央研究院歷史語言研究所北平辦事處應用，蠶壇仍由國貨陳列館使用，未便照借，云云。以後續向市政府交涉，本年復得北平市日偽占用公私房產地產清理委員會二月十五日公函，由主任委員熊斌具名，略謂北平市政府轉來本所公函，請續借北海靜心齋及蠶壇房屋事，蠶壇以經國貨陳列館占用，未便遷移，靜心齋一處尚可續借，云云。此向市政府及北海公園交涉所得之結果也。本所北平辦事處自得北海公園覆函後，知蠶壇一時不易收回，乃一面繼續交涉，一面進行收回靜心齋所址。按，靜心齋在日寇時代，曾設立偽華北編譯館。偽編譯館取銷後，復退還北海公園，至去年二三月間，復被日軍占據，存儲軍需物資。故自去歲十月起，即與十一戰區長官部交涉，請其令日軍迅速將軍需物資遷出，將地址歸還公園，移交本所，未獲結果。其後，靜心齋所存軍需物資為軍政部接收。本所北平辦事處復函教育部特派員辦事處，請轉函軍政部特派員將日軍軍需遷出。其後，軍政部將該項物資移交後勤司令部第五補給區司令部保管，平辦事處復疊與該司令部磋商，請其從速遷移。直至本年六月初，始全部遷出。不意北平市政府竟忘其兩次諾言，於後勤司令部物資尚未遷盡之前，即派人在靜心齋門首黏貼北平市政府招待處長條，逮後勤司令部物資將移盡之時，即派警察先駐其內，設立門崗，本所因是未能接收。此收回房屋交涉之情形也。

三、查靜心齋既經市政府指令北海公園借與本所，復由熊斌市長任主任委員之日偽占用公私房產地產清理委員會復函允許，是其占用靜心齋為背棄諾言，本所據理力爭，市政府自應承認錯誤，履行條約。惟是後勤司令部未將物資移盡之前，斯年曾自往靜心齋勘察，見其中電線電燈設備悉被拆卸無餘，門窗欄杆，亦多損壞，厚玻璃磚之窗戶，亦有被槍彈炸裂之孔。查靜心齋地址遼闊而房屋散漫，新裝電線，費用不貲，益以修葺房屋，需款亦鉅。當此本院經費窘迫之時，實不易籌此鉅款。轉不如蠶壇之房間大而集中，較切實用。且市政府之辦招待處，據其自稱，已與救濟總署訂約修理，頗以反悔為難。因向北平市政府張副市長伯謹交換意見，以為市政府苟不以靜心齋相畀，當以蠶壇見還，張亦以為可行。斯年因復派人往蠶壇視察，見其室內電線悉無遺存，國貨陳列館所裝設有者，係因陋就簡，敷設電線者無多，室內裝設電燈者僅十之一。即令國貨陳列館遷移時肯將電線留下，不敷亦多，重新裝設，需款亦不甚少。又據國貨陳列館職員稱，蠶壇大殿及偏房屋頂，年久失修，入夏頗有滲漏之處，亦須修葺。至於該館所存各商陳列品，數量甚多，須先覓得房屋，始能遷徙。即令能覓得適當房屋，修治完整而遷移整理，至速亦須三月，云云。是遷移之期亦且曠日持久，非三數日內所能蕆事也。

斯年考查情形，以為靜心齋修理費過鉅，固不經濟，即修復蠶壇，恐亦需款甚多。即使市政府能以蠶壇見畀，而何時能遷移整理，尚不可知。是此事在最近數月內仍無辦理完竣之望。

復查本所舊存內閣大庫檔案，疊經挑選精品，裱褙抄寫，陸續刊布。且裱好之件在抗戰前先後運京，北平淪陷，北平工作處結束之時，復將其中較重要及抄好之件檢出裝箱，寄存輔仁大學，所剩餘之三法司及滿文檔案四千五百六十七捆，數量雖多，性質實不甚重要，可供採擷刊布者實甚稀少。本所圖書史料整理處無地容納此大量檔案，若別借用房屋，如蠶壇、靜心齋等地址存儲，接收之初，即須耗去鉅額修葺費用，以後派工清理看守，每月薪金工資以及經常費用，為數亦鉅，而所保存者乃為不必能供採擷之材料，此在本所開銷上殊不經濟。斯年之意，以為不如將此批檔案移交其他學術機關保管，而與該機關訂約，本所得保留研究整理刊布之權。如此既省修葺房屋之特殊開銷，復無別派員工看守之經常費用，而本所仍得研究利用，於事較便。至於北平學術機關，則以故宮博物院、北平圖書館、北京大學文科研究所保管此項檔案為宜。如荷同意，請於三機關中選擇其一。

謹就觀察所得，擬定處理辦法。是否有當，敬候

鑒核施行。此上

總幹事

此一抄件的前面，附有北平圖書史料整理處的箋函一件，發致對象乃是史語所的文書室。函云：

「逕啟者，傅所長頃為北平所儲內閣大庫檔案處理事宜函總辦事處有所商榷，囑將原件抄錄，寄

貴處存查。謹隨函寄上，即希

查收辦理為荷。此致

本所文書室。

北平圖書史料整理處啟

三十五年九月二十五日」

關於北平所存內閣大庫殘餘檔案的處理問題，檔案中除了這一份抄件之外，別無他件，不知道當時的朱院長及薩總幹事後來是如何決定的。不過，既有這一件公文存於檔卷之中，當可知道，史語所的北平圖書史料整理處，除了接收及整理日人所辦東方文化研究所之藏書外，並未同時進行內閣大庫檔案之整理工作，當無疑義。整理圖書的工作，總要比整理檔案為單純而容易著手，何況當時的要求目標不過是登記清楚以後予以編目陳列，供眾閱覽，當然更沒有太多的問題。成問題的是北平與南京相距太遠，當國共內戰的軍事行動日見猖獗，北平的形勢岌岌可危之時，北平同仁的生活問題及安全問題，遠在南京的傅所長都無法及時加以援手，這纔是難以解決的麻煩事哩！

抗戰勝利後，政府因共黨叛亂而決定展開軍事討伐，是為繼對日抗戰而來的戡亂戰爭。此一全國性的國共內戰，發展到了民國三十六年底及三十七年年初之時，顯然已逐漸不利，到三十七年中而更見具體化。由於長期性的戰亂未已，交通破壞、經濟破產，政府財政無法支持，只賴增加通貨發行以為維持之法，其結果必將導致傅斯年先生所曾說過的「經濟總崩潰、政治總解體」。南京乃是中央政府的所在地，史語所同仁與政府同在一處，即使有極大的困難，總可有辦法支撐一時。北平同仁遠在千里之外，急切之間難收呼應之效，所面臨的困難就不容易解決。何況華北局勢惡化的時間，遠較中原及南方各省為早，北平同仁所遭受的精神壓力也遠較南京同仁為多。其實際情形，在北平圖書史料整理處實際負責人余遜所寫來的信件中有甚多的透露。抄錄其中若干封的有關部分於後，以見其一斑。

一、三十七年十月九日來信之第五段：

平市物價飛漲，米一斤已至二元餘（限價之十倍），麵粉一袋四十餘元（限價之四倍有多）。其餘各物，亦受糧價影響，漲價劇烈。原煤已升至百餘元一噸（塊煤約百二十元」，而平處茶鑪（兼為職員工友燃爨之用）僅能維持至十二月底，不能不先事預備。乃與湯錫予先生商，向北大借款二百元，購原煤三噸，每噸七十六元。以原煤中之塊煤可以取暖，末煤可以製煤球也。

二、三十七年十月十六日來信之第三、五兩段：

㈢北平物價騰踴，無不超出限價十倍以上。平處所需煤，幸先在北大借得二百元，勉強購原煤三噸，茶鑪不致中斷。昨今兩日，物價又高漲，末煤一噸非百數十元不辦矣。在京時本欲以二百元購塊煤七八噸，生還平時已漲至五十許元，向北大借款時又漲二十餘元。上星期六得蕭綸徽兄書，知煤款及印目錄紙款已匯出，共三百元，屢向中央銀行催詢，均云未寄到，昨日午間始送達，距收綸徽兄書時已一星期，煤款二百元，僅能購塊煤一噸矣。

㈤此次寄來之三百元，除去煤價二百四十餘元外，僅餘五十餘元。而所中工友因生活困窘，頗有借貸，保管之公款，已墊付九月份經常開銷及十月半月，遂無所餘。據驥塵兄言，平處已一錢不名。故此款寄來後，除還湯先生之款外，其北大借款，尚留為平處日常開銷之用，未即還也。

三、三十七年十二月一日來信

孟真師賜鑒。湯先生昨日發一書，計當今日到京。此間物價騰踊，一日數變，同仁十一月份薪資未發全，零用經常費一錢不名，已欠北大款五百元，現在所中仍無現款。今日報載，京中機關疏散，此後平處如何維持至最後，大是問題。師前許設法匯款，務乞速匯，否則員工即將斷炊，事態緊急時，工人警察更成問題，千萬乞妥為籌劃。又，平中變故之來，不可預料，平處如何安頓，務乞詳為指示。湯先生囑生飛書奉詢，即乞書覆湯先生，並盼早日寄下，為感。

「湯先生」即湯用彤，此時的名義是北平圖書史料整理處的主任。不過因為他本人是北大教授之故，由他出面向北大融借一部分現款濟急，勉強可以辦到，惟苦於為數不多而已。此時的南京，亦因金圓券急遽貶值之故，物價一日數漲，情況與北平大同小異。惟一的好處是史語所與中研院的院本部同在一地，史語所的員工同仁生活有困難，等於是全院同仁所面臨的命運都一樣。中研院除了經常費之外，還有較經常費多出兩、三倍以上的事業費，在情況緊急時，可以臨時拿事業費來救急，北平圖書史料整理處苦無別項可以撥支，所以情況就顯得更為困難。在這種情形之下，傅斯年先生所能做的，除了設法由史語所大力支援之外，另外還得想更妥當的支援辦法纔行。他最後所想出來的辦法，是將北平圖書史料整理處的所有一切，包括人員、房舍、圖書等等全部委託給北京大學暫時接管，以免史語所遠水救不了近火，無法就近給予適切妥當的照顧。

史語所舊檔中的「北平圖書史料整理處檔」，存有湯用彤先生寫給傅先生的一封信，時間是民國三十七年的十一月十一日。此信中曾提到請北大代為管理北平圖書史料整理處的建議。原信之內容如此：

孟真吾兄。前奉來示，謂於十號到平，此間同仁聞之欣慰。兄之住處已於前一日布置、生火，北大已發帖在十號晚歡宴。乃九號下午又接來函，謂已改期，我們均大為失望。今日見一美國官方文件，似他們認為危機迫切。弟雖不願張皇，但恐兄十七號又未必能來。因將近日與讓之，驥塵所商量，欲請示者略陳如下。將來形勢，自不出下面三項：

一、南北俱支持下去，渡過若干月日，如此則北平整理處自無多大問題。

二、北方發生事變，則此處自須先作結束之布置。

三、南方發生大變，則此間經濟來源斷絕，或一時無由得接濟。

萬一上列二、三項事情發生，此間如何辦理？（第三項更難辦）想亦早在兄焦慮之中。驥塵建議，以為此時應先由中央研究院委託北大代為管理。（意為第二項事發生則代為結束，如第三項事發生，則代為設法維持。）如此則整理處臨時有所依傍。此項建議自亦有問題。（一、我們是否應這樣的承認時局嚴重？二、北大是否願意？三、研究院是否肯？）但不妨略陳供兄之參考。諒吾兄在京，所知消息必較多而確實，並且您家向來判斷甚為正確，對於整理處此時是否應有所布置？上述意見是否可行，祈加以熟慮為荷。……

湯用彤先生的信，說出了史語所北平圖書史料整理處工作同仁們當時心中的焦灼與苦悶。為了希望能夠在大變動來臨之時能夠撐持得下去，他們不能不寄望於北京大學的援手。中央研究院本身，對此當然亦有同感，所以在這年的十一月二十三日，即以院的名義致函北大商量，云：

敬啟者。查本院北平圖書史料整理處與貴校合作已久，彼此至感愉快。現以該處距離南京過遠，照顧不易，擬託貴校代為管理，其辦法如下：

一、房屋即由貴校文科研究所打通管理。

二、本院在該處原有之職員名額，由本院通知教育部轉讓貴校。但人員之任用由貴校辦理，其經常費用由貴校擔任。但本院目下可以一次撥付金圓券壹萬元與貴校。

三、圖書俟將來大局平定時再行商議。大體原則，凡本院歷史語言研究所未入藏者，仍歸該所。

以上辦法，如荷同意，敬乞示復是荷。此致

國立北京大學

代理院長朱家驊

由於檔卷中並未發見北京大學答復此事的公函，想來該校並未對此表示同意。因此之故，民國三十七年十二月九日在南京舉行的中央研究院臨時院務會議，其會議記錄中便有如下的一條決議，云：

「討論事項㈥北平圖書館史籍整理處處理意見案

1. 結清以前欠款。

2. 發員工遣散費三個月。

3. 發各項雜費一萬圓。

4. 圖書房屋一切財產，託北京大學代管。

決議：通過。」

想來這便是北平圖書史料整理處最後結束的辦法。由於圖書房屋等一切財產均已委請北京大學代管，該處在抗戰勝利之初所接收的大批圖書，便歸於北京大學所有。惟一能由史語所得到的，乃是三十七年間史語所派助理研究員李孝定前往北平該處協助整理圖書，遵傅斯年先生之命，將該處所接收的東方文化研究所圖書，視其內容珍貴而為史語所本身所未收藏者，擇要裝運三十餘箱至南京，迄今仍在史語所傅斯年圖書館善本書庫中珍藏。這批圖書中的罕傳珍本頗多，手抄本之外，尤多宋、元、明各朝之善本，身價不凡。至於其他各種珍本書籍，因未及南運而仍留存於北平的，為數更夥。在傅斯年先生的意思，是希望儘可能的揀出運京，而其後卻因種種原因而未能實現。湯用彤先生在三十七年十二月二十七日寫給傅先生的信中，亦曾經提到此事，說：

運書事，因時局，亟待早辦。但張苑峯因家庭關係，經濟情形壞極，心緒不佳，身體亦欠佳，所以書單尚未開出。此間知南京史語所藏書情形者只有苑峯。他人無法選擇書籍，只能常催苑峯請其速開，然後辦理運書事件。

張苑峯即張政烺，抗戰時期在史語所工作，由助理研究員升為副研究員。因為他在作研究工作之前是史語所的善本圖書管理員，所以他對史語所所藏善本圖書情況最為熟悉，此時則在北京大學擔任教職。傅斯年和湯用彤二先生都想借重張政烺的專門知識，幫助史語所挑選東方文化研究所所藏書籍，擇其合用者運至南京，而張政烺卻因為家庭、經濟、健康等等原因無法及時辦妥此事。一拖再拖，直拖到北平因和談而變色，仍無結果，這批書當然從此永留北平，不可能再歸史語所所有的了。這雖然是史語所的一件憾事，也未嘗不是一段值得紀念的小掌故，可以在此附帶一述。

丁、再度播遷

正當北平同仁為本身的安危問題憂慮忡忡之時，在南京的中央研究院及史語所全體同仁，亦復同樣在因局勢之惡化而為本身的危急存亡作未雨綢繆之計。此時已進入戡亂情勢逆轉之時，時間是民國三十七年之十一、十二月間。當時的軍事情勢失利至何種程度？摘錄一部分有關史料的記述，當可容易得到具體明白的概念。

郭廷以編「中華民國史事日誌」民國三十七年十一、二月之記事要點，摘錄若干如後。

十一月二日，瀋陽失守。

十一月四日，東北國軍撤離營口。

十一月六日，南京軍政會議結束，決定實行戰時體制。

十一月八日，徐蚌會戰開始。

十一月十三日，徐州東翼國軍黃伯韜兵團被圍於碾莊，邱清泉兵團前往救援。

十一月二十日，黃維兵團自河南東向援徐州。

十一月二十二日，碾莊失陷，黃伯韜兵團被殲。

十一月二十五日，黃維兵團行至宿縣西南之雙堆集，陷入共軍包圍圈中。

十一月三十日，國軍撤出徐州。

十二月一日，行政院通過疏散公務員眷屬辦法。

十二月四日，京滬鐵路秩序紊亂，各機關職員爭先離開南京。

十二月六日，國軍邱清泉、李彌兵團被圍於永城東北之陳官莊、青龍集。

十二月七日，上海存兌金銀擁擠，秩序益亂。

十二月八日，黃維兵團被共軍殲於雙堆集。

十二月十日，政府宣布全國戒嚴。

十二月十三日，北平陷於共軍包圍。

十二月十五日，行政院決議，以傅斯年為臺灣大學校長。

十二月十六日，徐蚌會戰結束。

十二月十八日，天津外圍發生戰鬥。政府在天津、北平市區內趕築機場。

十二月二十三日，孫科組閣，宣布政府用兵之最後目的在爭取和平。

十二月二十四日，白崇禧電請何應欽、張群、張治中轉陳總統蔣公，謂時局至此，人心、士氣、物力，均已不能再戰，應與共軍謀和。

十二月二十七日，總統蔣公因白崇禧之電報，考慮下野。

十二月三十日，河南省政府主席張軫通電主張和平，請蔣總統下野。

以上所述，是民國三十七年十一、十二月間最重要的軍政大事。由此不難看出，在三十七年將盡之最後兩個月內，國內政局變化之急遽與嚴重程度。國共內戰，發展到了此一地步，顯然已非政府的軍事力量所能遏阻。而隨著軍事失利、經濟破產的情勢而來的，則是政治大局亦將有全盤崩解之危險。中央研究院與政府同處南京，對於時局發展的趨向當然十分明瞭。院長朱家驊先生於三十七年十二月九日召開臨時院務會議，緊急討論全院之應變措施。對於全院安全問題之討論，當時之決定如下：

一、總辦事處隨政府所在地。

二、職員眷屬有處可疏散者，各自設法疏散。無處可往者，於十日內先疏散往上海，本院儘可能予以便利。

三、南京各所、處重要圖書、儀器、文卷，先集中上海。其餘不擬遷移文物，由安全小組儘可能設法安置或封存。

四、各所可能與各大學或學術機構合作，從事於學術研究。（假定為數學所與臺灣大學，天文所與中山大學，物理所俟與薩總幹事商定。化學所保留。地質所與兩廣地質調查所。動物所保留。植物所與臺灣大學。氣象所保留。史語所一部分與臺灣大學，一部分與廣西學術機關。社會所廣東或廣西。醫學所保留。工學所保留。心理所與動物、醫學所同進止。）

中央研究院的院務會議作成此項決定時，行政院尚未發表傅斯年先生出任臺灣大學校長的任命案。所以，在此時略早舉行的史語所三十七年度第九次所務會議，在討論史語所此後究應採取何項應變措施時，所作成的決議，亦與此彷彿。其辦法乃是：

一、本所在縮小範圍之下，可以遷在臺灣、廣西、或廣東。

二、但無論疏散、隨遷、或留守，各人須得到同等待遇。

三、眷屬以儘量疏散為原則。❶

及至十二月十五日傅斯年先生出長臺灣大學的任命案由行政院院會通過後，上述情況顯然有了變化。因為傅所長既已出任臺大校長，史語所遷往臺灣，必可得到就近的照料與方便，然則所謂遷往廣西或廣東之說，當然可以不必考慮。史語所後來由南京全所遷臺，顯然是由於此一任命案的直接影

❶ 史語所民國三十七年度的第九次所務會議，舉行於三十七年十二月一日，其會議紀錄未印發，祇檔案中存有紀錄草底之原件一份。其決議事項亦止此三項，未討論其它事件。

響。傅所長當年曾被教育部「徵調」去代理北京大學的校長，以暫時維持新校長胡適先生尚未由美返國以前的北大校務，許多人猜想他或許即將由史語所所長改任其他行政職務；當時傅先生就專誠為此事鄭重闢謠，聲明他絕不在任何情形之下離開史語所去「做官」。如今行政院忽然發表他出任臺灣大學的校長，臺灣到南京的距離與北平到南京的距離差不多，若不是史語所將由南京遷設臺灣，他的這一任命案就不可能屬於「兼任」性質，也就等於違背了他當年自己所作的諾言。然則可以由此想像得到，傅所長之出掌臺大，必定與史語所之遷臺出於同一決定——由於史語所決定遷臺，所以傅所長纔願意作臺大校長；亦就是說，傅所長決定作臺大校長，等於是史語所決定要遷設臺灣了。此一決定對史語所的發展影響極為重大。史語所擁有中研院各所最多的圖書、標本、和古物，假如不是直接由南京遷臺，而是跟著中研院輾轉播遷的話，即使史語所同仁後來仍能由大陸撤守來臺，這批為數極為龐大的圖書、標本、和古物，亦必定會在輾轉播遷的途中損失殆盡。以後史語所即使在臺灣重建，這批價值無法估量的圖書文物，勢必無法在臺灣重新購買補充。然則重建以後的史語所，又靠什麼材料來從事研究學問與訓練後進呢？而由於傅所長出任臺大校長之故，史語所在一開始搬遷之時便選定以臺灣為目標，圖書文物毫無所損，工作同仁亦大致安全到達，元氣無損，精神旺盛，一旦得到妥善適當的環境，依舊可以得到蓬勃光大的發揚。史語所之能有今天，此一關鍵性的因素極為重要。

見於史語所檔案資料中的所務會議檔案，在三十七年度第九次所務會議之後，還有另一次所務會議紀錄。此一紀錄的內容係以藍色鉛筆書寫，文字極為潦草，似出於傅斯年先生之親筆。其前端並無「第×次所務會議紀錄」字樣，亦無開會日期及地點之記載，故無從知悉此會開於何時。但因其內容十分重要，必須加以轉載，特予抄錄如下：

出席　勞榦　郭寶鈞　陳槃　夏鼐

列席　楊時逢　李光濤　全漢昇　董同龢　李濟　高去尋

一、現任助、副研究員以上者，願去臺灣者，可以去。家眷多者——

二、非研究員

三個管理員，可以走。

王寶先等五人，如單人走，可以走，如帶家眷多者，尚須考慮。

隨同復員之兩位書記，可以去。

在南京招考之書記，不去。

以如此簡單之內容而猜測其性質乃是所務會議紀錄，係由於所載出席與列席人之格式。（李濟先生是有資格出席所務會議的研究員，其所以列名於「列席」之下，可能是倉促中之錯誤。）而因史語所在此後即開始了匆忙的遷移行動，以及若干人員均已離所「疏散」之故，所以從第九次以後的所務會議都是顯得十分匆忙而十分秘密的，此項會議紀錄之不宜公開印發，其原因當在於此。由此一會議之決定事項看，史語所遷臺時之同遷人員，殆即在此次會議中決定。此一決議決定了助理員以下的研究人員及若干非研究人員不能隨所遷臺之命運，所以然之故，當與第九次所務會議所曾討論的「縮小範圍」有關。這在民國二十六年抗戰發生之初，史語所決定由南京西遷之時，亦曾有過類似的情形。總之，當一個大的動亂局面開始，機關本身的經費困難，所面對的未來命運又渺不可知之時，總希望儘量減少人員方面的拖累。由於有這種政策性的考慮，史語所當年由南京西遷時，所中人員，曾以「疏散」的名義減去了不少。如今戡亂大局逆轉，史語所必須再由南京遷移臺灣，當然亦必須裁減人員，以減輕負擔。更何況當時的政治、經濟情勢均十分混亂，很多同仁基於生活上的考慮，亦不敢貿然隨所遷臺。於是，在這雙重因素的影響之下，史語所遷臺，全所人員頓時由全額的六十九人減至三十一人，數目還不到一半。其實際情形，可由下列名冊中見之。

民國三十七年年底史語所實有人員名冊❷

職稱	姓名	來臺與否	未來臺原因	附記
研究員兼所長	傅斯年	來臺		
研究員兼第一組主任	陳寅恪	未		
研究員兼第二組主任	趙元任			赴美講學
研究員兼第三組主任	李濟	來臺		
研究員兼第四組主任	凌純聲			留職停薪人員
研究員	岑仲勉			
〃	丁聲樹			
〃	董作賓	來臺		
〃	勞榦	來臺		
〃	梁思永			
〃	陳槃	來臺		
〃	郭寶鈞			
〃	李方桂			留職停薪人員
〃	夏鼐			

❷ 據史語所舊檔所載人事資料查造。

編纂	芮逸夫	來臺		
〃	石璋如	來臺		
副研究員	全漢昇	來臺		
〃	董同龢	來臺		
〃	傅樂煥	赴英留學		
〃	楊時逢	來臺		
〃	高去尋	來臺		
〃	王崇武	赴英留學		
〃	李光濤	來臺		
〃	張政烺			留職停薪人員
〃	顏誾			
〃	周法高	來臺		
助理研究員	王叔岷	來臺		
〃	逯欽立			
〃	馬學良			
〃	何茲全	赴美留學		
〃	張琨	赴美留學		
〃	孫德宣	陷北平		
〃	李孝定	李臺		
〃	王明			
〃	嚴耕望	來臺		
〃	黃彰健	來臺		

助理員	張秉權	來臺		
〃	楊希枚	來臺		
〃	石鍾			
〃	賴家度	陷北平		
〃	管希雄	來臺		
〃	傅婧	陷北平		
〃	于錦繡			
北平辦事處主任	余遜	陷北平		
管理員	蕭綸徽	來臺		
〃	汪和宗	來臺		
〃	那廉君	來臺		
〃	李光宇	來臺		
〃	陳鈍	陷北平		
技士	潘慤	來臺		
技佐	王文林			
〃	胡占魁	來臺		
〃	李連春			
〃	黃慶樂	來臺		
〃	謝振林			
〃	黎忠義			
〃	米士誠			
練習技佐	徐智銘			

事務員	王寶先	來臺		
〃	王志維	來臺		
〃	魏善臣			
〃	竇珍如	陷北平		
〃	王伯洪	陷北平		
〃	丁始玉	陷北平		
技士	楊有潤	陷北平		
書記	李緒先	來臺		
〃	劉淵臨	來臺		
〃	周世鴻			
〃	周斐如			
〃	張文熊			
〃	馬得志	陷北平		
助理員	程曦			

由以上名冊可以知道，史語所在三十七年年底時的在職人員共計七十二人。除凌純聲、李方桂、張政烺三人留職停薪，應不計在內外，實際在職者共計六十九人。此六十九人中，屬於北平圖書史料整理處及北平辦事處者十人，出國留學及講學者五人，未隨所遷臺者二十三人，最後隨同史語所遷來臺灣者三十一人。史語所經過了這一番大變動，遷設臺灣之後，工作人員由六十九人減至三十一人，剩下的數目幾乎連原有人員之一半還不到，可說真正達到了「縮小範圍」之疏遷目的。史語所未能來臺之工作人員，留駐北平的十人，明顯地是由於陷身圍城，無法撤出之故而不能隨史語所遷臺，其餘

二十三人之中，亦有人是因為某些困難而無法實現其來臺之意願。就現在所能看到的資料來說，至少有某幾個人是因為經濟方面的困難而無法到臺灣來的。

史語所遷臺時期的檔案文件中，有一件出於會計管理員蕭綸徽先生親筆書寫的賬單，其內容十分具有史料價值，可作為有關上述問題的重要參考資料。今先予轉錄如下：

夏作銘先生

三十八年四月二日

㈠按一月份薪標準，加發三個月眷屬疏散費及旅費三千元，共計金圓券G.Y.八八五〇元。一比一百折合臺幣計八八五、〇〇〇元。

㈡三十八年二月份薪，臺幣八四〇、〇〇〇元

㈢三十八年三月份薪，臺幣八四〇、〇〇〇元

共計臺幣二、五六五、〇〇〇元

臺幣二、五六五、〇〇〇元於三十八年四月二日購美鈔一比七五、〇〇〇元，計臺幣二、五六五、〇〇〇元折合美鈔叁拾伍元整

此賬單之下另有簽收人之姓名簽署，曰：

「收到美鈔三十五元正。

徐煜光代（章）

三九、八、二九」

此一賬單之值得重視，是因為它保存了一項紀錄——在民國三十八年四月二日，史語所同仁在臺灣按臺幣數目支領薪金時，所得到的薪金具備多少購買力？以及史語所同仁在三十八年年初奉命疏散眷屬，各同仁按政府規定支領三個月薪額之眷屬疏散費，另加旅費三千元之後的數目，在當時又具備多少數目的購買力？由於此一賬單，它為我們提供了上述二項答案：

㈠簡任五級的專任研究員夏鼐（即夏作銘），三十八年二、三月份時如按臺幣支薪，可月領臺幣八十四萬元，折合美金則為十一元零。

㈡同一人員，在三十八年初領取三個月薪額之眷屬疏散費及旅費共計金圓券八八五〇元，折算臺幣之後再折合美金，可得十一元五角零。

三十八年時的美金，其幣值當然遠勝於今日；但充其量亦不過今日美金價值之四、五倍而已。所以若以今日的美金價值而言，當年的一個月薪臺幣八十四萬元，最多亦不過今日的美金六十元之譜，折合新臺幣二千一百元而已。以此一數目維持一家數口的生活，已經十分困難；如果它便是由溫州（夏鼐原籍溫州）到上海轉往臺灣的旅費，這數目更是渺不足道了。史語所舊檔中，尚存有遷臺初期為滯留大陸人員請領薪餉的冊籍，其內容可分為四項：

(1)留南京人員——研究員丁聲樹等四人。

(2)留上海人員——研究員夏鼐、副研究員顏誾、助理研究員王明等七人。

(3)留桂林人員——研究員郭寶鈞等四人。

(4)留廣州人員——研究員陳寅恪一人。

以上人數共計十六人。他們之中，很有人是因為必須先送家眷回籍，然後再設法隻身來臺，後來卻因為交通梗阻或費用短絀等等原因，無法再行啟程前來，結果終於和史語所脫離了關係；如夏鼐及王明二人，即為其例。至於陳寅恪先生，則很可能是因為他從北平出來的時間較晚（陳先生當時在清華大學擔任專任教授），趕不上史語所的疏遷行動；及至後來到了廣州，卻又發生了入境方面的困難，所以終於不能到臺灣來歸隊。其他類此的情形，尚多。總而言之一句話，在那個兵荒馬亂的動盪時代中，如果在當時稍涉游移，來不及趕上與史語所大隊疏散人員一起行動的話，一旦脫離了團體，再要想趕搭巴士就會很困難。史語所留在大陸的工作同仁中，不乏才智傑出之士，史語所沒有了他們，無可諱言地是研究工作上的極大損失，然而卻是無可奈何的事，又有何話可說呢！

在民國三十七年年底到三十八年年中，中央研究院全體同仁都蒙受了極大的災難。很多研究所在輾轉搬遷之中形同解體，工作人員成了無人收容的孤兒。總辦事處隨政府疏遷廣州，又再遷四川，最後從四川回到了臺灣，始終追隨院長朱家驊先生的，不過只有會計室和總務組的極少數幾個人，還有就是具有幕僚長身分的秘書主任王懋勤先生。王先生於三十八年六月二日自廣州致書在臺大任總務長之職的中央研究院前總務主任余又蓀，信中曾說到留穗同仁的動向及心態，大可作為此時總處員工一般處境之寫照。原信說：

> 以弟所聞，刁泰亨、張永齡、李永森、甘霖、羅傳宓及李承三先生，意在赴渝；呂仲明、王大文、胡建唐，擬隨政府遷渝，如赴渝過難，亦可來臺。吳家槐亦在兩可之間。王夢鷗擬回湘，其次赴臺。胡頌平、張星樞隨院長指示，如政府遷渝，十九赴渝。羅季榮、胡建唐、葉炎祥，亦有意在穗候遣散。聞政府規定，在穗候遣散者，可發銀元六十元，加發五成，又三個月薪折發港幣。因此又有若干人想拿此款而不隨遷。李華宗臥病，猶疑未定。寥寥數人，成天在打算如何划得來，亦可慨矣。陳愷亦有意拿錢不遷。故照此情形，無論續請增撥生活費經費結果如何，至臺人愈少愈易解決。惟究竟來臺若干，總以內閣改組，政府決遷何處，本院遷動，始可決定。關於疏遷費用，曾申請相當數目。無論核撥若干，諒可酌匀若干為臺灣頂賃房屋之用。

倘到臺人數不多，困難不致過大。惟到臺房屋困難，及必須自己能於萬不獲已時設法自行解決生活，曾逢人說明。……

由王先生信中的最後一段話可以知道，由於中央研究院當時的經費十分困難，要希望設法籌撥一筆款子匯到臺灣來頂賃房屋，以為遷臺人員的居住及辦公之用，實在心有餘而力不足，所以只好逢人說明此項實情，希望那些願到臺灣去的人心理上預有準備，以免去了以後找不到房屋住。當時的情況如此困難，傅斯年先生當然不敢鼓勵人人都隨所遷臺。何況當時的時局發展乃是未知數，政府的經費支援未必樂觀，這種種原因，都逼得中央研究院從院長朱先生到所長傅先生非謹慎行事不可。於是乎史語所纔有當時的「縮小範圍」打算，以致出現後來的四分五裂局面；於是乎史語所遷設臺灣之初，工作同仁會較南京撤守之時剩下一半都不到。然而這卻是無法可想之事。

當時的實際情況困難如此，傅斯年先生毅然決定將史語所「縮小範圍」之後遷來臺灣，仍舊不是一件容易之事。因為三十一個職員加上技工、工友和員工的眷屬，合起來亦有一百多人。這一百多人及數量龐大的圖書文物遷來臺灣之後，圖書文物固然需要房屋存放，人員與其眷屬亦需要有房子住，而辦公室也還是需要房子的。好在傅先生此時已兼任臺灣大學的校長，以此一身分與臺灣當地的政府機關打交道，辦起事來總要順手得多。因此他首先在臺大醫學院的後大樓撥出若干間房屋，「借」給史語所作為臨時辦公室之用；又設法與鐵路局打交道，向鐵路局的貨運服務總站的楊梅貨運服務所租用楊梅車站旁的三、四、五號倉庫二座，作為存放遷臺的圖書文物之用，其租賃費用只有當時一般租價的十分之一。史語所的遷設地點既決定在楊梅鎮，又與當地的鎮公所及縣立中學商量，租用他們所有的三座樓房作為員工宿舍。一切交涉停當之後，史語所的全部圖書文物，以及中央、故宮兩博物院的珍貴藏品，亦在史語所第三組主任兼中央博物院籌備主任李濟的押運之下，由政府派撥大型登陸艇一艘載運來臺，分別遷入預定地點；史語所的圖書文物，當然就放在楊梅車站的第三、四、五號倉庫中了。隨後，遷臺員工及其眷屬亦分批到達，遷入楊梅中學及楊梅鎮公所租予的樓房中居住，一切均能妥善安頓。傅斯年先生向來以擅長搬家見稱，這一次的遷臺行動，一切均有條不紊，妥當合適，再一度的證明了他確實具有這方面的領導長才。

中央研究院史語所未遷設臺灣之前，逐月經費，係由財政部按預算數目撥發金圓券。既遷來臺灣，臺灣省別有其獨立的貨幣系統——由臺灣省政府委託臺灣銀行發行的臺幣，其幣值與金圓券不同。史語所遷設臺灣，中央研究院即曾函准行政院同意，將史語所逐月經費由臺灣省政府按月墊發臺幣，其給與標準則比照臺灣大學的教職員待遇。但臺灣省政府撥墊史語所的臺幣經費，須有財政部之擔保公文。當時的臺幣幣值亦在逐月貶落之中，臺灣省屬公教人員的待遇，三十八年四月份照二、三月份之舊數額加發一半，到五月份則照增加數再加百分之一百二十。財政部遠在廣州，不能瞭解臺灣省屬公教人員的待遇調整情形，無法及時知悉需要向臺灣省政府提出擔保的墊支數目。於是，一方面既增加了中央研究院與財政部之間的交涉困難，二方面也無法使在楊梅的史語所員工及時得到待遇調整的實惠。以致從三十八年五月到七月，史語所員工一直只能按舊標準支領薪金，而臺灣省屬員工則因臺灣省實行貨幣改制之故，從六月份起即按改制後的「新臺幣」數目支領數目較多的新待遇，相形之下，倍感困窘。為了幫助史語所同仁解脫困境，傅斯年藉臺大校長的職務便利，儘量予同仁援手。他此時所能做的，一是設法將願意教書的研究同仁們聘請到臺灣大學去擔任教職，以便在臺大得到宿舍及省屬人員的待遇，二是設法將願去臺大的行政人員也請到臺大去工作，以便得到兼職收入及配住臺大宿舍。在這種情形之下被請到臺大去的工作同仁，研究人員方面，有研究員李濟、石璋如、勞榦、芮逸夫、董同龢、淩純聲、全漢聲、副研究員王叔岷等八人，行政人員方面，有管理員那廉君、蕭綸徽、書記李緒先等三人。住在楊梅的工作同仁減少十人之後，原來的宿舍可以住得比較寬敞，相形之下，在臺大兼職的工作同仁也可以住得更舒適。不過，史語所的研究同仁一下子被請到臺大去當教授、副教授的有八人之多，在臺灣大學方面固可藉此大幅提升其教學水準，在史語所方面，無疑亦將影響其研究成績。戰亂之時，解決同仁的生活困難為第一要緊之事，傅斯年先生當年在四川李莊時便以此作為其最高原則，到臺灣來以後的此一措施，無疑亦是其當年原則之繼續延伸。所以，這辦法看起來似乎對史語所太不利，卻也是無辦法中的最好辦法。

大家都知道，史語所在遷設楊梅的一段時間內，員工生活最為艱苦。時間相隔了幾十年之後，舊時的記憶逐漸淡忘，過去的資料也逐漸散佚。當時的實際生活狀況究竟艱苦到若何程度？恐怕很多人都無法提出具體明白的說明。於此，我們可以從檔案資料中試尋一些可供參考的證據來作為說明。

已故世的史語所前任主辦會計蕭綸徽先生，在三十八年時曾寫過一份「臺灣省公教人員待遇歷次調整表」，內容包括三十八年二月、五月、及六月份之三次調整數目資料，自職務、等級、以至所得數目，記載詳明，頗可作為參考之用。今摘載其一部分內容如下：

職級	三十八年二月薪（舊臺幣元）			三十八年五月薪（舊臺幣元）			三十八年六月薪（新臺幣元）
	本薪	職務加給	合計	本薪	職務加給	合計	
簡任一級研究員	六四〇、〇〇〇	40%	八九六、〇〇〇	一、四八〇、〇〇〇	45%	二、一四六、〇〇〇	一九六
簡任五級研究員	六〇〇、〇〇〇	40%	八四〇、〇〇〇	一、四〇〇、〇〇〇	45%	二、〇二〇、〇〇〇	一八四
荐任一級副研究員	五六〇、〇〇〇	30%	七二八、〇〇〇	一、三二〇、〇〇〇	35%	一、八八二、〇〇〇	一七二
委任一級書記	四六〇、〇〇〇		四六〇、〇〇〇	一、一二〇、〇〇〇		一、一二〇、〇〇〇	一三二

舊臺幣貶值的速度，以民國三十八年三至五月之間最快。其原因由於大陸撤守，政府機關及軍公教人員大量遷移來臺，臺幣發行的數量日見膨脹，幾將復蹈法幣及金圓券的崩潰覆轍。所以政府不得不於三十八年六月間改革幣制，廢舊臺幣而改用新臺幣，規定新、舊臺幣的兌換比率為一對四萬元，並嚴格限定新臺幣的發行數量，以免再度陷入通貨膨脹之故轍。以這一標準來估算新舊臺幣的幣值，三十八年六月份所領舊臺幣二百萬元的待遇，合新臺幣祇五十元而已；而在同一時期中按新臺幣標準支領薪金的臺灣省屬公教人員，同一等級者已可領得一百九十六元，相差豈不有四倍之多？這猶是等級較高的研究人員之差距，若等級較低的行政人員，如委任一級之書記，舊時既無職務加給可領，改按新標準發薪後，臺灣省屬公教人員可月領新臺幣一三三元，史語所員工卻仍舊只能支領舊標準待遇，合之新臺幣，只有區區二十八元而已，相去之遠，更不止於倍蓰，這中間的距離就更大了。民國三十八年新臺幣行世之初，新臺幣與港幣之間的匯率，約為港幣一元折新臺幣九角一分，與美金的匯率，則約為美金一元折合新臺幣五元。以此標準折算外幣，史語所的簡任級研究員，按舊標準領取臺幣薪給之實際所得，在民國三十八年六月時，一個月祇有美金十元左右，委任一級的書記則更只有美金五元五角而已。這個數目的實際購買力，看起來要比新、舊臺幣的數目更為具體，史語所員工同仁之窮，於此當不難見及其一斑。

從民國三十八年到三十九年，是臺灣局勢最為緊張危殆的時間。一方面，共產黨軍已經席捲了整個中國大陸，包括海南島在內，中華民國的領土只剩下臺灣、澎湖、及福建沿海的金門、馬祖，外國人已認定中華民國政府非垮臺不可。另一方面，一向對中華民國支持最力的美國杜魯門政府，已秘密下令美國派駐西太平洋之外交人員，表示美國已決定放棄支援在臺灣的中華民國政府，臺灣並無太大的重要性，即將落入共產黨之手中。❸中華民國的前途晦暗如此，身為中華民國公務員的史語所員工同仁，除了咬緊牙關，與國家同休戚、共患難之外，還有什麼別的希望？所以，當時的生活雖然極端艱苦，大家都必須以共體時艱的精神努力支撐，奮鬥到底。在抗戰時期及勝利復員之後，他們本來已經飽嚐生活困難的痛苦壓迫，此時再繼續受此煎熬，也未嚐不是無法忍受。所不同的是，此時的國家命運，顯得比從前更為暗澹。究竟要到什麼時候纔能轉敗為勝，重見光明，這纔是大家所最關心的問題呢。

戊、噩耗

史語所由南京遷來臺灣，是民國三十八年的事。來臺之初，暫在楊梅鎮安頓。此一時期中，史語所同仁及眷屬在生活上所遭受的苦難，較之當年疏遷在四川李莊時期之所遭受，猶有過之。幸而此時傅斯年先生身兼臺灣大學校長，除了設法在楊梅鎮找到房子讓大家得以安居外，還以他兼任臺大校長的便利，將所中的某幾位研究同仁及行政同仁設法以與臺大合聘的名義安插在臺灣大學中擔任教職員，以便能獲得較好的生活待遇，對於留在楊梅的同仁們，亦復多方設法照顧，充分盡到了大家長般的責任。在這種情況之下，史語所同仁之對傅先生，大都感激而兼愛戴，雖有時不免感到管束過嚴，亦多能甘受而不辭。但是誰也料想不到的是，這一位可敬而又可愛的史語所大家長，竟會在一場突如其來的變故中忽然死亡，這宛如晴天霹靂似的突來變故，怎能令大家承受得起呢？

臺灣大學是直屬於教育部的國立大學，依法不受地方民意機構之監督，所以臺灣大學的校長可以

❸ 見郭廷以著，中華民國史事日誌第四冊頁九二四，民國三十八年十二月二十三日記事條。

無須出席臺灣省參議會之質詢。但因當時由於時局混亂，疏遷來臺的各級中央機關尚未建立其獨立的預算制度，臺大的經費亦暫在省庫開支，傅先生為了尊重民主政治的體制，還是願意到省參議會去答覆有關臺大教育問題的質詢。所以當民國三十九年十二月二十日臺灣省參議會開會時，傅先生也去出席了。會議的時間冗長，出席會議不免過於勞累，加以傅先生本有高血壓心臟病的宿疾，過度疲勞對他的健康更加不利。下午六時十分，傅先生在發言完畢走下發言臺時，突然步履不穩。在旁的臺灣省教育廳長陳雪屏先生見狀，急忙上前扶持。只聽得傅先生口中說著「不好」，身體已歪倒在陳廳長身上，立即昏迷。在場的參議員劉傳來先生是醫師，趕快過來幫忙將傅先生扶躺在列席人員所坐的一排椅子上，還拿陳廳長的公事皮包做枕頭，以便傅先生暫時休息。但這一切都無濟於事，昏迷不省人事的傅先生終於未再清醒過來，延至當晚十一時二十分，不治身死❹。噩耗傳出，舉國震驚，史語所同仁與臺大師生更是悲痛萬分。風雨飄搖中的史語所本已搖搖欲墜，至此更因最有能力與惡劣環境相抵抗的大家長忽然去世，而陷入更深切的危疑痛悼之中。

傅斯年先生畢業於北京大學文科。畢業後考取山東省的公費留學。曾先後在英國的愛丁堡大學、倫敦大學及德國的柏林大學研習實驗心理學、生理學、數學及哲學等多種學科。他自己常說，他在英、德兩國留學七、八年，進過三個大學，研習好幾門學科，可就是沒有讀過博士。所以他雖然沒有博士學位，而在文學、數學、外國語、哲學、心理學等等方面的學問，卻是第一流的。由於他的學識淵博而又對學術發展的方向有明確的瞭解，所以在作了史語所的所長之後，就能在很短的時間內集中人才，依照他的理想計劃和方法，朝著歷史、語言、考古這三個方向發展，而且很快的建立起卓越的成績。過去常聽史語所老一輩的研究同仁說起，傅先生在南京或在四川時，常常抽空邀約所中的年青

---

❹ 詳情可參閱傳記文學雜誌第二十八卷第一期，陳雪屏撰〈北大與臺大的兩段往事〉一文。

研究同仁到他那裡去談話，詢問他們所讀何書，有何心得，以及有何計劃構想等等，然後給予適當的批評與指導。與他談過話的年青研究同仁無不驚詫於他的學識何以如此淵博，幾乎有無所不知的情形。因此大家對他的約請談話，無不深懷懍懼，惟恐在被他問倒之後面子上掛不住。而傅先生之所以能知道所中的年青助理員何人最能有成就，何人最沒有希望，也就是藉由這種談話觀察中所得到的瞭解。史語所在早期共分歷史、語言、考古三組，之後方添設研究人類學與民族學的第四組，而傅先生居然能對這些不同門類的學科都有其深入的瞭解與認識，這一份功力就迥非常人之所能及。由於這種種因素，史語所同仁自研究員以至工友，無不視傅先生為最能幹的領導人，有困難時都可以由他來想辦法解決。當此危疑震撼的非常時期，這一位可資倚恃信賴的大家長忽然不幸死亡，大家在一時之間都恍如失去重心般徬徨失措，不知道如何是好。所以，傅斯年先生之死，不僅是當時全國學術界的一大損失，更是史語所同仁的莫大損失。以後的史語所將何去何從，成了壓在全體同仁心中的一塊大石頭。

十、餘記

史語所創建於民國十七年，至民國三十九年創所所長傅斯年先生突然因病死亡之時為止，前後已有二十餘年的歷史了。創所之初，此所在學術文化界並無藉藉之名。但不旋踵之間，便因整理內閣大庫檔案及安陽考古二事的輝煌成績而聲譽鵲起，在很短時間內便被國內外學術界視為新起的漢學重鎮，大顯風光。要保持這一份享譽國際的學術桂冠聲名於不墜，有賴此後繼起不斷的研究與創新。為了這一緣故，史語所同仁自所長傅斯年以次，無不兢兢業業，努力不懈。其間雖曾因八年抗戰而顛沛流離，亦並未因戰爭損害與工作同仁之生活水準日見降低而有所動搖。但在傅斯年先生突然逝世之時，整個情況完全不對了。由於戡亂戰爭之整個失敗，大陸疆土完全失陷，自中央政府以次的全國軍、公、教人員全部撤退來臺，政府資源短絀，財政困難，根本沒有力量來照顧中央研究院這樣的學術機關，所以當時史語所同仁所面臨的生活壓力極為嚴重。要知道當時的實際情況如何，可以參看民國四十四年六月三十日史語所所務會議紀錄後面所附的一篇書面發言，發言人是當時的第一組主任陳槃先生，發言內容係針對當時的中央研究院院長朱家驊先生計劃將史語所的第四組改設為民族學研究所，徵詢史語所同仁的意見。陳槃先生因此說：

> 不要只顧到量的擴充，史語所原有的質的優良傳統要如何保持，是目前一個十分嚴重的問題。這問題，歸根就是同仁的生活問題。過去因為同仁的生活沒有問題，大家都一心一意做研究工

作，所以成績很能夠表現。如今大家生活有了問題，為了吃飯，就不能不兼課或者賣文換米，算起來，真正做研究工作的精神和時間只佔一半，其餘的一半，為了生活問題，忍痛著賤賣出去了。我個人看，老如此下去，史語所最多只可以說能維持現狀，進步，恐怕難說。如果本人說的沒有錯，那麼，就多擴充幾個研究所，還是這樣，對國家有什麼貢獻？……

由陳槃先生的話，可知當時全國軍公教人員之普遍因待遇菲薄而嚴重影響到學術研究機關之研究品質，其關鍵完全在薪給低微的問題，不想法解決這一問題，學術研究工作不僅不能求其研究創新，實際上連維持現狀都很困難。然而這卻是當時整個國家社會的問題，即使傅斯年當時尚健在，恐怕也無能為力。而史語所在當時之所以能渡此難關，就不能不歸功於繼任所長李濟先生的努力了。

美國在經過第一、二兩次世界大戰之後國力鼎盛，成為全世界首屈一指的巨富。其學術文化界擁有甚多財力雄厚的基金會，專門藉其雄厚資金提倡學術研究工作。李濟先生早年留學美國，先在克拉克大學獲人類學碩士，再在哈佛大學獲人類學博士。由於安陽考古的成績卓著，美國學術界人士早已對他敬仰有加。一經透過相關人士的介紹申請，即不難在有名的洛克菲勒基金會獲得對史語所的研究補助。計自民國四十七年九月至五十年八月的三年之內，洛克菲勒基金會每年資助史語所美金一萬五千元，期滿之後，又復延長二年，首尾共為五年，援助總金額七萬五千元。當時的外匯牌價，美金一元合臺幣三十六元。按此折算，在五年補助期間，洛克菲勒基金會每年給予史語所的補助金，是新臺幣五十四萬元。當時的研究人員所領薪俸，簡任級的專任研究員不過月領一千二百餘元，副研究員則更只有一千元多一點而已。而洛氏基金會對於他們的補助，則是研究員年領美金九百元，副研究員年領美金八百元，折合臺幣，則是研究員月領新臺幣二千七百元，副研究員月領新臺幣二千四百元。比較其原領月薪，足足多了兩倍以上。兩者相加，研究員的每月所得逾三千九百元，副研究員亦達三千五百元之譜。其時軍公教人員普遍窮困，史語所的研究人員居然能特享此厚俸，怎不令人豔羨不止？而長期苦貧的研究工作人員得此豐厚挹注，在感謝之餘，自然努力從事其本身的研究工作，而史語所的研究成績，自然也如立竿見影一般地迅速見效了。史語所的研究同仁工作情緒長期低落，有此巨大轉變，完全得力於洛克菲勒基金會的補助，其原動力則來自繼任所長李濟先生，在追述這一段艱難苦辛的歷史時實在功不可沒。

上一世紀的六十年代以後，臺灣的經濟力量逐漸起飛，產業發達，財富累積，政府既有足夠的力量調高公教人員的待遇，對於學術文化工作的提倡更是不遺餘力。中央研究院歷史語言研究所值此國運昌隆之時除舊佈新，運作日見順遂，故而能在二三十年之間發揚光大，與時俱進。回顧當年所經歷的艱辛歲月，增人感慨。傅斯年先生如果地下有知，目睹他當年艱難締造的史語所如今輝煌如此，必當能含笑九泉的吧。

國家圖書館出版品預行編目資料

手植楨楠已成蔭
——傅斯年與中研院史語所

蘇同炳著. – 初版. – 臺北市：臺灣學生，2012.10
面；公分

ISBN 978-957-15-1574-8 (平裝)

1. 傅斯年 2. 中央研究院歷史語言研究所 3. 歷史 4. 臺灣

062.2 101019403

手植楨楠已成蔭
——傅斯年與中研院史語所

著作者：蘇同炳
出版者：臺灣學生書局有限公司
發行人：楊雲龍
發行所：臺灣學生書局有限公司
臺北市和平東路一段七十五巷十一號
郵政劃撥戶：○○○二四六六八號
電話：（○二）二三九二八一八五
傳真：（○二）二三九二八一○五
E-mail:student.book@msa.hinet.net
http://www.studentbook.com.tw

本書局登記證字號：行政院新聞局局版北市業字第玖捌壹號

印刷所：長欣印刷企業社
新北市中和區永和路三六三巷四二號
電話：（○二）二二二六八八五三

定價：新臺幣六○○元

二○一二年十月初版

78304

ISBN 978-957-15-1574-8 (平裝)

臺灣 學生書局 出版

史學叢刊

❶	李鴻章傳	李守孔著
❷	民國初期的復辟派	胡平生著
❸	史學通論	甲　凱著
❹	清世宗與賦役制度的變革	莊吉發著
❺	北宋茶之生產與經營	朱重聖著
❻	泉州與我國中古的海上交通	李東華著
❼	明代軍戶世襲制度	于志嘉著
❽	唐代京兆尹研究	張榮芳著
❾	清代學術史研究	胡楚生著
❿	歐戰時期的美國對華政策	王綱領著
⓫	清乾嘉時代之史學與史家	杜維運著
⓬	宋代佛教社會經濟史論集	黃敏枝著
⓭	民國時期的寧夏省(1929-1949)	胡平生著
⓮	漢代的流民問題	羅彤華著
⓯	中國史學觀念史	雷家驥著
⓰	嵇康研究及年譜	莊萬壽著
⓱	民初直魯豫盜匪之研究	吳蕙芳著
⓲	明代的儒學教官	吳智和著
⓳	明清政治社會史論	陳文石著
⓴	元代的士人與政治	王明蓀著
㉑	清史拾遺	莊吉發著
㉒	六朝的城市與社會	劉淑芬著
㉓	明代東北史綱	楊　暘著

51 跨國移動的困境：美國華日兩族的族群關係，1885-1937　王秀惠著
52 故都新貌：遷都後到抗戰前的北平城市消費（1928-1937）　許慧琦著
53 唐代前期政治文化研究　李松濤著
54 蔣馮書簡新論　陶英惠著
55 歷史，要教什麼？——英、美歷史教育的爭議　林慈淑著
56 外交與砲艦的迷思：1920年代前期長江上游航行安全問題與列強的因應之道　應俊豪著
57 屈萬里先生年譜　劉兆祐著
58 近代中國的合作經濟運動：1912-1949　賴建誠著
59 井田辨：諸說辯駁　賴建誠著
60 學生如何學歷史？——歷史的理解與學習國際學術研討會論文集　張元・蕭憶梅主編
61 內戰下的上海市社會局研究（1945-1949）　李鎧光著
62 孫立人上將專案追蹤訪談錄　朱浤源主編
63 手植楨楠已成蔭——傅斯年與中研院史語所　蘇同炳著